BESTSELLER

Joaquín Sabina (Úbeda, Jaén, 1949) es uno de los cantantes más celebres y queridos de España y América Latina, y uno de los más brillantes escritores de canciones en la lengua de Cervantes. Ha grabado dieciséis discos, de entre los que destacan *Juez y parte, El hombre del traje gris, Física y química, Yo, mí, me, contigo, Enemigos íntimos* (en colaboración con el cantante y compositor argentino Fito Páez), *19 días y 500 noches* y *Alivio de luto*, y el disco-libro *Diario de un peatón*. Es autor además de varios libros: el poemario / cancionero *De lo cantado y sus márgenes*; la colección de sonetos *Ciento volando de catorce*, con la que ha cosechado uno de los mayores éxitos de ventas de la poesía española contemporánea (ha sido editado también en Argentina, Uruguay, Perú, México y Cuba); los cancioneros Con *buena letra I* y *II*, y Esta boca es mía (Ediciones B), que recoge sus editoriales en verso publicados semanalmente en la revista *Interviú* entre abril de 2004 y mayo de 2005.

Javier Menéndez Flores (Madrid, 1969) estudió Filosofía y Letras y a lo largo de su trayectoria periodística ha colaborado, entre otras, en las publicaciones *Guía del Ocio, Man, Rolling Stone* y, fundamentalmente, *Interviú*, revista para la que en la última década ha desnudado verbalmente a más de cuatrocientas figuras de la cultura y el espectáculo. Debutó en el ruedo literario con la biografía *Joaquín Sabina. Perdonen la tristeza*, con la que obtuvo uno de sus mayores éxitos de ventas de los últimos años en dicho género. A ésta le siguieron la biografía *Miguel Bosé. Con tu nombre de beso*, el libro de semblanzas y entrevistas *Miénteme mientras me besas*, que recogía sus encuentros con las principales estrellas de la canción en español, y la novela *Los desolados*. En breve aparecerá, en Ediciones B, su segunda novela, *El adiós de los nuestros*, un *thriller* trepidante ambientado en el Madrid actual.

JOAQUÍN SABINA
JAVIER MENÉNDEZ FLORES

Sabina en carne viva

DEBOLS!LLO

Primera edición septiembre, 2006
Primera edición en Debolsillo, 2007

www.randomhousemondadori.com.mx

Comentarios sobre la edición y contenido de este libro a:
literaria@randomhousemondadori.com.mx

ISBN: 978-970-780-335-0
ISBN: 970-780-335-5

Impreso en México / *Printed in Mexico*

Para Ángel González, para Pepe Caballero,
para Alfredo Bryce, para el Gabo.
Con devoción

JOAQUÍN SABINA

Para Edmundo Dantés, para Florentino Ariza,
para el Pijoaparte, *para Dick Turpin.*
Con gratitud

Y para Javier Menéndez jr.,
que aún no se juega nada,
y Margarita,
por quien me lo juego todo

JAVIER MENÉNDEZ FLORES

A lo largo de la vida, la mayoría de nosotros construye en su intimidad mental una historia cultural de los años en los que le ha tocado vivir. A menudo concebimos esa historia como un recuerdo colectivo que otros compartirán con nosotros. Incluso nos referimos a ella como *nuestro* tiempo. Pero lo cierto es que se trata sólo de un tiempo personal, el tiempo social, cultural e histórico de nuestra intimidad, nuestra imagen personal de lo que ha ocurrido en el mundo. [...] Trabajamos sin cesar para lograr cierta comprensión de nuestra vida y de nuestro tiempo. De modo que revisamos permanentemente nuestra historia personal del pasado hasta incluir en ella a todos aquellos en relación con los cuales hemos reaccionado en la vida: nuestros amigos, nuestros parientes, nuestros enemigos, nuestras estrellas de cine, nuestros atletas, nuestros héroes y las figuras públicas, por no hablar de todos los grandes acontecimientos, los históricos, y también de los minúsculos, por los que hemos pasado, además de todos los libros que han permanecido con nosotros, los que han contribuido a cambiar nuestra vida.

NORMAN MAILER,
Del prólogo a *América*

No podíamos entenderlo entonces, pero él había sobrepasado esa edad en que un hombre deja de sentir el deseo de ajustar cuentas con nadie, salvo tal vez consigo mismo.

JUAN MARSÉ,
Un día volveré

... Pero si me provocan
yo también sé jugarme la boca,
qué te voy a contar.

JOAQUÍN SABINA,
Yo también sé jugarme la boca

[illegible]

[illegible]

Del mismo autor

[illegible]

[illegible]

[illegible]

AVANT LA LETTRE

Hace algunos meses, en un lugar de La Mancha, el abajo firmante dejose, de buen grado, tirar de la lengua durante cinco noches, whisky mediante, por Javi Menéndez Flores. Lo que pone en mi boca dicho estuvo. Todo lo demás pertenece a su exquisito e infatigable modo de entender su trabajo, tan gozosamente, tan escrupulosamente en serio.

Ojalá que ustedes lo compartan.

JOAQUÍN SABINA
Tirso de Molina, julio de 2006

Nota prescindible a pie de página: cada vez que aparece la palabra maricón o derivados, quiere ser o bien una definición (gay me sigue pareciendo una cursilada inaceptable) o una broma, cualquier cosa menos un insulto. (¿De verdad es necesario aclararlo a estas alturas?)

ATRIO

Qué disparate de
partida de ajedrez
con una partenaire
adicta al jaque mate.

El rocanrol de los idiotas
(Yo, mí, me, contigo)

VUELVO A CALLE MELANCOLÍA

He vuelto a tropezar con el pasado
y he pedido, en el bar de mis pecados,
otra copa de ron.

Como un explorador
(Esta boca es mía)

Vuelvo a calle Melancolía, esquina Tirso de Molina, cinco años más viejo. Y quiero pensar que esta reincidencia o vuelta a los orígenes, más que la repetición de un libro, de una vida, de una idea, es la continuación de algo que quedó inconcluso, momentáneamente en suspenso, pendiente. Puesto que en el transcurso de estos cinco años que me han marchitado un poco más el alma y la osamenta y me han alejado ya sin remisión de la inocencia, han sucedido no pocas cosas en la vida de Joaquín Sabina que merecen un exhaustivo análisis.

En estos cinco años, por ejemplo, Joaquín ha llegado a conversar con la muerte y la ha persuadido de que aún no era el momento; de que Samarcanda, maldita sea, puede esperar. Después ha conocido el miedo escénico, una suerte de agorafobia tardía, y ha despreciado la erótica de los conciertos para enclaustrarse en la casa de la que antes huía como si apestara y sacar del archivo de los asuntos pendientes el apolillado traje del escritor que quizá estaba llamado a ser; antes de que el viejo Bob se cruzara en su camino con la violencia de un canto rodado y le hiciera cambiar la sobria Underwood por una mucho más excitante Gibson Les Paul.

Se ama lo que no se tiene, se añora lo que nunca jamás sucedió. Él, de pronto, decidió sacrificar los síes melifluos y los aplausos en vena por la soledad sin límites del escritor. Ese que no necesita del recurso tramposo de la música para apresar un desasistido corazón al vuelo.

Y es que en estos últimos cinco años, Sabina ha terminado por conceder que la condición de poeta que tantos le adjudicaban, y que él siempre se mostró renuente a aceptar, no era ni mucho menos descabellada. Un poeta que cultiva, o más bien esgrime, un verso obscenamente nihilista que propende a la letanía y a las referencias culturalistas y que, a pesar de no encontrarse en los libros en la actualidad, delata que fue forjado al calor de variadas y bien asimiladas lecturas de autores cuyos nombres forman parte de la mejor poesía en castellano de todos los tiempos.

Ya las páginas de *Perdonen la tristeza*, que es como se titulaba el libro que sobre él escribí hace un irrecuperable lustro, hablaban, amén de un singular cantante, de uno de los más altos orfebres de la canción en español. Esto es, de un artesano del verso. Sin embargo, pese a su excelencia en esas lides, Joaquín se ha negado a dormirse en unos laureles que, además, se resiste a calarse, y ha seguido buscando, con un hambre que contradice la megalomanía que muchos se empeñan en atribuirle, «la mirada constante, la palabra precisa, la sonrisa perfecta» de las letras. Si es que esa cima —ojalá que sí— existe de veras.

Esa pertinaz búsqueda de la sabiduría después del éxito, del halago estruendoso de la muchedumbre, es la primera de las dos razones por las cuales vuelvo a calle Melancolía. La segunda es que el propio Sabina, para mi sorpresa y regocijo, me ha llamado y me ha dicho: «Eh, socio, / que esto es un negocio, / échame una mano, / siéntate al *teclado*. / Eh, *Javi*, / que te necesito. / Aquí te esperan / las tijeras / del sol, / el asfalto, el smog / y el perfume más caro...»

Porque Joaquín, tras interrogarse a sí mismo y convenir que por qué no, ha decidido jugarse la boca y hablar larga y profusamente no sólo de aquellos sucesos que en los últimos cinco años han jalonado su vida (*marichalazo*, *nube negra*, estadía voluntaria en el dique seco, publicación de libros de poemas millonarios en ventas, columnista en *Interviú*...), sino también de todos los asuntos que en mi anterior libro sobre él tan sólo habían sido insinuados o tocados de forma somera. Es decir, poner a disposición tanto del seguidor furibundo como del curioso ocasional sus opiniones en materia política, literaria, musical; contar sus más sabrosos secretos amicales y sentimentales y, por encima de todo, tratar de hacerle llegar el perfume unívoco y estupefaciente de su aún no agotada pero hasta la náusea exprimida existencia a todo aquel espíritu desencantado que ande ávido de emociones fuertes.

Es por eso, y por mi insana e inveterada costumbre de transigir ante la extraña belleza de los retos, que vuelvo a calle Melancolía, esquina Tirso de Molina, para acometer una segunda parte biográfica menos atenta al dato que a la profundización psicológica en el personaje. Una larga charla, en fin, con ambiciosa, y no sé si insensata, vocación de biografía definitiva.

Aunque aspiro a rejuvenecer en el intento al menos una década en compañía de quien tal vez sea el último goliardo de enjundia de la música española, aquel que un lustro atrás ya era rigurosamente, diabólicamente viejo y, al mismo tiempo, tan desmesuradamente joven, no se me escapa que la carrera que nos espera a ambos será larga y difícil. Una prueba de resistencia e ingenio sobre un terreno abrupto y por momentos desconocido en el que, si cometo el error de dar un mal paso, puedo caer fulminado en el acto por una flecha de silencio o una bala de desdén. Exponerme, en resumidas cuentas, a la frustración del hermetismo o al oprobio de la indiferencia. Sin duda, los mayores escollos con los que se puede topar un entrevistador.

Pero nadie dijo que éste fuera un oficio grato. Más bien al contrario.

Al menos me consuela pensar que no está del todo mal pagado...

Perdonen la franqueza.

JAVIER MENÉNDEZ FLORES
Antes del principio, inventario del porvenir
(sin fecha)

AFINANDO LA VOZ

... Jool *es una palabra ambivalente. Si pillas a tu mujer follando con otro, dices* jool. *Si ves un cuadro de Gauguin que te gusta mucho, dices* jool. *Y si ves una mierrrrrda de Paco Porras, también dices* ¡jool! *Es el mejor invento que se ha hecho desde Cervantes. ¿Que si se escribe con j o con h? Pienso llamar a Chiquito para preguntárselo porque llevo unos días muy preocupado pensando en cómo se escribe* jool... *Tenemos que hacer un capítulo sobre irse a envejecer a la reserva. Me refiero a la reserva india. A una reserva india de cinco estrellas, ¿eh? Mucho cuidado. Con unos viejos libertinos, locuaces o silenciosos, y con todas las drogas que ayuden a bien envejecer y a bien morir. ¡Es el momento de hacerse adicto a la heroína con ochenta y tantos años!... Espera un momento. Si esto ya está grabando, me pongo primero unos hielitos en el whisky... Qué hermoso sonido, ¿verdad?... ¿Te sabes aquello de Frank Sinatra y el Jack Daniel's? El mejor anuncio que he visto en mi vida, impresionante. No había dinero para pagarlo. Verás. Una vez que Sinatra, ya muy mayor, en su crepúsculo, cantó en Barcelona, a mitad del concierto extendió la mano y se le acercó un camarero con un vaso de whisky, y al lado había una botella. Entonces Sinatra dijo: «Ustedes saben. He tenido muchos amigos y he llevado una vida muy agitada, pero nunca he tenido un amigo que, como él, no me fallara nunca: se llama Jack Daniel's.» ¡El mejor anuncio del mundo! ¡Nunca me ha fallado! Y eso que no era etiqueta negra como mi Juanito El Caminante... Bueno, mi querido Javi. Dispara de una vez...*

El inconexo soliloquio precedente y la euforia que lo vertebra dicen, créanme, mucho más de quien lo pronuncia que la mayoría de las letras de sus canciones.

Son cerca de las dos de la mañana y, aunque la primera de las entrevistas que hemos de realizar no ha comenzado aún, mi interlocutor lleva un buen rato calentando motores, pegando la hebra casi en solitario, afinando la voz. Debe de tratarse, después de más de mil quinientos conciertos y de cerca de un centenar de recitales de poesía a sus espaldas, de un claro síntoma de deformación profesional.

Joaquín está recostado en un sofá de tres plazas, descalzo y con un vaso de whisky preñado de hielo haciendo las veces de batuta, y yo asisto divertido al espectáculo que supone verle en acción sentado frente a él en una no del todo incómoda silla de cuero.

Sobre la imprescindible mesa de centro hay una cubitera al límite de su capacidad, una botella de Johnnie Walker etiqueta negra, café como para un regimiento, unas cuantas cajetillas de Ducados, cerveza, una docena de cintas vírgenes y una grabadora marca Sony que está registrando, con la implacabilidad de las máquinas, hasta el último de los desvaríos verbales de mi insigne acompañante.

Por cierto, inexplicablemente no siento que tenga ante mí, y a mi casi entera disposición, a lo más parecido a una estrella de rock que existe por estos pagos (tal y como está el patio con los catalanes, vascos, gallegos y hasta andaluces, cualquiera se atreve a decir España). Por otro lado, soy consciente de que tampoco estoy con lo que podría llamarse un amigo íntimo.

Sin embargo, respecto a lo primero, su condición de estrella, poseo la suficiente lucidez, a pesar del penetrante humo de los cigarrillos de Joaquín que desde hace un par de horas invade la habitación y de las sucesivas Heineken, como para saber que hay veces en que las sensaciones son lo de menos, y no dejo de recordarme mentalmente quién es él y por qué razón nos hemos reunido. Y en cuanto a lo de la amistad, la verdad es que la certidumbre de que no somos Pili y Mili no ha impedido en absoluto que, de pronto, en mitad de la conversación de precalentamiento que hemos mantenido mientras veíamos, muertos de la risa, *Fahrenheit 9/11*, del necesario Michael Moore, me sintiera, con una intensidad tan real como un dolor de muelas, como si en verdad lo fuéramos. Además, qué coño. Quizá a estas alturas lo nuestro tenga más valor que lo que le une a muchos de sus allegados, de sus amigos.

—Bueno, mi querido Javi. Dispara de una vez...

La imperativa frase de Joaquín ha quedado flotando en el ambiente unos segundos, a la espera de ser atendida para que comience el ritual de pregunta-respuesta con el que trataremos (trataré) de esclarecer hasta la última de las incógnitas que rodean su, más que agitada, tumultuosa existencia.

Sé, a pesar de que lo disimula huyendo hacia delante, que está tan impaciente como yo. Lo sé porque sus ojos no dejan de decirme: «Si hay que hacer esto, cuanto antes mejor.»

Le doy, pues, un largo trago a la cerveza mientras cuento hasta diez, y me inclino después hacia la mesa para cerciorarme de que la grabadora está haciendo honor a su memorioso nombre. En ese preciso momento se apodera del aire ese silencio cómplice que tan bien conozco, y noto cómo la sangre comienza a circular por las venas y en la cabeza se enciende, inclemente, el piloto que despide al compadre y da paso al periodista.

Ha llegado la hora de las espadas como labios. O mejor sería decir de los labios que se expresan con el verbo filoso de las espadas.

Y algo me dice que lo vamos a pasar bien, sí. Presiento mucha, mucha adrenalina.

1

LA MENTIRA COMO UNA DE LAS BELLAS ARTES

Es mentira que más de cien mentiras
no digan la verdad.

Es mentira (Yo, mí, me, contigo)

«Pablo Milanés tiene un verso, atribuido a mí, que dice: "Tengo un amigo lejano y mentiroso." La mentira es el arte, la poesía. La otra cara de la verdad.»

La pregunta, la impertinente pregunta, llevaba varios días lacerándome con la dolorosa tenacidad de un carnívoro punzón: ¿por dónde empezar?

Pero ahora, inopinadamente, con Joaquín delante de mí, expectante y listo ya para la contienda dialéctica, la tan ansiada respuesta acude a mi cabeza sin más. Como si ésta no pudiese ser premeditada y necesitara de la alquimia de la cercanía y la mirada para materializarse y marcar el camino a seguir.

Y esa respuesta redentora me dice que he de empezar por donde se debe empezar siempre en estos casos: dando por sentado que lo más seguro es que aquel que se tiene enfrente y que jura y perjura que dirá la verdad, toda la verdad y nada más que la verdad, tan sólo llegue a relatarnos *su* verdad; esa realidad deformada que los años, tan partidistas y mendaces, tan mitómanos, se empeñan en perpetuar. Y eso con un poco de (buena) suerte.

JAVIER MENÉNDEZ FLORES: Joaquín, ¿vas a mentirme mucho?

JOAQUÍN SABINA: Sólo te mentiré, Javier, en el caso de que la mentira pertenezca a las bellas artes, como decía De Quincey del asesinato. La mentira como una de las bellas artes, sí. Es decir, los italianos lo dicen mejor que nadie: *si non è vero, è ben trovato*. Hay un montón de anécdotas de gente que deberían ser verdad y no lo son, pero creo que por eso son más verdad que la verdad, porque son la verdad literaria, que funda y construye palacios sobre los escombros de la realidad. Uf. ¡Cómo empezamos!

Los dos reímos entonces con ganas, en lo que será la primera de las carcajadas de una larga conversación plagada de ellas. Mas, por razones estilísticas, las onomatopeyas de risa y aun la mera mención de ésta serán omitidas, con alguna que otra excepción, durante todo el libro. Que sea el lector quien interprete, por el propio pulso del diálogo, los momentos de guasa o de tensión o de melancolía. Si lo consigue, las aspiraciones del texto habrán sido de sobra colmadas.

J. M. F.: Ya que me das pie, me gustaría que habláramos, antes de nada, de la mentira. De la importancia de la mentira en las vidas de los hombres y las mujeres. No se me ocurre mejor manera de comenzar esta charla.

J. S.: Es que es la mejor. Entre otras cosas, porque la mentira engloba a todas las artes. Y también engloba los sueños. Y también a la imaginación y al deseo.

J. M. F.: Supongo que, cuando hablas de sueños, te refieres tanto a los inconscientes como a los conscientes.

J. S.: Sí, a los dos. Del mismo modo que antes de empezar esta primera entrevista de muchas he dicho que la palabra *jool,* de Chiquito de la Calzada, era una genialidad absoluta porque servía para expresar tanto la tristeza como el júbilo —«y tú ¿qué dijiste?», «pues *jool*»—, ahora me ha parecido, sobre la charla, que la palabra mentira engloba casi todo aquello que amo. Esto es, engloba la novela, engloba la poesía, engloba la pintura, engloba el cine, engloba la escultura, engloba la imaginación, engloba el deseo y engloba el sueño. Te juro por que se le hinche la cabeza a la Jime [Jimena, su novia] si miento, que esto que te estoy diciendo de la mentira me parece un hallazgo. Mañana, cuando no esté borracho, quizá me parecerá una mierda, pero es que la mentira lo engloba todo. ¿Qué es el arte? Una hermosa mentira. ¿Qué es el sueño? Una hermosa mentira. Y a veces una pesadilla. Pero siempre mentirosa, porque uno sueña cosas que no suceden. El arte se inventó para corregir la realidad. Como dice Vargas Llosa en ese magnífico libro que ya no reconoce como suyo, *Historia de un deicidio* —sobre su hermano y, sin embargo, enemigo García Márquez—: se escribe para corregir la creación de Dios. Se escribe de lo que no se tiene, de lo que se pierde.

»Hermosa mentira. Bendita sea.

J. M. F.: De todos modos, si bien la mentira forma parte de la esencia del ser humano, es uno de sus más acusados rasgos de identidad, en los personajes públicos en general y en los artistas y políticos en particular parece, o mejor dicho es, un recurso casi obligado.

J. S.: Y ¿por qué en ese orden? En los artistas son hermosas mentiras y en los políticos, asquerosas mentiras. Si los votamos y si pagamos nuestros impuestos para que nos representen, para que sean la señora de la limpieza que tiene que ir al Congreso porque nosotros no tenemos tiempo de ir, porque estamos ocupados con otras cosas más interesantes, ¿por qué tienen que mentirnos?

J. M. F.: María Zambrano no albergaba dudas al respecto cuando afirmó que decir la verdad es imposible, pues o es nefanda o es inefable.

J. S.: Es hermoso. Pero, bueno, ya desde Sócrates viene aquello que se saben hasta los que no saben quién era Sócrates: sólo sé que no sé nada. A mí me sorprendían un poco los surrealistas, los Dalís y compañía, con aquellas tonterías que decían del sistema paranoico-crítico. Es mucho más fácil la duda como método. La duda es metódica, no soy yo el que lo ha inventado, y no sólo en literatura o en arte sino en lo que más nos importa, en las relaciones con nuestra novia, con nuestra madre o con nuestros amigos. El maniqueísmo es un pecado de Dios. Eso de no poder hablar de determinada gente porque *no son de nuestro bando*, o llegar a la televisión o a los periódicos y echar a los de antes porque *no son de nuestro bando* —sin considerar que algunos del *otro bando* tienen algunas cosas interesantes y que los dos bandos no son tales, sino que son grises y no rojos ni azules—, me parece terrible. Porque hay muchas mezclas y hay gente muy interesante en tierra de nadie.

»En mi experiencia diaria es muy difícil que la gente que ha tomado partido, te hablo de los periódicos, de los escritores, de los cantantes, de los votantes, reconozca alguna vez que hay una tierra de nadie donde se funden los colores. Y completando lo que decíamos antes, la mentira de los políticos es profunda, absoluta, jurídica, moral y éticamente inadmisible. Porque son nuestros representantes y lo que tienen que decir es lo que nosotros les decimos que digan, ninguna otra cosa. Y a veces tienen que decir cosas que no queremos que digan. Por ejemplo: si uno hace un referéndum sobre no pagar impuestos o sobre la mili, desde luego que sale que no queremos pagar impuestos. En el caso de la mili no sé muy bien lo que opino, pero en el caso de los impuestos opino que hay que pagarlos.

J. M. F.: Vayamos ahora a lo particular y hablemos de la mentira en la vida de Joaquín Sabina.

J. S.: Lo confieso: no la tengo tan larga.

J. M. F.: Pues si empezamos reconociendo eso, no vamos a vender un solo libro.

J. S.: Lo que no vamos a vender es una sola polla. Primero: no la tengo muy larga. Segundo: cuando se publicó aquella foto en *El País* dominical,[1] descubrí que los

1. El suplemento dominical del diario *El País* publicó un reportaje sobre la música española («A todo volumen», 22-9-2002) en el que se incluían fotografías y perfiles de algunos de los más célebres intérpretes y grupos pertenecientes a tres generaciones. En él aparecía un retrato de cuerpo entero de Sabina sonriendo al pajarito y en el que por todo atuendo llevaba un bombín y un calcetín roto, enseñando de ese modo no sólo el escroto en su prístina totalidad, sino unas uñas desmesuradas. Aquello provocó la indignación de varios lectores, que mostraron por carta su enfado e incomprensión por el hecho de que un diario del prestigio y la seriedad de *El País* hubiera elegido una foto semejante. No faltaron también, claro, quienes se manifestaron a favor del minimalista estilismo. La escritora Elvira Lindo le dedicó a aquel inguinal episodio su columna dominical de *El País* bajo el título «Por los cerros de Úbeda», y en ella contaba, con su ironía habitual, que el cantante les había invitado a cenar a ella y a su marido, el escritor y académico, paisano de Joaquín, Antonio Muñoz Molina, y que en el transcurso de la velada bromearon respecto al tamaño del miembro de Joaquín (nada desdeñable, por cierto) y la posibilidad de que se tratase de una foto trucada, a lo que el interpelado contestó que de montaje naranjas de la China, que era muy normal que en Jaén se dieran esas «pollas de corral». En una entrevista que le hice a Joaquín para *Interviú*, hablamos de aquel lance y me dijo que

demás la tenían muy corta, porque empezaron a acusarme de montaje y de trucaje. ¡Pues no! Además, estaba en estado de reposo. ¡Os jodéis! A mí me pareció ridícula, pero a mis enemigos les pareció inmensa. Una última cosa. Me consta, aunque yo no se la he visto, que Ussía[2] la tiene más larga. Me refiero a la nariz, claro.

J. M. F.: Tamaños de nariz o de entrepierna aparte, y volviendo al tema que nos ocupa, la mentira, en la primera entrevista que te hice, allá por 1997, al preguntarte acerca de tu servicio militar en Palma de Mallorca, me contestaste que lo más reseñable de aquello fue que te casaste en esa isla por la Iglesia, en febrero de 1977, por una causa noble: dormir fuera del cuartel, y que a los diez días ella se marchó. Así dicho, queda muy literario. Pero la reali-

---

aquello había sido una broma que no se entendió. Y añadió: «Pensé que iban a sacar una foto pequeñita en una esquina, pero lo que no esperaba —y no lo digo en contra del fotógrafo, que lo consultó— era esa cosa a toda página. Realmente lo que sí que me sorprendió es que lo hicieran en *El País*. Mi hija Carmela me contó una cosa muy divertida, que llegó a la escuela y se la habían puesto en la pizarra. Le pregunté que qué le había parecido y me contestó: "No pienso traumatizarme." Y yo, alarmado, le dije: "¿Te refieres a que la tengo pequeña?"»

2. Alfonso Ussía, escritor. Viejo enemigo de Joaquín a quien éste le dedicó un soneto cargado de bilis, *Alfonsina y el mal* (genial paráfrasis de la clásica pieza *Alfonsina y el mar*, de los argentinos Ariel Ramírez y Félix Luna), que ya recogí en la biografía *Perdonen la tristeza* (Plaza & Janés, 2000) y que Sabina incluyó un año después en su libro de sonetos *Ciento volando de catorce* (Visor). Posteriormente le ha venido propinando, siempre que ha tenido ocasión, alguna que otra coz tanto en intervenciones televisivas como en colaboraciones en prensa (a lo largo de este libro le arrea de lo lindo). Ussía, por su parte, tampoco se ha quedado manco y le ha disparado a matar desde sus tribunas de los diarios *ABC* y *La Razón* y del semanario *Tiempo*. Finalmente, y a pesar de los pesares, parece que han terminado haciendo las paces. (Véase Coda, pág. 401.)

dad es otra: esa mujer era Lucía y conviviste con ella muchos años en Madrid, creo que hasta 1985, esto es, casi una década, y os separasteis legalmente en 1989. Puedes defenderte o bien reconocerlo sin más.

J. S.: O sea, que has estado haciendo periodismo de campo. Lo que dices es verdad, pero eso no quiere decir que en la mili, y una vez casados, ella no se volviera a Madrid. Además, te voy a contar una cosa. Algo que debería guardarme para *Salsa Rosa* pero que, no obstante, voy a contar ahora. A los cuatro o cinco días ella tuvo que irse a Madrid, y a la semana volvió a Palma. No sé si contarlo porque voy a parecer el conde Lequio, pero, bueno, ya que me he lanzado lo contaré. Ya veremos luego si cortarlo o no cortarlo o contarlo o no contarlo. Te decía que a la semana volvió de improviso y ¿sabes lo que pasó? Pues que me encontró en la cama con una amiga íntima de ambos —porque la nuestra no había sido una boda por amor, sí había amor, pero las bodas nada tienen que ver con eso—, del mismo *squatter*[3] de Londres en el que nos habíamos conocido todos. Era una amiga tan íntima que había compartido casa conmigo durante dos años y jamás habíamos echado un polvo, pero ese día, ya ves, nos pilló en la cama. Tengo que decir en honor de Lucía —a quien le deseo lo mejor, porque hace años que nadie sabe dónde está— que entró en la habitación, que era *su* habitación, nos miró, salió, debió de pegar unos puñetazos contra la pared, debió de pensarlo bien, porque nos quería mucho a los dos, y volvió, lo cuento con muchísimo orgullo, con una bandeja con el desayuno.

J. M. F.: Disculpa la duda, pues sé que ofende, pero es que cuesta mucho creer lo que cuentas, Joaquín.

3. Casa de okupas en la que Joaquín residió durante un tiempo cuando se exilió a Londres.

J. S.: Puedes cotejar las fuentes. Bueno, te puedo decir la de la chica con la que me sorprendió en la cama, que era una fuente torrencial [risas], pero la de Lucía no va a ser tan fácil que la encuentres. Yo llevo años intentándolo sin éxito. De todos modos, me parece que todo el mundo queda muy bien en esa historia, cosa que no suele pasar en la vida. Luego sí, quizá tengas razón y sea mentira.

J. M. F.: Aprovecho tu cinismo para llamarte la atención por algo que tiene bastante que ver con lo que acabas de decir. Como bien sabes, lo he leído todo, o casi todo, sobre ti, y una constante en tu vida ha sido donde dije digo, digo Diego. Que has jugado mucho al despiste, vaya. Desconozco si la razón era que a veces hablar de lo mismo te aburría sobremanera, si se trataba de desafiar al periodista en cuestión o de llevar la contraria por simple rebeldía o por una cuestión de principios, no lo sé, pero lo cierto es que pocas veces has dado idéntica respuesta sobre una misma cuestión. Un ejercicio de contradicción que, por otra parte, no es ni mucho menos infrecuente en las biografías de los artistas de éxito.

J. S.: Verás. Muchas veces me han pedido que me definiera con una sola palabra, y en algunos casos he dicho «duda» y en otros «contradicción». Aunque también he recurrido a la Constitución y al Código del Derecho Civil —Civil, no Penal— para recabar para mí, reivindicar para mí, el derecho a contradecirme todo lo que me dé la gana.

»Una de las cosas que más me gustan de mí, y te hablo en años en los que no me gusta casi nada, es que si, por ejemplo, todo el mundo dice que Carlos Ruiz Zafón[4] es una mierda y yo lo leo y me gusta mucho, empiezo a pro-

4. Escritor nacido en Barcelona que ha conseguido uno de los mayores éxitos literarios, si no el mayor, de la historia reciente de España con la novela *La sombra del viento* (Planeta, 2001).

clamarlo a los cuatro vientos. Del mismo modo, me gusta muchísimo comprobar que soy capaz de rectificar un juicio previo si entiendo, al conocer a una persona o descubrir alguna obra, que estaba por completo equivocado. Me está viniendo a la cabeza el caso de la poeta Blanca Varela, que cofirmó el libro *Las ínsulas extrañas*[5] y que yo he rebautizado "las ínfulas extrañas" porque me molesta mucho que en él no estén ni Ángel González ni Gil de Biedma ni Luisito García Montero. El caso es que me compré dos libros suyos para poder odiarla con fundamento y, después de leerlos, ya ves, sólo pude amarla.

5. *Las ínsulas extrañas* (Círculo de Lectores/Galaxia Gutenberg, 2002) es una antología que pretende recoger las principales voces de la poesía escrita en español durante la segunda mitad del siglo XX, y de cuya selección se encargaron cuatro insignes poetas: la peruana Blanca Varela, el uruguayo Eduardo Milán y los españoles José Ángel Valente, ya fallecido, y Andrés Sánchez Robayna. Dicha antología incluye los poemas de noventa y nueve vates —no pudieron llegar a la centena porque Carlos Sahagún (Onil, Alicante, 1938) declinó ser incluido en ésa y en cualquier otra antología— y, como era de esperar, levantó una gran controversia en el ruedo literario por las sonadas exclusiones, entre las que destacan José Hierro, Ángel González o Carlos Bousoño por el lado español, y Mario Benedetti, Alejandra Pizarnik o Álvaro Mutis entre los hispanoamericanos.

2

UNA ESTÉTICA DE LA IMPOSTURA

... Y como además sale gratis soñar
y no creo en la reencarnación,
con un poco de imaginación
partiré de viaje enseguida
a vivir otras vidas,
a probarme otros nombres,
a colarme en el traje y la piel
de todos los hombres
que nunca seré...

La del pirata cojo
(Física y química)

«En muchas ocasiones me he sentido víctima del personaje por mí creado y culpable de haber colaborado en mi caricatura. No se puede decir en la prensa, o no se debe, por cuestiones de estrategia artística, cosa que aprendí tarde, que vas de putas o que tomas copas o que vives de noche, porque eso se transforma en una caricatura tremenda de un borrachín putero con los pantalones bajados y metiéndose rayas. Tal vez no debí colaborar en eso. ¡Pero yo sólo decía la verdad! Que vivo de noche y que tomo copas. Y que he frecuentado el mundo de las putas y que alguna vez me he metido alguna raya, cosa que los demás no dicen y que yo entiendo que no lo digan. Aunque la hipocresía que hay es abominable.»

En mitad de la íntima noche, Joaquín alimenta su vaso de whisky por enésima vez. Está muy a gustito, que diría cierto insigne matador metido a tonadillera filósofa por culpa de una sobreingesta etílica. Tan a gustito, que no ha tenido reparos en confesar que quizá mienta. O tal vez sería más exacto decir que el cantante piensa que la mentira —«bendita sea»— posee arboledas que a él le gusta frecuentar. A veces hasta el punto, y con el riesgo, de que ésta se confunda con la realidad. Pero ¿qué importancia puede tener eso? En la vida de un artista lo único en verdad esencial, señores, es la poesía. Y la mentira puede llegar a ser tan lírica como un arpa. Más, incluso. Y no estoy hablando de esas mentiras toscas, burdas, gratuitas e inverosímiles que están al alcance de cualquier aficionado, por supuesto que no. Hablo de ese sutil ejercicio de simulación que puede dar los más codiciados frutos si quien lo pone en práctica domina el difícil arte de la seducción. Hablo, en fin, de la impostura, de la que Joaquín es todo un maestro.

J. M. F.: La mentira, Joaquín, nos conduce de forma ineludible a una de sus parientes más cercanas: la impostura.

J. S.: Sí. Además me gusta mucho el pie que me pones porque yo no soporto la mentira en el comportamiento de la gente, pero en la literatura es lo único que quiero. Y en los sueños también. Si hay una mentira que soporto e incluso predico es la piadosa. Quiero decir: ahora mismo viene tu novia, ¿no?, y resulta que yo le caigo muy mal desde hace años. Entra y le digo: «Bienvenida», y ella me suelta: «Mira, yo soy una chica muy franca y siempre digo la verdad. Tengo que decirte que me pareces un tipo repugnante e insoportable.» Mire usted, no. Creo que la civilización y la educación sirven para algo. Quitando ese ejemplo, y no conozco otro —vuelvo a decir que la mentira de los políticos me parece repugnante—, la mentira en el comportamiento cotidiano no la soporto. En la literatura, que me den más. En la canción, que me den más. Porque en las canciones y en los poemas las mentiras son más verdad que las verdades agropecuarias y peatonales. Umbral diría, y me encanta, «municipales».

J. M. F.: Vamos a ver, Joaquín: ¿le habrías llevado tú el desayuno a la cama a Lucía de haberla sorprendido con otro?

J. S.: [Medita largamente.] Me temo que no. Creo que habría estado a la altura, seguro, pero no tan a la altura. Supongo que me habría ido. Ésa es la verdad. ¿Quieres ahora que te mienta?

J. M. F.: Por favor.

J. S.: Pues les habría llevado caviar con champán. Y ahora la verdad más verdad: les habría propuesto un trío.

J. M. F.: Seguro que sí [río]. Volvamos, si te parece, a la impostura.

J. S.: Yo tengo una estética de la impostura.

J. M. F.: Lo sé, y eso me interesa mucho. Es decir, la impostura como forma, o elección, de vida. En una entrevista que le hice años atrás a Francisco Umbral, comencé preguntándole dónde, en su caso, terminaba el impostor y empezaba el escritor, y me contestó que en él no terminaba nunca el impostor, que él era todo impostura, y que sólo los malos escritores viven ajenos a ella. La impostura,

Joaquín. Porque me consta que tú de eso sabes mucho. Latín, vamos.

J. S.: Es que eso es mi estética. Y mi ética. Iba a decir mi ética y mi estética como artista, pero siempre rehuí ese tipo de etiquetas. El libro de dos mil páginas que escribió Jean-Paul Sartre sobre Flaubert se titulaba *El idiota de la familia*. ¿Quién es el escritor hasta Arturo Pérez-Reverte, García Márquez, Vargas Llosa o Ruiz Zafón? Pues el idiota de la familia. El que siempre quiere hacer cosas ante las que sus padres le dicen: «Pero, por favor, ¿adónde crees que vas?» Es un oficio romántico en el peor sentido de la palabra, y sigue siéndolo. Porque cada día hay más medios, más posibilidades y más educación. Y en Madrid das una patada en una esquina de Lavapiés y salen quinientos poetas. Por no hablar de Granada. ¡Eso ya es impresionante! O por no hablar de Cuba o de Buenos Aires. Bien. Hablábamos de la impostura y yo tengo varias cosas que decir. Una es que el personaje o la caricatura que a mí más me ha gustado encarnar es la del que va a lugares donde no está invitado. Eso me gusta como coquetería para definir un poco mi vida.

»La impostura es una maravilla dicha como la dice Umbral, que a veces se hace de derechas para molestar a los de izquierdas y que a veces utiliza su columna para que lo inviten las marquesas, y que siempre alaba a gente que a su público no le gusta que alabe. Y que cuando lo fichó Anson para el *ABC*, en un golpe de estrategia periodística muy interesante y muy valiente, no duró ni tres semanas porque empezaron a llover cientos de cartas al director diciéndole que no querían a ese rojo maricón de mierda.

»Por cierto. Aprovecho ahora para contarte una anécdota sobre Anson. Una vez escribió sobre mí lo siguiente —firmaba como Ovidio o no sé qué, uno de esos seudónimos que suele utilizar—: «Ridículo cantante marxista amigo de tiranos», y decía que yo había estado con Fidel Castro. Yo venía de entrevistarme con Fidel Castro y leí el *ABC* en el avión porque no daban *El Caso*. Bien. La cuestión es que a la mañana siguiente también compré el *ABC* y la portada llevaba a Juan Carlos de Borbón con el asesino de Tiananmen.[6] Estaba muy bien que el Rey, que por cierto nos representa o dice representar a todos los españoles, se entrevistara en la portada del *ABC* con el asesino de Tiananmen, pero yo, un particular, que no represento absolutamente a nadie, no podía tomarme una copa con Fidel Castro. Bueno, pues resulta que Anson se fue del *ABC* y fundó *La Razón*. Y ¿qué pasó hace tres meses? Pues que me llamaron de *La Razón* porque me querían de articulista. ¿Qué hice yo? Naturalmente, no ponerme al teléfono. Ni que sí ni que no ni todo lo contrario. No contestar. Ah [añade con malicia], me encantó el libro de Anson sobre Don Juan de Borbón.[7]

6. El 4 de junio de 1989, Deng Xiaoping, líder de la cúpula comunista de la República Popular China, ordenó a su ejército acabar sin miramientos con la protesta multitudinaria que se inició en las calles de Pekín a favor de la democracia y los derechos humanos, y en la que participaron, pacíficamente, más de cien mil estudiantes. El baño de sangre, que tuvo lugar en la plaza de Tiananmen, se cobró más de tres mil quinientas víctimas mortales. La imagen —que dio la vuelta al mundo— de un estudiante desafiando en solitario a un tanque, desarmado y con los brazos caídos, es una de las más bellas instantáneas de la historia bélica de todos los tiempos.
7. En 1994 Luis María Anson, periodista y escritor que dirigió durante casi tres lustros el diario *ABC* y que en 1998 creó, junto al ya fallecido Antonio Asensio, entonces presidente del Grupo Zeta, el periódico *La Razón*, publicó la biografía *Don Juan* (Plaza & Janés), sobre la vida del conde de Barcelona y padre de Juan Carlos de Borbón, actual rey de España.

3
ENTRE LA FAMA Y EL PRESTIGIO

El torpe maletilla que hasta ayer afirmaba
que con las banderillas nadie me aventajaba,
ahora que corto orejas y aplauden los del siete
ya no dice que cito mejor que Manolete.

El joven aprendiz de pintor
(Juez y parte)

«Sabía que algún día mis canciones llegarían a un mayor número de gente, pero no al gran público de forma tan rápida. Era más feliz cuando actuaba, junto a Javier Krahe, en La Mandrágora. Ahora me resulta más difícil salir a tomar unas copas después de una actuación y contactar con gente, porque todo el mundo me conoce.» «No tengo ni idea de qué es ser ilustre, pero sí sé que cuando me nombraron Ciudadano Ilustre de Buenos Aires sentí una emoción que no suelo sentir en los premios. De hecho me bloqueé, estuve muy soso, no sabía qué decir. Me puse corbata.» «Es verdad que la gente me está bendiciendo mucho con su favor. También creo que he estado un poco malito. Y en este país basta que uno esté malito para que lo entronicen.»

Lejos de sentirse bendecido por su condición de escaparate andante, de rostro conocido, de célebre, Joaquín ha despotricado reiteradas veces contra las lacras de la fama y, a raíz de lo barato que se ha puesto hoy día el término «famoso», contra aquellos que no establecen distinciones entre los que son famosos por su trabajo —actores, músicos, escritores, deportistas, etcétera— y los que han alcanzado cierta popularidad por descapotar su vida privada con absoluta impudicia, y cuyos méritos se circunscriben únicamente al terreno sexual.

Su caso es, además, de una infrecuencia notoria, puesto que ha logrado convertirse en un artista cuasi de consenso. Un contador / cantor / encantador de serpientes capaz de seducir por igual a liberales y conservadores, a independentistas y universalistas, a millonarios y menesterosos y, en fin, a merengues, colchoneros y culés, que cuando le escuchan o leen lucen idéntica camiseta, la de la pasión por la buena letra.

Y es que Joaquín, coinciden tirios y troyanos, mola mazo.

J. M. F.: Ya que estamos metidos en la espesa harina de la impostura, aprovecho la coyuntura para preguntarte por la fama. Por tu condición de famoso desde hace un cuarto de siglo.

J. S.: La fama que a mí me interesa es la de Jorge Manrique a la muerte de su padre: «Aunque la vida perdió / dejonos harto consuelo / su memoria.» La otra fama es la que le leí hace unos días a Gabriel García Márquez. No había leído cosas nuevas sobre la fama desde hacía tiempo. Decía algo así como que la fama es una señora gorda con la que no te acuestas, pero que siempre que te levantas está ahí, sentada a los pies de la cama. Yo he dicho algunas veces, y no creo que sea nada original, se lo he debido de oír a alguien, que la fama es un traje demasiado ancho o demasiado corto. Cuando te lo quieres poner, no está o es excesivo, y cuando no te lo quieres poner está siempre. Además, en los últimos quince o veinte años la fama se ha convertido en un cáncer. Es decir, a Lenin no lo vieron en vida más de mil personas. A Hitler tampoco. A Carlomagno, quinientas. A Napoleón, doscientas. No había televisión ni fotos. Pero es que ahora nos meten a Antonio David y a mí en el mismo saco. Y desde luego, Antonio David no está dispuesto a compartir saco conmigo porque tiene dignidad [ríe]. Antonio David no sólo tiene dignidad, sino que, además, aunque no todo el mundo lo sepa, escribió *El sombrero de tres picos* y sólo cobró cincuenta mil pesetas [en alusión a un episodio vivido por el susodicho, quien, cuando pertenecía al cuerpo de la Guardia Civil, trató de estafarle cincuenta mil pesetas a un conductor].

J. M. F.: La fama es uno de los aspectos más interesantes del individuo desde un punto de vista sociológico y psicológico, aquello que lo separa del ciudadano de a pie, magnificándolo. En el primer volumen de sus memorias, *Crónicas*, Dylan habla de hasta qué punto la fama perjudicó su vida y sus relaciones con la gente durante décadas. Robert Louis Stevenson, autor de *La isla del tesoro*, escribió que algo debía de haber hecho mal, pues de lo contrario no sería tan famoso. A ti la fama te llegó ya mayorcito, a partir de los treinta y cinco, pero eso no significa que no te afectara. De hecho, es casi imposible que no lo hiciera.

J. S.: A mí la fama me llegó tarde, sí. Tarde y bien. Es a esa edad a la que debe llegar, y no a la de Bustamante o Raúl. ¿Que si me afectó? Desde luego que sí. Ése es un tema que o bien he simplificado mucho en entrevistas, o bien he tratado de no pensar demasiado en él para que no se me ponga cara de imbécil. He tratado de usar, y no digo que lo haya conseguido, el humor, la ironía y la ocultación para compensar un poquito ese exceso de halago.

»Por ejemplo, Buenos Aires. Si yo viviera allí creo que sería una mezcla de Fito Páez y Charly García, y no estoy hablando contra Fito y Charly, que son dos artistas impresionantes, estoy hablando contra el modo en que suben a los altares a la gente en esa ciudad. A mí me gusta muchísimo ir a Buenos Aires —de hecho voy un mes al año— y que me traten como a un dios. Lo digo ahora que llevo tres años sin ir. Pero cuando estoy en el avión de vuelta y pido *El Mundo* y *El País*, me digo: «¡Carajo! Otra vez en Madrid, en casa.» Un lugar donde al artista se le tiran piedras en lugar de halagos. Y no está mal. De hecho, creo que los artistas españoles tenemos esa suerte. En Francia y Argentina, países que conozco, valen las biografías, y tú lo que tienes que hacer es sacar un disco cada año. Pero aquí no.

J. M. F.: ¿Cuándo se produjo en ti la plena asunción de que eras realmente famoso?

J. S.: Fueron dos días. El primero fue cuando salimos de gira por Granada después del programa de Tola[8] sobre

8. El ya fallecido periodista Fernando García Tola fue el primer *culpable* de que Joaquín Sabina cobrara popularidad al invitarle, junto con Javier Krahe y Alberto Pérez, a quienes había descubierto en La Mandrágora, a actuar en su programa de televisión *Esta noche*, de cuya presentación se encargaba una jovencísima Carmen Maura. Eso ocurrió en 1981, y fue tal la repercusión que tuvo —Krahe pronunció la palabra «gilipollas» doce veces y la centralita de TVE se colapsó debido a las llamadas de indignación de los televidentes— que, a partir de ahí, la vida de esos tres sinvergüenzas cambió por completo. A petición mía, Tola escribió un magnífico texto sobre Joaquín titulado «El vino del diablo» para la biografía *Per-*

La Mandrágora. Porque en La Mandrágora era muy famoso para cuarenta personas. Por cierto, el mejor público que he tenido en la puta vida. Krahe lo sigue teniendo, y no sé si yo aún lo tengo. Pero cuando llegamos a Granada, como te decía, a los dos días del programa de Tola, era ir por la calle y... Pues eso. Les pasa a los futbolistas del Real Madrid, a las putas y a Clinton. ¡Ese día fue fantástico! Y el segundo día fue cuando hice el paseíllo en Las Ventas. Espera, hay un tercero: cuando estaba aterrizando en Latinoamérica con Panchito.[9] Nos recuerdo a los dos mirando a través de la ventanilla del avión como dos niños pobres, diciendo: «Mira, eso de ahí es Miami..., eso es Cuba... ¡México!»

J. M. F.: Y en el terreno personal, en el de las amistades y los ligues, ¿cuándo notaste que te miraban en un bar porque te habían reconocido?

J. S.: Es que eso sólo cambió para mal. Yo trato de explicarles a mis novias y a mis amigos que en la Universidad de Granada, y en mi etapa de okupa en Londres, tenía amigos y novias y me sentía querido. Lo que pasó después es una..., estoy buscando la palabra que existe en los evangelios..., bueno, qué quieres. ¡Son veinte años de coca! [Risas.] ¡Interpolación! Ésa es la palabra. Realmente me gustaba muchísimo tener al público entregado cuan-

---

donen la tristeza, y en él aseguraba que Sabina «puede meter una palabra con calzador, pero no destruye jamás una imagen ni se queda sin acento ni pierde la medida ni quebranta la armonía por rimar gato con zapato: Joaquín tiene el don de los poetas y se puede permitir el lujo de retratar a los demás retratándose a sí mismo».

9. Pancho Varona. Guitarrista de Joaquín y *hermano* suyo desde principios de los ochenta, cuando el de Úbeda, para materializar su sueño de la infancia de tener una banda de rock propia, se asoció al grupo Viceversa (antes Ramillete de Virtudes), del que Varona era integrante.

do estaba en el escenario. Y lo dice alguien que lleva tres años sin subirse ahí y que no tiene muy claro si va a volver a subirse en breve. Los *pres* y los *posts* del escenario los he odiado desde el primer día, pero no los conciertos. Igual que he odiado ir por la calle y no poder mirarle el culo a una chica porque es ella la que se vuelve, o no poder mirar escaparates. Eso siempre me ha sentado muy mal. Y cuando he estado en países exóticos y nadie me conocía, era una felicidad como la del niño que hace novillos.

J. M. F.: ¿En qué momento eso que dices se volvió insoportable hasta el punto de que te diera una enorme pereza salir a la calle?

J. S.: *Hotel, dulce hotel.*[10] Eso en España. En Latinoamérica, a partir de *Mentiras piadosas*. ¿Me violentaba la gente, me sentía mal? Tú sabes que estoy negando mi vida anterior. Es decir, que no salgo de casa, que soy un anacoreta. Cuando los bocazas y los exhibicionistas como yo —exhibicionistas a tiempo parcial, cuidado— decimos que somos tímidos, eso parece un *déjà-vu*. Pues no. Es verdad. Es una huida hacia delante. Y a veces hacia atrás. Porque a veces uno dice: mis planes eran ser Tom Waits o Javier Krahe o Brassens. Brassens vendió veinte millones de discos y nunca le molestaron por la calle. Él cantaba una vez cada dos años, cuando sacaba un nuevo disco al mercado. Cantaba en un teatro para cuatrocientas personas hasta que se acababa la gente. Es decir, un mes o dos meses.

10. Editado en 1987, ese disco de Joaquín, el sexto de su carrera discográfica, despachó en sólo unos meses más de cuatrocientas mil copias. O lo que es lo mismo, cuatro flamantes discos de platino de los de antes (debido a la disminución de las ventas de discos, producto de la piratería y de las descargas gratuitas de música en Internet, en la actualidad el disco de platino equivale a ochenta mil copias vendidas).

J. M. F.: Eran otros tiempos. Imagino que a Picasso, y fíjate de quién te estoy hablando, tampoco le molestaban mucho por la calle. En las contadas ocasiones en que se dejaba ver en público, claro.

J. S.: Picasso tiene una cosa fantástica —aparte de que en los artículos que han aparecido sobre el reciente libro de memorias de san Bob Zimmerman Dylan, éste dice que su modelo era Picasso—, y es que cuando estaba con piojos, chinches y ladillas, y vivía en un barrio parisino en el que follaba con las putas más putas y con las marquesas más golfas del mundo, y vendía un cuadro en la calle, a gritos, hacía cada día exactamente lo mismo que cuando tenía siete mil millones y ochenta y cinco años: pintar veinte horas al día y no preocuparse de nada más. Me parece un ejemplo de artista impresionante. Ése sí que había deconstruido, y no Derrida.

»Hay de todos modos una cosa de Dylan, a quien he mencionado de pasada, que me gustaría decir. He leído las poquitas entrevistas que ha dado a *Rolling Stone*, he leído su libro *Tarántula*, aún no he leído el primer tomo de sus memorias pero sí, como tú, algunos artículos al respecto, y he oído todos sus discos. A donde quiero ir a parar es a que la opinión que Dylan tiene sobre sí mismo es infinitamente más elevada que la que yo tengo sobre mí, y su ironía está presente de un modo impresionante en sus canciones pero no así en su vida ni en sus escritos. Él creyó que era Dios desde siempre y yo creí que cuando saliera de mi pueblo y llegase a Granada, y más aún cuando saliera de Granada y llegase a Madrid, y más aún cuando saliera de Madrid y llegase a Londres, creí, repito, que todo el monte de Venus iba a ser orgasmo. Pensé que con sólo llegar a Madrid o a Londres iba a discutir con Platón, Aristóteles y Epicuro. Eso no sucedió. Sucedió mucho después. Estoy hablando de Ángel González, de Gabriel

García Márquez, de Fidel Castro, de Pepe Caballero Bonald, de Juan Gelman o de Alfredo Bryce Echenique. Pero eso ha sucedido, ya digo, mucho después. Antes pasó con Krahe. ¿Fue mi primera revelación? Creo que sí. Recuerdo los años en que iba a Latinoamérica y me hablaban del desencanto, y yo respondía que nunca había estado encantado. Pero esa decepción sí me la llevé. Yo creía que salía de mi pueblo con la boina, me la quitaba y me ponía la chistera y el chaqué y me iba al salón de Madame Pompadour. Eso no sucedió. Eso está sucediendo ahora.

J. M. F.: Has hablado, entre otros, de Krahe, de Ángel González, de García Márquez, de Fidel Castro y de Bryce Echenique. ¿Siempre has tratado de arrimarte a aquellas personas que podían iluminarte y de las cuales podías aprender algo?

J. S.: La pregunta es buena, porque primero me arrimé a Krahe y a Chicho Sánchez Ferlosio [ya fallecido], pero ahora, sin embargo, he tenido *acceso a*. Hay una diferencia importante. Pero quiero que sepas que tanto Chicho Sánchez Ferlosio como Javier Krahe ocupan un lugar muy especial en mi altar mayor de deidades paganas. Y me estoy olvidando de un nombre que me gustaría que saliera en este libro, Publio Mondéjar. Es ese que publica esos libros maravillosos de fotos antiguas de La Mancha. Él fue mi guía y mi faro en Londres. El único Aristóteles-Sócrates-Epicuro que encontré allí.[11]

»Y luego, ya en Madrid, me perdí unos años muy fecundos para mis canciones. Los años de golfería y de movida, en los que estuve mucho más con borrachos delin-

11. Las siguientes palabras de Raúl del Pozo (*El Mundo,* 7-5-2005) corroboran lo dicho por Joaquín: «Le conocí [a Sabina] en Londres en 1974, entre muchachas locamente rubias, junto a Publio Mondéjar, que era santo, *kilador* y fotógrafo.»

cuentes que con Almodóvar. Pero a mis canciones les vinieron muy bien aquellos años, ésa es mi opinión, y ahora estoy en otro momento bien distinto. Un momento *aftermarichalazo*. Pero ése será otro capítulo, mucho me temo, para otro tipo de tertulias.

J. M. F.: Al hilo de lo que hemos hablado, ¿sería acertado y justo decir que Joaquín Sabina ha sido toda su vida un Salieri carente de envidia insana? Suponiendo, claro, que la envidia sana exista.

J. S.: Fíjate, Menéndez *Flowers,* ésa es, precisamente, la broma favorita que tenemos Krahe y yo. Cuando doy un concierto y Krahe viene a verme después al camerino, siempre le pregunto: «¿Qué te ha parecido?», y él me responde: «He pensado todo el tiempo: muy Salieri.»

J. M. F.: Es curioso, y pienso que también infrecuente, que después de todos estos años cites a Krahe cada vez que deseas poner un ejemplo de excelencia. ¿Te parece tan eximio como aquellos con quienes últimamente pasas mucho tiempo, a los que, utilizando tus propias palabras, has tenido acceso?

J. S.: Un día estaba en el Café Gijón con unos intelectuales de cuyos nombres no quiero acordarme, en una de esas tertulias de las cinco de la tarde. No sé cuánto hará de eso, pero no mucho más de diez años. Esos intelectuales, que eran unos miserables, me dijeron, y había consenso: «Oye, ese Krahe es un pesado y un monótono, parece un predicador. El bueno eres tú», y yo no dije nada. Dejé pasar media hora, una hora, y les invité a otros cafés y a otros coñacs baratos, Veterano. Porque en el Gijón por un Veterano te chupan la polla. Y entonces recité: «Tú que has tenido la rara fortuna de conocer / el corazón a la luz de la luna de mi mujer. / Tú que has sabido tomarle el tranquillo / a esos abrazos, / más de una vez te adivino en el brillo de sus ojazos», y acto seguido les pregunté que de quién era. Uno juraba que era Garcilaso; otro, que aquello sólo podía ser cosa de Quevedo, y yo disipé las dudas al grito de: «¡Es Krahe, hijos de puta! ¡Leed y aprended algo!»

»Contaré algo más de Krahe. Hace ya muchos años coincidí en un avión con Bofill padre, el [ex] suegro de la cantante mexicana Paulina Rubio. Bueno, pues después de confesarme que amaba locamente a Krahe, me preguntó cómo podía conseguir algunos discos suyos. Era la época en que estaba vivo y funcionando el Elígeme.[12] Así que cuando aquella misma noche, como casi todas las noches, fui al Elígeme y me encontré, también como casi todas las noches, a Krahe, que estaba cantándole al oído a una chica, le conté lo de Bofill. El caso es que en su cara no hubo ninguna expresión, la misma cara que puso Bush cuando le dijeron que estaban atacando las Torres Gemelas y él siguió leyendo el cuento de la cabrita. Pero a la media hora vino hacia mí, me tocó el hombro y me dijo: "Oye, Joaquín. Que sepas que por cada diez mil *fans* que tú tienes, yo tengo un Ricardo Bofill."

»Por cierto, y para acabar con Paulina: no me compraré sus discos, pero ¡menudo culo tiene!

J. M. F.: Me has dicho muchas veces, y yo, que he tenido ocasión de verle en acción, puedo dar fe de ello, que Charly García, ese músico argentino tan célebre allí como el mismísimo Maradona, y el cual se autodefinió como «el John Lennon del subdesarrollo», es un tipo de una gran inteligencia. ¿Tan inteligente como Krahe?

J. S.: Me haces una pregunta muy jodida. Aun así, creo

12. La sala de conciertos Elígeme, de la que Joaquín fue copropietario, estaba situada en el corazón del madrileño barrio de Malasaña. Contaba, además, con un pequeño sello discográfico de idéntico nombre en el que se editaron, entre otros, el disco *Tan raro*, de Manolo Tena, y un doble álbum en directo de Javier Krahe.

que Krahe es muchísimo más inteligente que Charly García. De hecho, creo que Krahe es un sabio. A cambio te diré que Charly García —que es el maestro de Fito Páez, este último, un cantante argentino— es un pedazo de artista. Creo que Krahe es más Einstein que Picasso, y Charly es Picasso. ¿Qué es mejor para la humanidad? No se sabe. Yo no lo sé, pero he disfrutado mucho con los dos.

J. M. F.: Vuelvo de nuevo a la fama. En enero de 2001, el diario *El Mundo* te situaba en el puesto noventa y nueve de un *ranking* que incluía a los quinientos españoles más poderosos e influyentes. En 2004 figurabas en el número ochenta y nueve de ese mismo *ranking.* Imagino que es preferible no darle demasiada importancia a ese tipo de cosas para que la salud mental no se resienta. Me recuerda una anécdota que contaba un famoso novelista y guionista de Hollywood, William Goldman, sobre Robert Redford, con quien había trabajado en varias películas. Al parecer, el actor le contó que cada vez que miraba un número de la revista *Life* en el que él salía en portada con el texto «El actor Robert Redford», tenía que hacerlo dos veces porque estaba convencido de que lo que en realidad ponía era «el gilipollas de Robert Redford».

J. S.: Claro. Porque la fama caricaturiza, simplifica. Cuando sales de tocar en Albacete y vas a tocar a Gerona, y en el camino haces una parada y entras en un restaurante donde se está celebrando una boda, a la media hora estás haciéndote fotos con el novio, besando a la novia, abrazando a los padrinos y gritando: «¡Que vivan los novios!» Pero cuando entras no dicen: «Es el Sabina», no. Oyes que dicen: «Es un famoso.» Y no tengo palabras para eso. Es decir: ¿un famoso? ¡La puta que la parió, señora! Un famoso es Antonio David. Yo soy un cantante y un escritor, ¿sabe usted? Alguien que tiene una historia detrás y que se ha comido los mocos y ha tocado en el metro.

»Ah, por cierto. Antes dijiste influencia y poder. Bien. No seré yo tan hipócrita como para decir que no tengo influencia. La tengo. Desde luego, poder ninguno. Porque el poder es el que se usa y yo no lo he usado jamás. ¡Jamás! Es más, he huido de él como de la peste. Eso que llaman la erótica del poder, yo es que no sé de qué hablan. Aún diré más: creo que los que llegan arriba en el proceso de selección de las multinacionales, que es lo mismo que el proceso de selección de la gran política —lo siento por Zapatero, porque por lo pronto le sigo dando un cheque en blanco—, son los más tontos, como acabamos de ver en la película del gordo genial.[13] Eso sólo puede suceder si hay una perversión brutal y siniestra en el proceso de selección de mandos. ¿Qué sucede? Pues que a los puestos más altos de las multinacionales y de los Gobiernos, que, insisto, es lo mismo, sólo llegan los más imbéciles de la clase, los más adaptables, los más infiltrados y los más trepas.

J. M. F.: *El blues de lo que pasa en mi escalera.*[14]

13. Como indiqué al comienzo del libro, antes de iniciar la primera de las charlas vimos, para romper el hielo, la película *Fahrenheit 9/11*, del subversivo e iconoclasta Michael Moore, azote del Gobierno de Bush. Cuando finalizó, ambos convinimos que George W. Bush, actual presidente de Estados Unidos, no es precisamente una luminaria.
14. Título de una canción suya, incluida en el disco *Esta boca es mía*, de la que extraigo el siguiente fragmento: «El más capullo de mi clase (¡qué elemento!) / llegó hasta el parlamento / y, a sus cuarenta y tantos años, / un escaño / decora con su terno / azul de diputado del Gobierno. / [...] Y sin dejar de ser el mismo bruto, / aquel que no sabía / ni dibujar la o con un canuto. / [...] El superclase de mi clase (¡qué pardillo!) / se pudre en el banquillo / y, a sus cuarenta y cinco abriles, / matarile, / y a la cola del paro / por no haber pasado por el aro. / [...] Y sin dejar de ser el mismo sabio / que para hacer poesía / sólo tenía que mover los labios.»

J. S.: ¡Claro! Porque los más listos, los más nobles y los más decentes están en el segundo peldaño de la escalera. ¡Idos a tomar por el culo! Y ¿sabes qué es lo que está pasando en algunos pueblos, en mi pueblo, Úbeda, sin ir más lejos? Pues pasa que hay personas que son las más decentes, las más nobles, las más bellas, las más guapas y las más listas y que hace ya veinte años que dejaron de participar en el Gobierno municipal y en la oposición porque les parece que esa..., no encuentro la palabra..., ruleta rusa, torre de Babel o lo que sea de peldaños, lleva a la abyección y nunca a la grandeza. Y siempre discuto con los de mi pueblo porque me parece que no pueden dejarles el terreno libre a los otros.

J. M. F.: No siempre van de la mano, pero cuando coinciden debe de ser de las cosas más reconfortantes que existen. Estoy hablando de la fama y el prestigio. Verbigracia: la edición española de la revista *Rolling Stone* elaboró una lista con los «treinta y un genios que han hecho historia en la música». En ella, tu nombre figuraba junto al de los Beatles, Bob Dylan, Elvis Presley, U2, David Bowie, Michael Jackson, Kurt Cobain, Camarón y los Rolling Stones, entre otros. ¿Hasta qué punto esas loas no le obligan a uno a hacer una parada en el camino y tomarse un tiempo para la reflexión?

J. S.: Bueno, querido Javierito. Sabes que soy alguien informado que lee bastantes periódicos. Sin embargo, no conocía esa estadística. Tal vez, no es imposible, porque no haya querido conocerla, como una higiene mental para que, aparte de la cara de gilipollas, no se me ponga el alma también de gilipollas. No conocía esa estadística, repito, y vuelvo a decir lo de antes: no negaré que tenga cierta influencia entre un sector de gente, pero poder, ninguno. Ni lo busco ni lo quiero. Y si eso suena a demagogia, que suena, que se jodan los demagogos, porque tengo una biografía detrás como para certificar que lo que digo es cierto.

»Quiero contar cosas que tú sabes pero que no sabe la gente; estamos haciendo el libro para la gente. Cuando yo digo que no tengo ni coche ni teléfono ni ordenadores ni máquina de escribir, todo el mundo se ríe como diciendo "menudo es éste", pero tú sabes muy bien que es simplemente así.

J. M. F.: Bueno, ésa es una verdad a medias...

J. S.: ¿Cuál es la verdad a medias?

J. M. F.: Pues que es cierto que tú no llevas teléfono encima, por ejemplo, pero en cambio tienes gente a tu lado que lo lleva por ti y que en todo momento te mantiene al corriente.

J. S.: Sí, es cierto. Pero los que lo llevan, como tú muy bien sabes, muchísimas veces me dicen: «Te llama Golden Molden Nol» [sic], que es premio Nobel de no sé qué, y yo digo...

J. M. F.: Sí, «no estoy».

J. S.: ¿Te consta? Bien. Además lo has sufrido.

J. M. F.: [Sonrío.] Claro. Somos legión los que lo hemos sufrido. Incluso Serrat, el gran Serrat, se ha quejado muchas veces de eso.

J. S.: Sí, y públicamente. Por no hablar de otros. Hasta el *sup* [subcomandante Marcos] se queja. Me invitó a desayunar y no fui. Era muy temprano. [Risas.]

J. M. F.: Y ¿qué piensas, volviendo a los laureles, cuando te enteras de que eres santo de la devoción de gente que está en las antípodas de lo que tú representas, de tu manera de entender la vida? No deja de sorprender el que financieros como Fernández Tapias o Juan Abelló, e incluso el mismísimo Julio Iglesias, de quien años atrás declaraste que vendía chorizos, hayan reconocido abiertamente que les gustas mucho.

J. S.: Y ¿cómo sabes lo de Abelló? A mí lo de Abelló me lo ha contado, y no me importa decirlo, mi amiga Simoneta.[15]

»Gustar a todo el mundo es jodido, pero no es mi caso. A mí todavía las viejecitas con paraguas y sombrerito del barrio de Salamanca[16] me llaman "rojo de mierda". Por cierto, el otro día fui al barrio de Salamanca a comprar una vajilla y se me acercó una señora y me dijo: "Qué raro verle por aquí" [risas]. Yo me sentí encantado. Hay que decir la verdad: la democracia española, con todos sus desaires y defectos, es de las mejores del mundo. Hace veinte años, cuando pasaba por la calle de Velázquez en el coche de Paco Lucena,[17] me tenía que apretujar contra el suelo porque había unos cachorros con boina azul, entre los que se encontraba Carmina Ordóñez, que obligaban a la gente a cantar el *Cara al sol*.[18]

15. Simoneta Gómez-Acebo, sobrina del rey Juan Carlos de Borbón y la *culpable* de que los Príncipes de Asturias, Felipe de Borbón y Letizia Ortiz Rocasolano, hayan cenado en casa de Joaquín. Simoneta dejó constancia de su talante liberal en una entrevista concedida al *Magazine* del diario *El Mundo* (20-2-2005), en la que se mostraba a favor de introducir cambios en la Constitución «sólo para igualar a las mujeres en la sucesión al Trono», del uso del preservativo, del matrimonio entre homosexuales («lo llamen matrimonio o no, yo no entro en la polémica, pero sí que haya un contrato») y de la eutanasia.
16. Barrio de Madrid de corte conservador y alto poder adquisitivo.
17. Paco Lucena fue su *manager* durante más de dos décadas. La cosa no terminó bien. Por lo que a mí respecta, debo decir en su honor que cuando me dirigí a él para obtener información acerca de Sabina con motivo de la escritura de la biografía *Perdonen la tristeza*, todo fueron facilidades.
18. Himno de la Falange Española. Fue escrito, entre otros, por José Antonio Primo de Rivera, Agustín de Foxá y Dionisio Ridruejo sobre una melodía previa de Juan Tellería.

»Y una noche que quise estar solo, muy solo, tan solo que me fui a cenar a un VIPS que está en el barrio de Salamanca, se me plantaron delante dos chavales de unos diecisiete años y me empezaron a amenazar a gritos: "¡Oye, hijo de puta! ¡Somos fascistas y del Real Madrid, qué pasa!" Pasaba que yo había dicho en una emisora de radio, defendiendo a mi amigo Jorge Valdano, a quien habían echado del Real Madrid después de ganar una Liga —y le habían echado porque era demasiado listo para ellos y un lujo para el fútbol español—, que los del Madrid eran unos hijos de puta. El caso es que esos chicos me estuvieron amenazando gravemente, y cuando yo ya iba a rendirme y a suplicarles que me perdonaran, y a decirles que me dieran el carnet del Real Madrid porque me pensaba hacer de los Ultrasur[19] —porque yo soy un cobarde—, en ese justo momento se marcharon. Entonces miré con cara de enorme estupefacción a las cien mesas que había alrededor y a los camareros, y nadie dijo esta boca es mía. Y cuando llegó el *chef*, le mostré mi malestar e indignación diciéndole: "Oiga usted, que me han estado insultando, agrediendo a voces, y aquí nadie ha hecho ni dicho nada", y el *chef* me soltó: "Es que si les decimos algo es peor." ¡Me dejaron completamente tirado, los hijos de puta! Ahora, que sepas que nunca he vuelto a ese VIPS [risas].

J. M. F.: Es innegable que ese tipo de percances públicos son más divertidos y reveladores, a toro pasado, que los halagos que te hayan podido dedicar. Aun así, estoy convencido de que se te acerca más gente para piropearte que para insultarte.

J. S.: Cuando estaba más en los bares que ahora, me pasaba muy a menudo lo siguiente: se me acercaba una

19. Sector ultrafanático de la afición madridista que se caracteriza por el uso de la violencia.

chica rubia y guapa, una cachorra de la media-alta sociedad, y me decía: «Eres un rojo de mierda y tus opiniones me revientan. Pero me sé todos tus discos de memoria.» Dicho sea con toda la vanidad del mundo.

J. M. F.: Eso es precioso.

J. S.: A mí me gustaba, sí. Me sigue gustando y aún me lo dicen.

J. M. F.: Ya que me das pie, imagino que habrás ligado mucho más desde que aparcaste definitivamente el Martínez y adoptaste el Sabina.

J. S.: Yo soy un caballero, pero voy a responder a tu pregunta del modo que se merece: cuando era Martínez, follaba igual o más. ¡¿Vale?! [Ríe.] ¿Te acuerdas del artículo que escribió Antonio Muñoz Molina sobre mí para tu *Perdonen la tristeza,* en el que me describe como al tipo que iba con la primera minifalda que vieron en su vida en Úbeda? Pues ése era Martínez, no Sabina.

J. M. F.: Eso no lo voy a discutir. Está claro que como hombre posees un gran poder de seducción, y no me cabe la menor duda de que siempre te las has arreglado para tener una cortísima minifalda a tu vera.

J. S.: Bueno. Ahora tengo una peruana a mi vera, que no es lo mismo pero es casi igual [ambos reímos].

J. M. F.: Hablábamos de la fama y del prestigio. Como te decía antes, Bob Dylan se queja, en la primera entrega de sus memorias, del excesivo hostigamiento al que se veía sometido por parte de la gente...

J. S.: Vamos a ver. Bob Dylan, en mi santoral, tiene la corona más grande. Está ahí arriba, en el cielo con diamantes. Leonard Cohen era un escritor de novelas y vivía en una isla griega como un anacoreta, y sólo oía la radio de los marines americanos. Hasta que una noche oyó cantar a Dylan y se dijo: «Si éste con esa voz canta así, yo también puedo.» A mí Dylan me lo puso por primera vez la minifalda esa de la que hablaba Antonio Muñoz Molina, que se llamaba Lesley, y me dio un canuto para oírle. La canción era *John Wesley Harding*. Al día siguiente, naturalmente, les conté a todos mis amigos que habíamos fumado un canuto y habíamos estado oyendo a un tal Dylan. Y luego, ya en Londres, lo oí muy en serio. Sin embargo, con sus opiniones no suelo estar muy de acuerdo y, desde luego, estoy en absoluto desacuerdo con su carácter. Porque no cuesta nada decir «hola» en el escenario, aunque te confieso que al mismo tiempo admiro mucho ese desprecio de «pero qué público más tonto tengo». Cosa que ha demostrado hasta la náusea desde Newport, cuando armó la de Dios es Cristo con su guitarra eléctrica. Y en eso me parece un apóstata. Literalmente, me parece un profeta. Un tipo ejemplar. Pero luego, que le besara el anillo al Papa..., sin comentarios. Y otras cosas más. Una vez apoyó a Barry Goldwater, candidato de la extrema derecha americana.[20] Pero démosle al César lo que le corresponde: los tres discos que hizo en su etapa cristiana, ¡carajo!, oídos ahora hay seis o siete canciones que te mueres. Entre otras, aquella de [tararea]: «... *to all the animals, / in the beginning, in the beginning...*» [*Man gave names to all the animals*, incluida en el álbum, incomprensiblemente minusvalorado por la crítica, *Slow train coming*.] La verdad es que es un tipo que cuantos más años cumple, más caminos inaugura. Cosa que no sabíamos. Porque hace diez o doce años pensaban todos, menos el

20. Barry Goldwater (Phoenix, Estados Unidos, 1909-ibíd., 1998). Senador por Arizona durante más de una década, en 1964 fue candidato republicano a las elecciones presidenciales y basó su campaña en la defensa de la discriminación racial y el ataque a la URSS. Por fortuna para quienes creen en los derechos humanos, fue derrotado por Lyndon B. Johnson.

moi y unos pocos amigos míos, en la pura etapa del Dylan religioso, que Bob Dylan, que hería como un cuchillo, ya no era igual. Sin embargo, ha resucitado *cienes y cienes de veces.*

J. M. F.: ¿Crees que os llevaríais bien?

J. S.: No sólo lo creo, es que nos llevamos muy bien. Lo que sucede es que él...

J. M. F.: ... no lo sabe.

J. S.: Exacto. Él no lo sabe. Ésa es una gran verdad. Aunque le gustaría.

J. M. F.: Bien, me pondré en plan peluquera y te preguntaré si sabes si Dylan es Acuario, como tú.[21]

J. S.: [Ríe sonoramente.] Pues no lo sé, la verdad. ¿Sabes una cosa? Yo tengo una norma con la astrología, porque he ido mucho a discotecas y me han gustado mucho las peluqueras, sí, y también las modelos de tercera división. Sin embargo, yo tenía unos ciertos principios, un cierto código del honor y una cierta ética. Y era lo siguiente: si la

21. Bob Dylan, cuyo verdadero nombre es Robert Allen Zimmerman, nació en Duluth (Minnesota) el 24 de mayo de 1941. Es, por lo tanto, Géminis. Joaquín le escribió un soneto de encargo para la edición española de la revista *Rolling Stone,* que editó un «Cuaderno de la Gira» con motivo de la visita de Dylan a distintas ciudades españolas en julio de 2004. El soneto, titulado *Tan cerca de fulano,* es una pequeña joya que confirma algunas de las declaraciones arriba hechas por Sabina. Helo aquí: «Dylan es tantos hombres que me pierdo. / Apenas aprendido, te despista: / el folksinger, el duro, el loco, el cuerdo; / el francotirador de la autopista. / El máster de las vísceras urgentes; / el novio de la Virgen del Asombro / que esconde una gillette entre los dientes / cuando sale a cantar manga por hombro. / Qué tormenta de otoño en primavera; / otra vuelta de tuerca, otro verano / por los de abajo, desde tan arriba. / Más joven y más viejo que cualquiera. / Tan lejos y tan cerca de fulano: / Roberto Zimmerman en sangre viva.»

primera pregunta de ella era «¿de qué signo eres?», entonces mal. Si era la cuarta, yo transigía. Pero si era la primera o la segunda, se acabó. Por muy guapa que fuera. Bueno, no es cierto. A veces hice excepciones a la regla.

J. M. F.: Sobre todo en aquellas noches en las que la guantera iba llena de grasa [parafraseando *Una canción para la Magdalena*, de *19 días y 500 noches*].

J. S.: Sí, sí, así es.

J. M. F.: Me has hablado de cómo te ha afectado la fama desde que se instaló en tu vida y me gustaría que ahora lo hicieras de cómo le ha podido afectar esa fama a tu círculo más íntimo: novias, hijas, amigos...

J. S.: Antes quisiera decir una cosa que además tiene muchísimo que ver con tu pregunta. Y es que el problema de la fama es insoluble. Porque no se trata de cómo se ve uno en el espejo, sino de la lente con la que te ven los demás, incluidos tus amigos más íntimos. Empiezas a desconfiar hasta de novias y mujeres. De todo el mundo. Hasta de tu suegra si te trata muy bien. Es jodido. Tan jodido, que me han hecho, y no sólo ya por el *marichalazo,* dejar los bares. Porque tú sabes bien que un par de años antes del *marichalazo* yo ya estaba fuera de los bares y fuera de la noche. Exactamente, desde que empecé a escribir *19 días y 500 noches*. ¿Por qué? Pues porque es muy incómodo. Ya sé que hay gente que sólo vive para eso. Algunos, incluso, con talento. Pero hablemos sólo mal de los muertos porque los vivos me pueden contestar. Cela era un enamorado de la fama y del éxito, y tú y yo conocemos a muchos otros que no vamos a nombrar. Bueno, conocemos a uno vivo: Julio Iglesias. Pero ése no es mi caso. Las palabras no valen, deberían valer las biografías. Es decir, hace tres años que no canto. Y en la medida en que no canto, las ofertas se multiplican todo el tiempo. ¿Qué estoy diciendo, que soy un tipo al que no le interesa el dinero y que soy muy humilde? Claro que no. Entre otras cosas porque el dinero es poesía. El dinero hace que yo pueda irme mañana a Cuba a ver a mis amigos. Pero la fama, el poder y las pasiones abstractas nunca me han interesado. Por cierto: son muchos los que sostienen que no hay cosa más erótica que el poder. A mí me parece que no saben una mierda de erotismo. Podría decir aquello de que lo que a mí me interesa es la gloria, pero sería tan sólo una frase literaria porque la verdad es que no me interesa nada. Hasta que no tuve hijas, si el mundo se fundía a los dos días de yo morirme y mandaban las bombas de neutrones o la puta que los parió, no me importaba nada. Ahora me importa por mis hijas. Pero no sé si es exactamente porque lo pienso o porque no lo he pensado.

»Me preguntabas cómo sufrían la fama las personas que están a mi lado. Por ejemplo, mis hijas. Te puedo decir que he tratado de hacer lo mejor para su educación, que es influir lo menos posible en ella. Mis hijas veían pasar un avión desde sus casas y gritaban: "¡Adiós, papá!"

»Por cierto, y a ver si puedo desviar un poco la conversación. Como te decía antes, estamos viviendo unos tiempos en los que ya no se habla de cantantes, de cineastas o de modelos. Ahora se habla directamente de famosos, a secas. Famosos son Espinete, Andrés Pajares, Kiko el de Tele 5, Lequio y yo. Y desde luego, no estoy dispuesto a que me metan en eso. Así que de la fama pasemos a la siguiente pregunta.

J. M. F.: Tienes quince discos y cuatro libros publicados, y vas a seguir, me consta, «haciendo obra». ¿Eso es mucho más de lo que nunca soñaste tener?

J. S.: Sin ninguna duda.

J. M. F.: Y ¿qué es lo que le mueve a uno a seguir adelante después de eso? ¿Cuál es, en tu caso, el motor que tira de ti?

J. S.: Tendré que pensarlo. Creo que sabes de sobra que nunca soñé con eso. Mi ideal era áurea mediocritas [la dorada mediocridad]. Es decir, pensé que iba a ser un estupendo profesor de literatura en un instituto machadiano de Baeza [Jaén], que me casaría con *Chispa* [su primer amor, hija de un notario al que Joaquín le hacía maldita la gracia] y que íbamos a ser unos cuarentones muy guapos y tendríamos un par de hijos. Yo daría clases de literatura e iba a escribir unas novelas que sólo leería un club de *fans* exquisito y minoritario. Lo de la canción nunca se me había pasado por la cabeza. Eso fue, en la época de emigrante en Londres, hacer de la necesidad virtud. Aunque luego, por supuesto, me alegré mucho.

»Quince discos, dices. Mirando hacia atrás, la verdad es que me parece asombroso. Porque es cierto que yo soy muy, pero que muy vago.

J. M. F.: Y a pesar de ser tan vago has escrito cerca de trescientas canciones y ni se sabe cuántos sonetos. Mira que si no llegas a serlo...

J. S.: Sí, es cierto. Y la verdad es que cuando oigo algunas canciones seleccionadas del pasado me parece que nunca podré mejorarlas, así de claro. Pero inmediatamente pienso que eso mismo pensé siempre que acabé un disco.

J. M. F.: Imagino que esa selección de canciones a la que aludes nunca es la misma, que dependerá mucho de tu estado de ánimo.

J. S.: Tienes razón, es así. Aunque me suelen gustar las mismas que a ti. Me suelen gustar las orillas de la chimenea [*A la orilla de la chimenea.* Hermosísima canción contenida en *Física y química* y una de mis favoritas de todo su cancionero]. Y sí, siempre pienso que no las podré mejorar. Del mismo modo que pienso que el *marichalazo* dividió mi vida, y es verdad que lo hizo. Pero después del *marichalazo* sí he hecho cosas que me han gustado, como los sonetos. Sí, ya sé que tú prefieres las canciones a los sonetos. Yo también.

»Y como decía Forrest Gump: "Y no tengo nada más que añadir."

»La noche en que estuve tomando copas con Fidel Castro casi nos emborrachamos. Bueno, yo más. O él lo aparentaba menos, no sé, pero desde luego había soplado. El caso es que a eso de las cuatro de la mañana, le dije: "¿Sabes, Fidel? He venido viendo en el avión —y era verdad— *Forrest Gump*", y me dijo: "Ah, sí —porque a Fidel le ponen películas y el Gabo [Gabriel García Márquez] le recomienda muchas—. La he visto hace unas semanas y es muy divertida", me dijo. Te cuento esto porque yo, en este mismo momento, me siento como Forrest Gump.

J. M. F.: Como me imagino te sentiste aquella madrugada de agosto de 2001, cuando al tratar de levantarte para vaciar la vejiga te diste cuenta de que *no sentías la pierna*. Se te debieron de poner de corbata...

4

¡NO SIENTO LA PIERNA!
(EL *MARICHALAZO*)

Pero sin prisas, que a las misas
de réquiem nunca fui aficionado,
que el traje de madera que estrenaré
no está siquiera plantado,
que el cura que ha de darme la extremaunción
no es todavía monaguillo...

A mis cuarenta y diez
(19 días y 500 noches)

«El día que imaginé un futuro en silla de ruedas, me pareció que la vida así no era digna de ser vivida.»

Con la falsamente testamentaria *A mis cuarenta y diez*, canción incluida en el disco que le hizo ingresar en el Olimpo musical hace ahora seis años, *19 días y 500 noches*, Sabina quería que aquellos carroñeros que tanto especulaban sobre su cada vez más achacosa salud, consecuencia de sus no muy variados pero sí consuetudinarios excesos, supieran que aún quedaba mosca cojonera para rato.

Sin embargo, tan sólo dos años después, concretamente la madrugada del 23 al 24 de agosto de 2001, ingresó en una clínica de Madrid a causa de un ictus cerebral que hizo pensar lo peor. Sobre todo a los medios de comunicación, que se apresuraron a dar la noticia como si su desaparición terrenal fuese cosa de horas, por no decir minutos. Máxime cuando hacía apenas un mes que había cancelado dos veces consecutivas una lectura de poemas en Barcelona, dentro de la programación cultural del Grec, aquejado de una úlcera estomacal, su «úlcera clásica».

Pero por fortuna para su legión de adoradores y para desgracia de los coleccionistas de esquelas de personalidades harto incómodas, la lesión cerebral se quedó en un mero aldabonazo, y Sabina, viejo lobo de secano con tantas cicatrices en el alma como en la magra osamenta, volvió a la vida con la en principio saludable intención de sentar la cabeza.

¿Lo consiguió? Digamos que a medias.

Pues olvidó la lección «a la vuelta de un coma profundo».

J. S.: Había ido a cenar con Rosa León, José Luis García Sánchez y los Víctor Belenes [Víctor Manuel y Ana Belén], y después les invité a tomar una copa en casa. Yo quería lucirme ante ellos mostrando mi buena salud, porque llevaba cuatro meses sin meterme una raya y la verdad es que me encontraba muy bien. Estuvimos hasta las tres o las cuatro de la mañana. Luego, cuando se marcharon, estuve pintando un rato porque aquello coincidió con una época en la que me gustaba meterme en una habitación con unos óleos y pintar. Por cierto, muy a posteriori pienso que también el veneno ese que desprenden los óleos en una habitación cerrada durante horas pudo tener algo que ver con lo que me pasó. He leído explicaciones médicas de que a Van Gogh y a otros los mató el aspirar ese olor en habitaciones muy cerradas.

J. M. F.: ¿Crees en serio que eso pudo contribuir a tu ictus?

J. S.: La verdad es que no [ríe]. Porque lo último que recuerdo de aquella noche, antes de despertarme, es que iba por el pasillo hacia mi habitación trastabillando y tocando las paredes, y muy, muy, muy, muy, muy borracho. Teniendo en cuenta además que acababa de dejar la coca, con sólo aspirar el corcho escocés me emborrachaba.

»El caso es que no sé a qué hora, creo que eran las cinco de la mañana, me desperté muy alucinado. Tenía la cabeza a los pies de la cama. Quise levantarme e ir al baño, y noté que no podía. Tenía la pierna y el brazo derechos absolutamente paralizados, pero sin el más mínimo dolor. El dolor, dicen los médicos y los filósofos de la medicina, es lo que te avisa, claro, de que algo pasa, como la fiebre. El caso es que no noté dolor alguno. De hecho, la pierna y la mano paralizadas realmente las noté tres días después, esa noche no. Porque, como te digo, me había acostado muy borracho y debía de tener una resaca de muerte. Cuando noté que no podía levantarme, grité: "¡Jime! ¡Llévame a un hospital, no me puedo levantar!", como los de Mecano [risas]. Llegamos al hospital y yo, que soy de muy poquito comer, me ventilé dos bocatas acompañados de una cerveza.

J. M. F.: Y ¿Jimena? ¿No se desmayó ante semejante espectáculo?

J. S.: No, pero luego me contó, a toro pasado, que hubo cosas muy graciosas. Me lo contaron ella y otras personas. Por ejemplo, cuando llegaron Víctor Manuel y Ana Belén a las seis de la mañana al hospital. Ana me contó luego, con mucha gracia, que Víctor había exclamado [pone voz solemne y lastimera]: «¡Quién nos queda ya!», y Ana le tranquilizó diciéndole: «¡Tú, Víctor, tú!» [Risas.] ¡Me daban por muerto, los muy cabrones!

»Por cierto, le recomiendo a todo el mundo los infartos cerebrales. Porque anestesian. Es decir, sólo me derrumbé cuando al tercer día me quise incorporar y me tuvo que llevar la Jime a mear y bajarme los calzoncillos. Eso a los de mi pueblo no nos gusta nada. Y ahí *me se* cayeron lágrimas como melones. Sentado en la taza del váter, le dije a la Jime: "Así no. Así no quiero seguir." Pero a los dos días empecé a mejorar de una manera sorprendente. Y ahora, por favor, pasemos a la siguiente pregunta.

J. M. F.: La siguiente pregunta es si ese suceso cambió tu vida.

J. S.: Sí, sí la cambió. Pero también tengo que decir que en el lado más visible, más popular y más callejero, eso había pasado un año antes. Yo me había retirado clarísimamente de los bares, como antes te he dicho, y tú sabes, antes de empezar a escribir con Antonio Oliver *19 días y 500 noches*. Es justo un año antes. De la coca, cuatro meses antes. Y luego la isquemia me retiró de más cosas. Aunque después volví a todas menos a la de la nariz.

UN PARÉNTESIS DISYUNTIVO

(Todo lo que viene ahora está inspirado en un verso de José Ortega Cano: «Estamos tan a gustito.» A partir de ahí quiero decir que tuve una seria discusión con el espejo el día que quedamos para empezar a hablar. La discusión era: ¿debo o no debo tener una guitarra a mano? Lo que a mí me pedía el cuerpo era que sí. Por ejemplo, para tocarla ahora. Pero la cabeza me decía que no. ¿Que por qué? Pues porque la cabeza decía: si coges la guitarra y estás feliz —como estoy ahora mismo, echándola tantísimo de menos—, te pones a tocar y... Mira. Te has fumado un canuto y te has bebido tres whiskis y estás disfrutando de la gardenia de la amistad, perdonen la mariconada, entonces coges la guitarra, se te ocurren cuatro versos estupendos, inicias una canción y el libro se va a la mierda. Porque entonces me acuesto y me levanto con la canción, y mañana te llamo a las once de la mañana no para decirte que hablemos sino para cantártela como un mariachi. Así que creo que hago muy bien no teniéndola a mano. Lo cual no incluye lo siguiente: ¡me muero de ganas por coger ahora mismo una guitarra, mandar el libro a la puta mierda y hacer una canción! Y ahora, si te parece, sigamos...)

5

LA *NUBE NEGRA*
(LA DEPRESIÓN. LAS CRISIS CREATIVAS)

Más de cien palabras, más de cien motivos
para no cortarse de un tajo las venas,
más de cien pupilas donde vernos vivos,
más de cien mentiras que valen la pena.

Más de cien mentiras
(Esta boca es mía)

«Soy un tipo profundamente pesimista y descreído, de esos que cada día se hacen el truco de que la vida es fantástica para seguir viviendo. Cada día tengo más a raya el pesimismo porque es la única manera de poder vivir.» «Crisis creativas tengo todos los días. Pero mi necesidad de escribir es aún mayor, con lo cual he asumido que las crisis creativas son sólo una parte del ciclo de crear. Creo que la necesidad de escribir me acompañará mientras viva.»

Tras sufrir la consabida isquemia cerebral, el cielo se desplomó sobre su cabeza con una furia bíblica, y las otrora imperiosas ganas de hincarle el diente a la vida, sus proverbiales «ganas de», se evaporaron de súbito.

Fueron meses, años incluso, duros, ásperos, asesinos. Meses, años incluso, en los que sufrir, a la vallejiana manera, solamente. Un período —meses, años incluso— en el que su existencia transcurrió emparedada en su piso madrileño. Tan sólo cumplía, y a duras penas, aquellos compromisos profesionales en los que andaba metido algún amigo íntimo.

Dejó de cantar. Dejó de componer.

Y es que el cielo se le antojaba, por decirlo con una imagen lorquiana, una vitrina de espuelas.

J. M. F.: Háblame de tu depresión, Joaquín. De esa *nube negra* que te sobrevino tras el *marichalazo*, rebasados los cincuenta, como una furiosa menopausia. Quién te lo iba a decir.

J. S.: ¿Quieres que te hable de la depresión? Pues para que lo entiendas fue algo así como cuando uno tiene catorce o quince años y cree que la muerte es algo que sólo les pasa a los demás y nunca a él, porque la muerte no existe entonces en absoluto, ni siquiera si de pronto se muere tu abuelo. De hecho, los niños no lloran en los entierros; están inmunizados por unas enzimas que tienen. Del mismo modo, la depresión, que alguna vez sufrí de cerca por cierta chica muy amada, me parecía que era algo que nunca me iba a pasar a mí. A raíz del *marichalazo*, del que me recuperé asombrosamente rápido —al cuarto día ya andaba y podía mover el brazo—, algún médico, algún sabio que consulté, me dijo que tuviera cuidado porque, cuando menos me lo esperara, me iba a sobrevenir una depresión. Y sucedió. De una forma además bastante rara de tragar para quien yo había sido, porque era una grandísima falta de interés por todo o por casi todo y ningunas ganas de ver a nadie, ni siquiera a la gente más querida. Estuve así como año y medio o dos años, sin «ganas de» [en alusión a su canto a la vida *Ganas de...*, incluido en el disco *Esta boca es mía*]. Con un rechazo radical y frontal por todo lo que significara escenario y compromisos públicos. Incluso cuando empecé a asumirlos, a ir, por ejemplo, a alguna entrevista de prensa o de televisión, o con Luis García Montero y Ángel González el día de la presentación de mi libro de sonetos, me costaba muchísimo. Nunca olvidaré un día que tuve que presentar una novela de Almudena Grandes: estuve vomitando una hora entera, hasta justo dos minutos antes de salir a presentarla. Mi cuerpo rechazaba completamente cualquier compromiso público. Recuerdo también que Manel Fuentes, al que quiero mucho, me quería hacer una entrevista para su programa de televisión y tuvo que venir a casa tres veces porque las dos primeras no me presenté. Le decía a la Jime: «No puedo, no puedo», y ella insistía un poco y yo me ponía histérico: «¡Si te digo que no puedo es porque no puedo!» El caso es que al final conseguí domar mi cuerpo de una manera rara: cuando tenía que hacer algo para un amigo muy querido al que no le podía decir que no —hablo de muy pocas personas, Luisito García Montero o Ángel González—, me levantaba diez horas antes para vomitar y pasar del espejo. Y así fui empezando a salir.

J. M. F.: Y a tus hijas ¿sí las veías?

J. S.: Sí, a ellas sí las veía. De hecho, en los últimos tres años he sido el padre que antes no fui. Es decir, me las llevo a Cuba y a Rota [Cádiz] y vienen a mi casa cada dos fines de semana. También porque han cumplido unos años [tienen quince y trece] y ahora puedo hacerles los chistes más crueles del mundo y ellas se ríen y me siguen el rollo. Hace cuatro años jamás se me habría pasado por la cabeza llevarme a mis hijas a Cuba, y ahora, como te digo, lo estoy haciendo. La verdad es que si para algo me sirvió la enfermedad fue para estrechar lazos con mis hijas. Pero cuando estaba muy, muy mal, llegué a pasar quince o veinte días sin ver absolutamente a nadie, sin hablar y sin salir siquiera a la parte de mi casa que no era mi dormitorio. Viendo mucha televisión, leyendo bastante poco y, fundamentalmente, haciéndome el dormido. Fui a un neurólogo y me dio unos antidepresivos, los que a todo el mundo, tranquimazines y cosas así. Pero eso me adormilaba. Hasta que llegó un momento —de eso hará seis o siete meses— en que me sentí capaz de depender menos de esa ayuda y yo solito he ido reduciendo las dosis, y ahora prácticamente no estoy tomando ninguno. Ahora me he puesto a escribir canciones y a hablar con la gente, pero todavía no tengo tan claro si subiré la escalera de un escenario del único modo que debe subirse, que es diciéndote en el penúltimo peldaño: «Ahora se van a enterar éstos.» Con esas «ganas de».

J. M. F.: Luego no se puede hablar exactamente de una crisis creativa a resultas de la depresión, sino de desgana, de apatía, de abulia.

J. S.: Es que yo no encontraba asideros y a mí siempre me ha apasionado la vida. Cada dos meses me cogía una buena curda con mis amigos y entonces hablaba por los codos y cantaba como un mariachi, pero estuve siete u ocho meses sin coger la guitarra, sin mirarla siquiera. Y eso me hace recordar cosas muy graciosas que me contaba Berry [su actual *manager* y el de Serrat y Paco de Lucía desde tiempos inmemoriales] sobre Paco de Lucía, fíjate qué pedazo de guitarrista. Berry venía a mi casa y veía las guitarras en la misma entrada, así colocadas una al lado de la otra, y decía: «¿Sabes qué diría Paco si entrara? Pasaría, vería las guitarras nada más entrar y les diría: hijas de puta» [risas]. Yo a la guitarra no la insultaba, no. Lo que pasó es que me olvidé de que existía.

J. M. F.: Hace ya muchos años, poco antes de *Física y química*, sí tuviste una crisis creativa seria.

J. S.: No fue una crisis creativa propiamente dicha. Al acabar un disco, y creo que ya hemos hablado de eso, siempre pasas unos meses en los que te dices: «¡Carajo! Ya no voy a hacer canciones tan bonitas como éstas.» Eso pasó hace poco. Estuve también cerca de un año sin escribir nada pero en cambio salía todas las noches y vivía muchísimo todo el tiempo. Me interesaba todo, me lo comía todo, me lo bebía todo y me lo esnifaba todo. Pero esta vez la vida había perdido su color y su sabor. Y tengo que decir que mis amigos los poetas líricos estuvieron ahí de un modo impresionante. Con muchísimo respeto, porque si yo no quería ver a nadie no jodían. Pero siempre, todos los días, me proponían algo que se supone me podía apetecer. Y cuando digo los poetas líricos hablo de Luis García Montero, Almudena Grandes, Felipe Benítez Reyes y Benjamín Prado. Y a ráfagas, porque desafortunadamente para nosotros no está siempre en Madrid, Ángel González.

6

CON LO QUE HA SIDO ESTA NARIZ...
(LAS DROGAS)

... Y por esas ventas
del fino Laina,
pagando las cuentas
de gente sin alma
que pierde la calma
con la cocaína.

19 días y 500 noches
(19 días y 500 noches)

«Amo las drogas y el alcohol, pero detesto a los drogadictos y a los borrachos.»
«La cerveza y el whisky también son hijos de Dios.»

Si en las antediluvianas *Eh, Sabina* y *Zumo de Neón* Joaquín ya explicitaba sin el menor reparo su romance con el tabaco, el alcohol y la cocaína, y en las más recientes *Tan joven y tan viejo* y *A mis cuarenta y diez* se reafirmaba alevosamente en lo dicho, en *El Café de Nicanor* daba un paso más allá y citaba, incluso, a un «camellito sin dientes» entre sus habituales de farra. Es decir, que en sus composiciones quedaba reflejada, nítidamente, la lista de unos vicios o hábitos goliardescos que en la mayoría de los artistas son inconfesables por aquello tan fariseo y sin embargo español de cuidar la imagen pública.

No obstante, habrá quien piense, y no le faltará razón, que sólo se trata de canciones, esto es, ficción, y que en ese género cualquier parecido con la realidad es pura coincidencia. Pero es que esa impudicia a la hora de hablar del consumo de estupefacientes también se ha dado en él en el ámbito de la no ficción, pues en numerosas entrevistas ha disertado sin complejos ni ocultamientos, si bien de pasada, sobre tan controvertido tema.

Ahora, cuando su largo idilio con la dama blanca es ya historia y tan sólo es un santo bebedor de Johnnie Walker (eso sí, etiqueta negra), analiza, con su proverbial y no por ello menos sorprendente lucidez y con una cierta perspectiva, los años en que alimentar su nariz era siempre un asunto a tratar en su por otro lado versátil, dada su esencia bipolar, orden del día.

J. M. F.: Lo que te condujo a la depresión fue, como tú mismo has señalado, el *marichalazo*, el ictus cerebral, y lo que te llevó a sufrir ese ictus fue tu militancia drogadicta.

J. S.: Sí, por qué no, hablemos de las drogas. Hoy he estado releyendo una entrevista que me hizo Victoria Prego en la que le contaba que llevando la vida que yo he llevado, la gente se muere a los sesenta años. Y le ponía de ejemplo a los Carlos Barral y a los Giles de Biedma, a toda esa banda de borrachos. Yo tengo cincuenta y cinco y no tengo la menor intención de morirme, pero sí que he llegado a estar ahí, en una zona de mucho riesgo.

J. M. F.: En muchas de las entrevistas que te han hecho decías, cínicamente: «Sí, alguna raya me he metido.»

J. S.: Yo nunca he negado que me metiera rayas a diario.

J. M. F.: Es cierto que nunca has negado que consumieras cocaína, pero por la manera en que lo decías casi parecía que, efectivamente, era algo que hacías, pero no con la frecuencia suficiente como para que te adjudicaran adjetivos indeseables. Y ahora te pregunto: ¿se puede decir que has sido cocainómano o adicto a la cocaína durante muchos años?

J. S.: Pues mira, tal vez soy más borracho que adicto a la cocaína, porque mientras a mi alrededor mataban por una raya, yo la verdad es que no. Recuerdo muy bien que cuando estaba trabajando en casa para sacar adelante *19 días y 500 noches*, la gente que estaba conmigo se iba todas las noches cuatro o cinco horas a un bar, entre la una y las cuatro de la mañana, y en ese tiempo yo seguía escribiendo sin necesidad de meterme ninguna raya. Desde luego que no soy de esos que se miden y se controlan muchísimo, y de vez en cuando me he pegado pasones tremendos, pero tampoco soy un conductor suicida.

J. M. F.: Dices que eres, hoy, más borracho que drogadicto has sido.

J. S.: De hecho, he podido dejar las drogas sin grandes conflictos y, además, las dejé sin que el *marichalazo* me diera el aviso, de la noche a la mañana. Sin embargo, la vida sin una copita se me hace muy incolora, inodora e insípida. Es decir, la cultura del alcohol es en mi opinión muy superior a la de la droga. Llamo cultura del alcohol a compartir una estupenda mesa con unos amigos que tengan una conversación florida, interesante y divertida, y eso es con unos whiskis o con unos vinos. La cultura de la droga, sea cual sea, con la única excepción de los canutos, acaba metiéndote en un agujero, incomunicándote. Y eso no me interesa nada.

J. M. F.: Luego de algún modo la droga tiene que ver

con la canción, con tus amigos cantantes, y el alcohol con la literatura y tus amigos literatos.

J. S.: No lo había pensado en esos términos, pero no te falta razón. Desde luego, siempre con sabrosísimas excepciones. No sé si mis amigos poetas líricos se meten rayas, y si lo sé no quiero acordarme. Pero sí sé que los cabrones no me invitan nunca.

J. M. F.: Y ¿los camellos, Joaquín? ¿Los has tenido *en plantilla*?

J. S.: ¡Claro que sí! Ten en cuenta que cuando yo compraba coca no la compraba sólo para mí, sino para toda la gente que trabajaba conmigo y toda la gente que había alrededor. Los he tenido en plantilla, sí. De esos a los que podías llamar a las cuatro de la mañana para que se acercaran hasta tu casa. Y además era muy buen cliente, porque ya te digo que no compraba sólo para mí, sino para diez personas.

J. M. F.: ¿Has llegado a calcular todo el dinero que te has gastado en cocaína?

J. S.: Muchas veces Isabelita Oliart ha querido calculármelo y me ha dado tanto miedo que le he dicho que ni hablar. Ahora me estoy ahorrando un pastón, la verdad, porque era una cantidad diaria importante.

J. M. F.: Imagino que la coca llegó a hacerse indispensable para trabajar.

J. S.: Sí. El último disco que hice con coca fue *19 días y 500 noches*, ya el siguiente no. Pero ese disco, *Dímelo en la calle*, me costó Dios y ayuda. Me fui a El Cortijo [estudio de grabación situado en San Pedro de Alcántara (Málaga), en el que se grabó *19 días y 500 noches*] para recluirme con mis músicos y sólo aguanté cuatro días. Yo no estaba para trabajar. Me volví a Madrid, de hecho casi me escapé, y no para tomar copas, no, sino para no hacer nada. Afortunadamente, tengo dos santos patronos, que son Panchito Varona y Antonio García de Diego, que lo entendieron perfectamente y se vinieron también a Madrid. De esa forma, poco a poco, fuimos sacando el disco adelante.

J. M. F.: ¿Hay discos que no habrías sido capaz de hacer sin el apoyo inestimable de la coca? Por ejemplo, el referido *19 días y 500 noches*.

J. S.: Y yo qué sé. Es que eso es lo contrario de un futurible. Ahora, lo que sí te puedo decir es que sin el apoyo inestimable de Antonio Oliver, que compuso conmigo muchas de las canciones del disco, no habría sido capaz de hacer *19 días y 500 noches*. Pero no voy a rehuir tu pregunta: está claro que todo lo que me he metido y todo lo que me he bebido se volcó en las canciones. Es decir, ¿quién habría sido yo de no haber probado nunca la coca? Pues no tengo ni idea. La primera raya que me metí en mi vida me la puso Chicho Sánchez Ferlosio, que en paz descanse, en La Mandrágora.

J. M. F.: Te lo digo porque Umbral declaró que nunca jamás volvería a escribir algo como *Mortal y rosa* por la sencilla razón de que para hacerlo, a raíz de la muerte de su hijo, tuvo que atiborrarse de todo tipo de sustancias, algo que no estaría dispuesto a repetir. Aunque tal vez, como todo en él, en eso haya más de literatura y de impostura que de auténtica biografía.

J. S.: Pero es que la historia de las drogas, el alcohol y la literatura viene desde el comienzo de los tiempos. ¿Qué habría sido de Edgar Allan Poe, de Baudelaire, de Mallarmé o del propio Umbral sin todo eso? Yo no tengo nada contra los alcoholes y las drogas, todos son hijos de Dios. Lo tengo contra la autodestrucción. No hay dos drogadictos iguales, no hay dos alcohólicos iguales. Siempre he dicho que amo el alcohol y detesto al borracho. Por alguna enzima yo nunca fui un borracho baboso de esos que se te caen encima en un bar y no hay manera de quitártelos, y sí he tenido amigos y no tan amigos que lo han sido y a los que nunca he soportado. Como no soporto al drogota ese, tenso, que sólo piensa en la próxima dosis. Nunca lo soporté.

J. M. F.: Siempre he sospechado que en el fondo desprecias a mitos como el de Jim Morrison, representante por antonomasia de aquella memez elevada a categoría de «muere joven y deja un hermoso cadáver».

J. S.: Es cierto que no soy *fan* de Morrison, no. Es más, me parece que en el caso de Morrison tanto el personaje como el artista están increíblemente sobrevalorados. Los Doors era un grupo de garaje bastante mediocre y sus poemas, leídos ahora, ¡uf!, no son ni mucho menos William Blake. Jim Morrison, aparte de un icono y de alguien que citan las revistas de vez en cuando al hablar de los hermosos cadáveres, como tú bien has dicho, la verdad es que no ha dejado mucha huella. Excepto en Bunbury.

J. M. F.: Y en *El jinete polaco*, de tu admirado paisano Antonio Muñoz Molina. De hecho, creo que los capítulos de esa novela, no sé si todos pero desde luego alguno, llevan por título el de algunas canciones de los Doors.

J. S.: Sí, sí, es cierto. De todos modos, antes de aparcar este tema, si pudiera ser capaz de explicarme y desarrollar un discurso no demasiado incoherente pero tampoco demasiado coherente, quisiera decir un par de cosas más. La primera es que pertenezco a una generación que ha estado en un mundo en el que el ácido y la heroína estaban muy presentes, y a mí se me han muerto muchísimos amigos bajo su ala. Yo nunca probé la heroína, probé medio ácido dos veces en mi vida y no me hicieron casi nada. La segunda cosa que quiero decir es que he reaccionado siempre a muerte contra ese discurso simplón y terrible del que participa Garzón en sus partidos contra la droga, aquello de «drogas no», porque me parece que si a la madre de un yonqui hecho mierda de Vallecas le dicen que un canuto y un pico es lo mismo, la están desinformando. Pero es que no he visto a nadie, excepto quizá a Escohotado, que establezca una distinción. En las propagandas televisivas y en los periódicos, el modo en que se habla de la droga es en verdad asombroso. Sin hacer distinciones en ningún momento entre unas cosas y otras, lo cual es una falacia.

J. M. F.: En un artículo publicado en *El País* (15-9-2004) y titulado «El delito de Alcibíades» —pues al parecer fue el tal Alcibíades el primer *delincuente* condenado por posesión indebida de drogas, en el 415 antes de Cristo—, Fernando Savater decía: «Los que preferimos las tabernas y los estancos a las farmacias echamos de menos que la cuestión de las llamadas drogas rara vez se plantee en su auténtico terreno hedonista, es decir, el de la reivindicación humanísima del derecho a la embriaguez», y citaba, entre otros, a Ortega y su *Meditación de la técnica*, donde el filósofo hablaba de la «necesidad» de la embriaguez argumentando que junto a los inventos destinados a satisfacer nuestras carencias y protegernos de los peligros, el hombre siempre ha buscado medios para conseguir otros objetivos aparentemente menos perentorios. Visto así, tampoco le falta razón.

J. S.: Leí ese artículo y le dije a la Jime que lo leyera. Y no, no le falta razón. Es más, firmo todo lo que dice Savater. Las dos cosas que quería decir sobre las drogas, y las repetiré, son ésas: que yo ni siquiera he seguido el mandato generacional en lo tocante a los ácidos y la heroína, pues siempre tuve miedos en ese sentido, y que me siento absolutamente indignado respecto a lo que dicen todos los Gobiernos del mundo cuando hablan de la droga. ¿Qué es eso de «la droga»? Primero, hay que hablar de *las* drogas, no de *la* droga, y luego nos pondremos de acuerdo. Los gobernantes de todo el mundo y sus consejeros, las élites del poder y las élites universitarias, los catedráticos y los premios Nobel, todos —menos los malnacidos que no quieren enterarse—, saben que esto es mucho peor que Chicago en tiempos de la prohibición, y que hay que vender las drogas en las farmacias. ¡Todos lo sabemos! Y no hay nadie decente y con un gramo de lucidez que no sepa que hay no sólo que despenalizarlas, sino hacer caso de lo que dice Savater: que la salud individual es individual y que, por lo tanto, el Estado no debe intervenir en eso. ¿Por qué no las legalizan? Ellos sabrán.

J. M. F.: Hablando de las drogas, ¿qué opinión te merece Leopoldo María Panero?

J. S.: Me parece Jim Morrison.

J. M. F.: O sea, que te gusta poco y también está sobrevalorado.

J. S.: No, vamos a ver. Quisiera matizar eso un poquito. Sí está sobrevalorado, y si me lo encuentro por la calle me cambio de acera seguro. Y sí hay un cierto tipo de escatología que a él le gusta muchísimo y que a mí no me interesa nada. Luego, respecto a eso que tanto pregona de que su madre lo metió en el psiquiátrico, me parece que ya tiene edad suficiente como para no echarle la culpa a su madre, a su pobre madre, de todo lo que le ha pasado en la vida, de toda esa infelicidad. Pero también creo que tiene hermosísimos versos. No creo en el icono, creo en un talento que no sé muy bien dónde está. Por cierto, los locos y los psicópatas escriben generalmente muy bien.

J. M. F.: Él, en cualquier caso, tiene más que ver con Albert Pla o con Javier Corcobado que contigo.

J. S.: Sí, así es. Por cierto, el caso de Pla lo conozco bien. En cambio, el de Corcobado, por el que todo el mundo me pregunta, créeme, aún no lo he escuchado y lo tengo que hacer. Porque hay gente cuyo criterio merece todo mi respeto que me dice que está muy bien.[22]

J. M. F.: Y a Robe Iniesta, el líder de Extremoduro, otro enamorado de las sustancias estupefacientes, ¿lo has escuchado?

J. S.: Sí, lo he oído poco y mal, aunque algunos amigos de buen paladar hablan bien de su talento. Y yo les creo. Pero te confieso que ese tipo de *heavy* lenguaraz y con ladillas no me interesa gran cosa. La verdad es que tengo algún prejuicio con eso.

J. M. F.: O sea, que no has sido nunca demasiado bukowskiano.

J. S.: No, a mí me gustaba más Henry Miller. Me parece que Bukowski tiene páginas estupendas, pero la caricatura que él continuó hasta la náusea, hasta el vómito, es un caso parecido al que hemos hablado alguna vez de Iggy Pop. Yo soy, no es la primera vez que lo digo, y la frase es de Savater, un anarquista que respeta los semáforos. Es decir, si yo voy en un coche de madrugada con unos borrachos que van en dirección prohibida, les digo: «Parad el coche que me bajo.» Es por eso que no me monto en el coche ni con los Plas ni con los Robes.

22. El músico, letrista y poeta Javier Corcobado (Frankfurt, Alemania, 1963) acaba de dar un paso más allá en su polifacética carrera con la publicación de su primera novela: *El amor no está en el tiempo* (Tropismos, 2005).

7

LA LLEGADA A MADRID, «TERRITORIO MÍTICO»

(LA MOVIDA. LA MÚSICA ESPAÑOLA. *OPERACIÓN TRIUNFO.* LA PIRATERÍA. EL FIN DE LA INDUSTRIA MUSICAL)

Con su hoguera de nieve, su verbena y su duelo,
su dieciocho de julio, su catorce de abril.
A mitad de camino entre el infierno y el cielo...
yo me bajo en Atocha, yo me quedo en Madrid.

Yo me bajo en Atocha
(Enemigos íntimos)

«Madrid es la novena capital de Andalucía.»

Nadie ha cantado a Madrid, ni ha escrito de ella versos para ser cantados, tanto ni tan hondamente como Joaquín Sabina.

Al igual que Umbral, que eligió esta ciudad —o fue quizá la ciudad la que lo eligió a él— como escenario permanente en el que hacer bailar la metralleta inmisericorde de su prosa, Sabina ha encontrado en el foro su particular «territorio mítico», su musa a la que amar / odiar con idéntica vehemencia, su inagotable telón de fondo.

Tan cierto como que se conocen mejor algunas zonas

de Barcelona y sus habitantes leyendo ciertas novelas de Marsé que visitándola, en muchas de las letras de Joaquín se vivifica aún más que contemplándola esa ciudad como un balcón abierto al mundo que es Madrid, donde nadie se siente extranjero porque su bandera es, justamente, la de la ausencia de nacionalidad.

Calle Melancolía, *Pongamos que hablo de Madrid*, *Qué demasiao*, *Caballo de cartón*, *Eva tomando el sol*, *Todos menos tú*, *No soporto el rap*, *Yo me bajo en Atocha*, *19 días y 500 noches*, *Barbi Superestar*... Desde el primero de sus discos hasta el último, la ciudad de Madrid es tan palpable en su cancionero, tan explícita y referenciada, que desligar al Sabina creador de ese espacio geográfico sería como amputarle un miembro y despojarle de su huella de identidad.

Lo dejó manifiestamente claro, para indignación de andaluces ultras, en la versión definitiva de *Pongamos que hablo de Madrid*: «Cuando la muerte venga a visitarme / no me despiertes, déjame dormir, / aquí he vivido, aquí quiero quedarme... / pongamos que hablo de Madrid.»

Mas por si a alguien le había pasado inadvertido, en *Yo me bajo en Atocha*, cuyo título es toda una declaración de intenciones, insistía y sentenciaba: «He llorado en Venecia, me he perdido en Manhattan, / he crecido en La Habana, he sido un paria en París, / México me atormenta, Buenos Aires me mata, / pero siempre hay un tren que desemboca en Madrid, / [...] pero siempre hay un vuelo de regreso a Madrid.»

Madrid, en fin, Corte de los Milagros, Palacio de Cristal.

Y de ahí al cielo. O al infierno.

J. M. F.: Reproduzco un fragmento de una entrevista de Arcadi Espada a David Trueba en el diario *El País* (18-8-2002):

ARCADI ESPADA: Creo que Madrid es el único territorio mítico que se ha organizado en España desde la transición.

DAVID TRUEBA: ¿Usted cree?

A. E.: Sí. Sabina, por ejemplo. Mirándole desde Buenos Aires o Barcelona, se ve lo mismo.

D. T.: Bueno, sí, el ejemplo de Sabina es incontestable. Él tiene Madrid como bandera, como poética. Y es verdad que, además, es un representante de ese desorden. Sabina es un señor que se pasea con bombín, que en su casa tiene unos ángeles colgados, que vive en el centro, rodeado de inmigrantes; su poesía es de una cierta lírica, pero siempre impregnada de cotidianidad, utiliza vocablos urbanos...

J. S.: No había leído esa entrevista, pero me interesa mucho lo que dices. Sí, yo soy de la primera generación que usa Madrid para hacer poesía de ella, para hacer un mito de ella o para hacer Babilonia de ella. Del final del franquismo a Rosendo —«es una mierda este Madrid»—, y al argentino este que fue el primero que escribió sobre Madrid... ¿Cómo se llama?

J. M. F.: ¿Moris?

J. S.: Sí, Moris. Él fue el primero y luego yo. Bueno, pues durante cuarenta años Madrid es un territorio del que no se puede hablar.

J. M. F.: ¿Madrid fue el Innombrable?

J. S.: Sí, el Innombrable, efectivamente. El único que habla en aquellos años de Madrid es un mexicano que se llamaba Agustín Lara y que se follaba a la actriz María Félix. Hablaba de Madrid sin haberlo pisado. Cuando escribió *Madrid, Madrid, Madrid*, Agustín Lara no había estado jamás en Madrid. Luego sí estuvo. Y tiene una estatua en Lavapiés, en la que está fumando, que se parece mucho a mí. Madrid el Innombrable, sí. Porque era un sitio lleno de Ministerios y de tunos. Tunos de la Tuna, quiero decir. Bueno, de los otros siempre. El caso es que todo eso lo recuerdo muy bien. No sé por dónde nos vino pero, como te digo, Moris, Rosendo y yo, en años muy parecidos, decidimos que en Madrid pasaban unas cosas que nos interesaban mucho, y todavía no había empezado la movida. De hecho, cuando yo hice *Pongamos que hablo de Madrid* aún no había movida. Yo había estado en Úbeda, en Granada, en Londres, y de paso por Bruselas y París, y nunca había encontrado un sitio donde no me pidieran el carnet, donde se permitiera la doble nacionalidad y donde nadie mostrara un sentido de pertenencia. Los serenos eran asturianos y los porteros, gallegos, y te bajabas en Atocha o en Chamartín y empezabas a ser madrileño inmediatamente: nadie te hacía renunciar a ser andaluz, gallego, asturiano o lo que fuera. Todavía siguen viniendo a mi casa de Madrid amigos peruanos, mexicanos o ingleses que me dicen que no conocen otro lugar en el mundo en el que vayas a un bar y a los diez minutos alguien te esté invitando a ir a su casa. Eso nunca, jamás de los jamases, ha pasado, por ejemplo, en Barcelona. Nunca, nunca, nunca. Sin embargo, Barcelona sí era cantada por cantantes españoles, como Pi de la Serra, Raimon o Serrat. Pero a Madrid no se le había cantado. Ah, falta una cosa de Madrid. Entre el poblachón manchego de Galdós y entre Navalcarnero y Kansas City de Cela, ahí encontré yo una cosa que tenía que ver con que es inimaginable ver a los madrileños desfilando detrás de una bandera o cantando un himno. De hecho, Leguina le encargó un himno a García Calvo que a mí me gusta mucho y que no ha tenido la menor fortuna.[23]

23. En su libro de memorias *Conocer gente* (Aguilar, 2005), Joaquín Leguina relataba lo siguiente a propósito del himno de Madrid:

»Luego está lo de los bares, la apertura impresionante de los madrileños. Como la noche de Madrid, ni la de Nueva York ni la de Buenos Aires. No he visto nada igual en mi vida, de verdad. He contado muchas veces en radios y televisiones latinoamericanas que el que haya un atasco de tráfico terrible a las doce del mediodía es un coñazo absoluto, pero que lo haya a las tres de la mañana es poesía. Y en Madrid sigue habiendo embotellamientos a las tres de la mañana. ¿Cuántos Gobiernos, cuántos ayuntamientos han hecho el intento serio de ponernos horarios europeos, de que la gente se vaya temprano a dormir y se levante temprano para ir al trabajo? Nunca lo han conseguido. Porque los madrileños siempre han pensado que la noche es del que se la trabaja. Nunca sentí ni pensé "aquí me voy a quedar" hasta que llegué a Madrid.

J. M. F.: ¿Crees que de haberte instalado dos décadas

«[...] Un día, durante un Consejo de Gobierno, Agapito Ramos se arrancó con la propuesta de encargar la letra del himno al latinista, poeta y ensayista zamorano Agustín García Calvo. Pensé para mí que [...] no aceptaría, pero propuse que Agapito pulsara la actitud del escritor y, contra mi pronóstico, Agustín aceptó e indicó, a su vez, que la música la compusiera Pablo Solozábal, hijo del compositor del mismo nombre y compositor él también.» Leguina añadía: «El himno ha sido cuidadosamente ninguneado (debiera decir boicoteado) por tirios y troyanos» y a continuación reproducía la segunda de sus estrofas, que, por su altura literaria y su valor testimonial, también aquí incluimos: «Yo tengo mi cuerpo: / un triángulo roto en el mapa / por ley o decreto / entre Ávila y Guadalajara, / Segovia y Toledo: / provincia de toda provincia, / flor del desierto. / Somosierra me guarda del norte / y Guadarrama con Gredos; / Jarama y Henares al Tajo / se llevan el resto. / Y a costa de esto, / yo soy el ente Autónomo último, / el puro y sincero. / ¡Viva mi dueño, / que, sólo por ser algo, soy madrileño!» Olé.

atrás en Barcelona en vez de en Madrid tu trayectoria musical habría sido la misma, o Madrid ha sido decisiva para tu éxito?

J. S.: Yo creo que si hubiese estado en Barcelona habría escrito y habría cantado, pero Madrid ha sido absolutamente insustituible en la medida en que yo, que nunca tuve una casa ni una provincia y siempre he sentido, como sabes, bastante desprecio por el patriotismo y, sobre todo, por el patrioterismo y la nostalgia de la infancia, sentí que aquí, en Madrid, estaba en mi casa; que me habían hecho un hueco y que, como antes te decía, no me pedían el carnet ni me preguntaban el apellido ni cómo se llamaba mi padre ni cuánto dinero tenía. En Madrid se puede tener un amigo durante tres años sin saber su apellido o si vive en una casa de ricos o de pobres. Eso me deslumbró desde el primer momento.

J. M. F.: ¿Eso habría sido inviable en Barcelona?

J. S.: Sí.

J. M. F.: Y ¿un *Pongamos que hablo de Barcelona* también?

J. S.: Habría escrito otras canciones, pero esa permeabilidad social de Madrid para mí es imprescindible. Eso sólo lo he visto aquí. En ciudades como Barcelona el apellido y la procedencia social cuentan mucho.

J. M. F.: En aquella entrevista de Arcadi Espada a David Trueba que antes te citaba, el cineasta acababa la entrevista diciendo: «¡Y encima no es de Madrid, es de Úbeda, si no me equivoco...!»

J. S.: [Ríe.] Yo quiero mucho a David. Por cierto, la última vez que estuve en Cuba con mis niñas fue fantástico. La mujer de David, Ariadna Gil, estaba rodando allí una película con Mariano Barroso *[Hormigas en la boca]* y David estaba con ella. Así que por las noches, a las dos de la mañana, me iba con mi hija Carmela —porque mi otra hija, Rocío, se iba a dormir— a ver el rodaje, que era maravilloso, en un palacio colonial. Nos sentábamos, veíamos a los actores trabajar y estábamos realmente encantados.

J. M. F.: Y Luego hablabais Mariano Barroso y tú y os acordabais de Mendiluce.[24]

J. S.: [Risas sonoras.] ¡Pobre Mendiluce, carajo! De toda esa movida salió jodido. Luego, por cierto, el tipo no renunció a su escaño, ¡del PSOE!, en el Parlamento Europeo. Le tengo un mínimo respeto. Es decir, bajo mínimo respeto. Ni siquiera me emocionó, fíjate, su salida del armario.

J. M. F.: Volvamos al foro. Antes has dicho que tu canción *Pongamos que hablo de Madrid* y tu fijación, la de Rosendo y la de Moris por esa ciudad como fuente de inspiración fueron anterior a la movida.

J. S.: Sí, y además quiero decir una cosa de la movida porque se ha hablado mucho de si existió o no. Te diré que para mí la movida no fueron los pelos de colores ni Rockola ni Las Costus.[25] De hecho, de eso ha quedado poquísimo. Ha quedado Almodóvar, que ya no es eso; ha quedado un poquito Alaska y un poquito Auserón, y casi paro de contar. Pero lo que no me van a quitar ninguno de esos desdeñosos de la movida que dicen que nunca existió es la alegría de ocupación de espacios públicos y el estallido de libertad que vivimos durante los años de

24. José María Mendiluce, político y escritor. Véase capítulo trece: «Ni dios ni patria ni rey (La política)», pág. 171.
25. Enrique Naya y Juan Carrero, más conocidos como Las Costus, fueron dos artistas plásticos que en los años de la movida se convirtieron en algo así como los gurús de la tribu de los más modernos. Pedro Almodóvar fue uno de los muchos artistas que los frecuentaron en aquella época. Naya murió de sida en 1989, y Carrero se suicidó apenas un mes después.

Tierno Galván. Es decir, los san Isidro, las fiestas, los conciertos, los bares y la gente. Eso pasó, simplemente pasó. Venían los turistas suecos y se bajaban en la Puerta del Sol y te preguntaban: «Por favor, ¿me puede usted decir dónde está la movida?» [Risas.] Eso fue así. Bien es verdad que Krahe y yo, en La Mandrágora, fuimos contemporáneos de la movida y sentíamos que no éramos la movida. Además, por si no lo sentíamos, ya se encargaban los *alaskos* de decir a gritos que no éramos de eso, pero es igual. Nosotros disfrutamos muchísimo porque hubo varias movidas simultáneas. Una era la de los pelos de colores y Rockola que te decía antes, pero luego estaban la del barrio de Lavapiés, la de los *afterhippies* y la de la gente en las verbenas populares. Porque los exquisitos de la movida no iban a bailar chotis y pasodobles a Lavapiés, pero yo sí. Ellos eran muy elitistas y sólo se juntaban con gente que se vestía como ellos y que oía los discos que oían ellos. Por cierto, discos que no oía nadie más que ellos. Pero a mí, ya te digo, eso no me interesaba nada. Lo que me interesaba era que, bajo el auspicio de Tierno Galván, Madrid se disparató de una manera brutal y se llenaron las calles.

J. M. F.: Sin embargo, muchos periodistas siguen erre que erre con la matraca de esa movida elitista y minoritaria de la que hablas, y que ha pasado por ser la única que existió. Leopoldo Alas escribía para *El Mundo* (18-10-2003) que «ni Los Pecos ni Tequila ni Mecano, aunque algunos desinformados los incluyan (como también incluyen a Sabina o a Ramoncín), pertenecieron a aquella importante aventura musical, cultural y social que desdeñó las componendas comerciales y reinventó el pop con las lecciones del punk bien asimiladas, proclamando que no hacía falta tocar y cantar *bien* para ser un verdadero artista». ¿Qué te parece?

J. S.: Bueno. Usando su apellido, Alas, diré: «Cuando el grajo vuela bajo, hace un frío del carajo» [risas]. Creo que ya he contestado a eso. La movida esa de la que él habla, eran veinticinco. Y además eran exclusivos y no admitían a nadie más. De la movida que yo hablo es de la ocupación de calles y plazas y del estallido de libertad, y ahí sí estuve yo.

J. M. F.: ¿Crees que esa «movida exclusiva», de pelos de colores y Rockola, fue un movimiento eminentemente homosexual?

J. S.: Bastante, sí.

J. M. F.: Quisieron emular a la Factoría de Andy Warhol...

J. S.: Exactamente, sí. Pero, claro, treinta años después.

J. M. F.: Y en lo que respecta a la música, es curioso que muchos de los que fuisteis mirados con indisimulada displicencia por los que se supone eran los adalides de la movida, por esos clasistas con los pelos de colores, les habéis sobrevivido.

J. S.: Sí, y ellos no han sobrevivido. Y los que lo han hecho se han tenido que reciclar mucho. Por ejemplo, Santiago Auserón, que se convirtió en el cantautor Juan Perro. Por cierto, siempre he creído que un grupo es un cantautor y tres más. O, como mucho, en el caso de los Beatles y de los Rolling Stones, dos cantautores y tres más. Estoy absolutamente convencido de que Antonio García de Diego, Pancho Varona, Olga Román y yo, desde el punto de vista del trabajo en un estudio, somos mucho más un grupo que todos los grupos que he conocido. Pero eso no me va a hacer comulgar con ruedas de molino, porque yo sigo manteniendo que no creo en la creación colectiva, sino en la individual, o como mucho en una suma de creaciones individuales. Y no me saques ahora, que te conozco y te estoy viendo venir, el tema de cómo trabajo y de cómo hago las canciones. Eso lo vamos a dejar para otro día.

J. M. F.: Loquillo, otro protagonista de la movida, comentó que era «muy fuerte» que ahora se considerase *rock and roll* a lo que hacéis Miguel Bosé y tú.

J. S.: Lo leí y recuerdo que sólo comenté: «Insensatillo» [risas]. Pero tengo que decirte que después de eso ha estado en mi casa y lo pasamos muy bien. Por cierto, ¿te conté lo que me pasó con Miguel Bosé en un cuarto de baño? Pues resulta que en unos premios de música entramos a mear juntos a los servicios, y cuando salimos, unos tipos se nos quedan mirando y yo les digo: «No es lo que os figuráis. Somos maricones.» [Risas.]

J. M. F.: Y ¿qué me dices del intocable Antonio Vega y su *Chica de ayer*? Según la mayoría de los críticos musicales de este país, se trata de la mejor canción de la movida y, por ende, de los últimos veinticinco años.

J. S.: A mí Antonio Vega más de una vez me ha tocado el corazón con esa voz y ese modo tan especial que tiene de hacer las cosas. Me lo ha tocado de verdad y muy de verdad. Pero la *Chica de ayer* no me ha tocado el corazón y me da la sensación de que tampoco se lo toca a él. Por lo menos, no a estas alturas. Él aprecia mucho más lo que ha hecho después.

J. M. F.: Hablé precisamente de esto con él —charla que está documentada en un número de la revista *Interviú*— y te aseguro que no, que esa canción no le toca el corazón en absoluto. De hecho, me dijo que pensaba que *Chica de ayer* está magnificada y que canciones como *Annabel Lee*, de Radio Futura; *Malos Tiempos*, de Golpes Bajos, y *Frío*, de los Alarma!!! de Manolo Tena eran mucho más representativas de los años de la movida que la suya.

J. S.: Es que *Chica de ayer* ni siquiera fue un himno en su momento. Yo también te diría que *Frío* y, después, *Un* *africano por la Gran Vía*, de Radio Futura, y tal vez también *La estatua del jardín botánico*, que ya cité en *El rap del optimista* [canción que cerraba su disco *El hombre del traje gris*]. Pero del frivoleo ese de las cancioncillas de usar y tirar que fueron la insignia de la movida no ha quedado, en mi opinión, nada.

J. M. F.: Dejando a un lado *Chica de ayer*, ¿crees que Antonio es un autor excesivamente mimado y, quizá, sobrevalorado por la crítica? Al margen de su talento, que sin duda lo tiene.

J. S.: Sí, lo creo. Pero si es alguien excesivamente mimado y sobrevalorado es porque en este país no hay nada que le guste más a la gente que un póstumo maldito. Ya veré cómo corrijo esto, pero es que a Antonio Vega lo llevan dando por muerto mucho tiempo. Eso es lo que más gusta en este país, un buen entierro.

J. M. F.: Sin ir más lejos, aquel homenaje que le hicieron, *Ese chico triste y solitario*, se lo encontró en El Corte Inglés mientras rebuscaba entre un montón de discos. ¡No tenía ni idea de la existencia de un disco en el que él era el protagonista!

J. S.: Él se endemonió porque estaba radicalmente en contra del título.

J. M. F.: Un disco, por cierto, en el que no participaste.

J. S.: No participé, no, aunque me lo propusieron. Pero, hey, la intención de quien lo hizo fue buena. Lo hizo Paco Martín, que es muy amigo mío, y su intención te digo que era muy buena, porque Antonio debía meses de alquiler y ésa era una forma de socorrerlo. Lo que pasa es que, claro, lo de socorrerlo de esa manera tan piadosa y cristiana, un tipo como Antonio, que tiene más de dos dedos de frente, no podía admitirlo.

J. M. F.: El propio Vega me dijo que tenía mucho más que ver con aquello de «triste y solitario» el ya fallecido

Enrique Urquijo, tu querido Enrique Urquijo, que él. También, con irrefutable lógica, que Enrique respondía mucho más a la caricatura del artista maldito que se empeñan en hacer de él.

J. S.: De hecho, Enrique está muerto y Antonio no.

J. M. F.: También Antonio Flores respondía más a ese dibujo que Antonio Vega.

J. S.: Antoñito Flores, cuando estaba muy malito, se venía a mi casa y se quedaba dos días durmiendo. Recuerdo que su novia vagabundeaba por la casa sin saber qué pasaba, y que, antes de meterse en la cama, Antoñito llamaba a Lola Flores, a las seis de la mañana, para decirle: «Tranquila, que estoy en casa de Joaquín.» Y yo, claro, le echaba la bronca: «Pero cabrón, ¿tú te crees que tu madre se va a quedar más tranquila sabiendo que estás en mi casa?» [Risas.] Yo a Antoñito le echaba muchas broncas. Le pinchaba con cosas del tipo: «Oye, tu hermana Rosarillo está arrasando y las canciones se las has hecho tú. Bueno, y tú ¿para cuándo?», y algunas veces me esquivaba porque no le apetecía que le abroncara.

J. M. F.: A propósito del talento de los músicos españoles, me viene a la cabeza que, allá por 1992, arremetiste duramente contra los jóvenes cantantes patrios asegurando que sus letras parecían declaraciones hechas por futbolistas tras haber jugado un partido. Cinco años después levantaste una gran polémica al afirmar que los grupos nacionales que cantaban en inglés no podían ser considerados españoles, y te preguntabas si no sería que cantaban en ese idioma para que no se entendiera lo que decían, en clara alusión a su incapacidad para escribir letras no ya decentes, sino simplemente inteligibles.

J. S.: Es que hubo un momento, a principios de los ochenta, coincidiendo con La Mandrágora, en el que recuerdo haber tenido conversaciones con Miguel Ríos —hablo de

Miguel Ríos porque entonces era el *rock and roll* de masas— y con más gente, y parecía que habíamos ganado la batalla; que estábamos demostrando que se podía hacer rock en español. Durante una década, creo que fueron los ochenta, yo no recuerdo que nadie cantara o grabara en inglés. Sí que recuerdo que me mandaban melodías en guachi-guachi para que yo les pusiera la letra —y algunas las llegué a grabar—, es decir, en algo que sonaba a inglés sin que fuera inglés. Pero hasta hace muy poquito a ningún grupo se le ocurrió hacer lo que hacen éstos..., ¿cómo se llaman? Esa chica gordita... Sí, Dover. Creo que casi hasta Dover, hubo diez años o más en los que pareció que el español ya se había adaptado perfectamente al pop, al rock y a todas las nuevas formas de música popular que salían. No sólo eso, sino que empezó a haber una invasión buena, mala y regular, pero que a mí me pareció beneficiosa, de cositas latinoamericanas. En cuanto a los grupos españoles y a eso de que hacían letras que parecían declaraciones de futbolistas, pues lo sigo pensando. En cualquier caso saludé, sin mucho entusiasmo pero sí como algo que yo no había previsto y que me gustaba que pasara, el pequeño *boom* que hubo de cantautores, los *pedrosguerras* y los *javieresálvarez*. También me pareció que no eran muy jóvenes estéticamente, ya que conectaban más con Aute y con Caetano Veloso que con Prince o con Eminem. Pero sí me pareció una buena idea que el futuro no estuviera escrito y que se diera ese tipo de fenómenos en bares de Madrid. Eso vino para quedarse, porque Pedro Guerra sigue ahí y también Drexler y algún otro. Pero desde el punto de vista de la repercusión pública, ese fenómeno no duró mucho.

J. M. F.: Comparto plenamente todo lo que dices. Sin embargo, me temo que en comparación con el momento actual, aquello era la Generación del 27. Es decir, *Operación Triunfo*, Bisbal, Upa Dance, etcétera, etcétera.

J. S.: El momento actual es catastrófico, desde luego. Pero también pienso, me cuentan y huelo que en los bares de Madrid y de muchos otros sitios están pasando cosas interesantes. Por cierto, hubo un momento en el que parecía que ni en los bares iba a haber ya música. La música se ha ido de la televisión, excepto *Operación Triunfo*, pero hay cientos de miles de bares en los que hay gente tocando todos los días, y en algunos poquitos que conozco de Andalucía hay gente muy buena.

J. M. F.: Lo de *Operación Triunfo* fue un fenómeno coyuntural claramente condenado a extinguirse, pero a muchos de tus colegas llegó a indigestárseles y achacaron sus bajas ventas a la existencia del programa. Es decir, que en el fondo aquello les vino muy bien para justificar el escaso interés que despertaba su trabajo.

J. S.: [Esboza una sonrisa mayúscula que traduzco como «no me pongas en un aprieto, mamón» y, como si no hubiese oído bien la pregunta, termina yéndose por la tangente con, eso sí, suma habilidad.] Es que a mí *Operación Triunfo* nunca me pareció un programa de música; me pareció un programa de televisión. Es decir, cada vez que me tiraban de la lengua y me metían los dedos en la garganta para que blasfemara de Bisbal, de Bustamante o de Chenoa, la verdad es que me echaba a reír. Porque nunca me pareció que estuvieran en mi oficio. Ése no es mi oficio. Por cierto, hablando de cantantes de orquesta: creo que nunca deberían haber pasado de la orquesta del pueblo, de la ciudad o de Nueva York, si quieres. Porque son eso, cantantes de orquesta. Ninguna otra cosa.

J. M. F.: Si Enrique Urquijo, Antonio Flores, Pepe Risi y Carlos Berlanga hubieran levantado la cabeza en pleno fenómeno de *Operación Triunfo*, ¿crees que habrían caído fulminados de nuevo?

J. S.: Vomitarían como hacemos los que estamos vivos.

Carlos Berlanga llegó a verlo, y a los demás les hicieron homenajes una vez que estaban muertos. Después de —concretamente en el caso de Antonio Flores— no hacerles ni puto caso en vida.

J. M. F.: ¿Entonarían al unísono el *Pero qué público más tonto tengo*, de Kaka de Luxe?

J. S.: Pues sí, la verdad es que sí.

J. M. F.: De todos modos, la industria musical, tan plañidera ella, ha tenido mucha culpa de lo que está pasando. Ahora andan llorando por las esquinas todo el día, quejándose del cáncer de la piratería e Internet, pero...

J. S.: Es que la industria musical, española y mundial, está a punto de desaparecer.

J. M. F.: Sí, es ahí adonde quería llegar. Hablemos de eso.

J. S.: Si hablas en serio con cualquier alto ejecutivo más o menos listo, que no abundan, de cualquier compañía, te dirá que el mundo del disco, tal y como lo hemos conocido, está muerto y enterrado. Con la piratería, las nuevas tecnologías, Internet y los nuevos métodos de comunicación, las industrias musicales, tal y como eran, tienen que desaparecer. Ahora mismo, en la fusión de Sony con BMG-Ariola, José María Cámara [actual presidente de Sony-BMG para la Península Ibérica] va a tener que echar a doscientas personas a la calle.

J. M. F.: Para cuando se publique este libro, esa gente ya estará engrosando las listas del paro.

J. S.: Sí, y creo que ni ellos mismos saben qué carajo van a hacer. Porque tenían unas estructuras que hoy no se pueden sostener. Cuando conocí a Tomás Muñoz,[26] CBS

26. Tomás Muñoz (Córdoba, 1934) fue el primer director general de CBS España. Trajo a nuestro país por vez primera a grandes es-

era un rascacielos. Y ahora para nada. Pero es que ahora yo puedo hacerme mi disco porque todo se ha simplificado enormemente. Los aparatos con los que uno puede grabar un disco están al alcance de casi cualquiera.

J. M. F.: El problema es para la gente que empieza. Porque tú, que ya tienes un nombre, puedes hacer el disco en casa, buscar una distribuidora competente y, zas, ya tienes las ventas aseguradas. Pero un chaval que está empezando lo tiene mucho más difícil.

J. S.: Sí, pero vamos a ver. Cada vez que me habláis de la gente que empieza yo es que no sé de qué me estáis hablando. Porque ¿y la gente que empezaba cuando lo hacía yo? Tampoco tenía ninguna posibilidad. Yo no tenía ninguna posibilidad. Las cosas fueron como fueron. Yo creo que Leonard Cohen y Tom Waits, si hubiesen sido españoles, nunca habrían encontrado casa de discos.

J. M. F.: Bueno, tú la encontraste. Y eres lo más parecido a esos dos tipos que tenemos por estos pagos.

J. S.: Sí, sucedió así pero no estaba para nada previsto. Cortázar escribió que, a la altura del siglo XX en la que él vivía, no había un genio que se quedara inédito. Yo llevo muchos años diciendo que cualquier tipo del pueblo más perdido de España, si tiene dos canciones interesantes,

---

trellas internacionales como Bob Dylan, Neil Diamond o Leonard Cohen, y promovió, entre otros, a Los Pecos, Ana Belén, Miguel Bosé y el propio Sabina. La lista de los artistas, nacionales y extranjeros, asociados a su nombre impresiona al más pintado: The Police, Supertramp, Julio Iglesias, Roberto Carlos, Ricky Martin, José Luis Perales, Manolo Tena, Chayanne, Donato & Estéfano, Gipsy Kings y Hombres G. Culto, inquieto y *bon vivant*, creó una escuela de grandes ejecutivos que hoy ostentan altos cargos en Estados Unidos, México, España y Brasil. Publicó sus memorias bajo el título *Memoria banal* (Fundación Autor, 2004).

puede grabar. Eso lo decía antes de que existiera Internet, luego figúrate ahora. El último disco de Manolo Tena ha sido distribuido por Internet y hay otros muchos que lo hacen. ¿Cuál es el problema entonces, si un escritor de poesía o de canciones de Villanueva del Trabuco [Málaga] puede poner su obra en circulación? No creo en eso de que los jóvenes no tienen posibilidades. Sí, es verdad que el *casting* de *Operación Triunfo* acabó con todo el mundo. Es decir, las compañías, aparte de *Operación Triunfo*, tenían todo lo que había quedado fuera del *casting*, que era una cola de doscientos mil. ¿Y eso ha hecho daño a la música? No, porque te repito que eso no es la música. Eso es otra cosa que ha existido siempre y que ha hecho daño a las compañías.

J. M. F.: Y ahora las compañías, que se ven con el agua al cuello, andan buscando soluciones de emergencia un tanto burdas y cicateras: canciones de regalo y deuvedés con videoclips con los que tratar de enganchar a un comprador que tiene el colmillo retorcido y que sabe que en las mantas y en la Red la música es mucho más barata, incluso gratis total.

J. S.: Tú sabes que yo, y mucha gente me lo reprocha sin que les falte razón, no he puesto nunca mi firma en ningún manifiesto contra la piratería. No sabría muy bien explicar por qué, pero sí sé que voy a seguir sin ponerla.

J. M. F.: De hecho, llegaste a declarar que son mucho más mafiosas las multinacionales que el pobre negrito del Senegal que trata de salir adelante vendiendo discos en una manta.

J. S.: *Yes.*

J. M. F.: ¿Alguno de tus colegas antipiratería, que son unos cuantos, te ha abroncado en privado por ello y te ha afeado tamañas declaraciones, así como el hecho de que no condenes abiertamente esa práctica ilícita, con lo mucho que ese gesto, dados tus miles de seguidores, ayudaría a la causa?

J. S.: No. Pero... ¡si tienen razón! Lo que sucede es que creo que son las discográficas las que han promovido las listas contra la piratería, y yo no soy un empleado de BMG.[27]

J. M. F.: ¿Cuál crees que va a ser el futuro del disco, si es que lo tiene? Porque lo que está clarísimo es que a las discográficas les hace falta, primero, una buena cura de humildad y, segundo, una urgente revisión del precio del disco.

J. S.: Estoy absolutamente convencido de que esas mastodónticas multinacionales que han vivido del disco toda la vida no pueden seguir así, y ellos lo saben. No tengo ni idea de qué va a pasar. Lo que vayan a hacer pasa por la regulación de los Gobiernos, que ya están muy preocupados con eso. Hablo del cobro de los derechos de autor en Internet, que, por lo pronto, es un caos y no tienen ni idea de cómo atajarlo. Pero, desde luego, no va a haber rascacielos de multinacionales ni nada de eso. Creo

27. Joaquín no sólo no ha criticado jamás la piratería musical, sino que en un programa de radio llegó a declarar que «quien se preocupa porque lo piratean es alguien que vende muchos discos, porque a los que venden pocos discos desgraciadamente ni los piratean. Así que tenemos que ponernos de rodillas, darnos unos cabezazos contra el suelo y agradecerle a la Virgencita que nos deje como estamos. Y cuanto más nos pirateen, mejor». En mayo de 2006, el nombre de su gira, *Carretera y Top Manta*, le acarreó un enfrentamiento público con el músico, y contertulio televisivo habitual, Ramoncín, uno de los más significados paladines antipiratería, quien al parecer no supo entender la jocosa sabinada y se llevó las manos a la cabeza. [Véase nota 79, pág. 354 y ss., dentro del capítulo «El segundo aliento (Sabina hoy. Planes de futuro)».]

que todo lo malo empezó, y algo tiene que ver eso con la piratería, cuando pasaron del vinilo al cedé y todo el mundo sabía que el cedé era muchísimo más barato de fabricar que el vinilo y, sin embargo, no bajaron los precios, sino que para colmo los subieron. A partir de ahí la gente empezó a hacer cedés. Las maquetas que yo recibo de Villanueva del Trabuco están hechas con toda la tecnología del mundo, y los grandes están haciendo los discos en sus casas. Hoy día puedes disponer de toda la tecnología del mundo en un cuartucho de diez metros cuadrados. Las discográficas tendrán que inventar otro modo de difusión y de plusvalía. Y, desde luego, con muchísimos menos empleados. Se han acabado para siempre los estudios de grabación, que hoy por hoy son deficitarios y lo van a seguir siendo cada vez más.

J. M. F.: Quizá esta situación podría propiciar una vuelta a los orígenes, algo que sería precioso. Quiero decir que antes las discográficas sólo editaban discos de gente a la que se le suponía cierto talento, y te hablo de artistas tan dispares como Brassens, Bowie, Dylan o Yazoo. Sin embargo, en los últimos años simplemente han querido hacer caja y han puesto a la venta cualquier cosa que, en teoría, pudiera funcionar comercialmente aunque la calidad brillara por su ausencia. Hemos pasado, no sólo ya en el mundo del disco sino en todos los ámbitos artísticos, de las obras cuidadísimas a los productos de fácil consumo. A lo mejor la solución pasa por apostar otra vez por la calidad, lo que a largo plazo resultaría, estoy seguro, altamente rentable. ¿O crees que esa línea de pensamiento es una absoluta quimera?

J. S.: No, no, muy al contrario. Soy optimista con eso. La sociedad, por sí misma, igual que nos sorprendió con, por ejemplo, la guerra del Golfo, Aznar y el 11-M, puede sorprendernos con eso que dices. Ahí tenemos casos tan increíbles como el de Pla, que al final encontró su multinacional. Por lo que yo conozco de las multinacionales, que no es mucho porque llevo en la misma toda la vida, si les llevo algo de indiscutible talento lo van a recibir con los brazos abiertos. Lo que pasa es que el talento no abunda. Ni ahora ni nunca. Quiero decir que no estamos en tiempos excesivamente sombríos para la música, quizá sí para otras cosas. De hecho, cuando compré mi primera guitarra en Úbeda apenas había tiendas de guitarras y la mía era la única. Pero ahora todo el mundo tiene una guitarra y muchos van a conservatorios.

J. M. F.: Los catequistas, aunque las utilizaran para alabar al Señor con música de los Beatles, sí tenían sus guitarras.

J. S.: Sí, pero eso fue algo después. Yo te estoy hablando de mis catorce años. En el 49, que es cuando nací, no había ni catequistas. Eso fue después. No soy tan pesimista con respecto a la música ni soy un fundamentalista anti-*Operación Triunfo* porque no me inquieta eso lo más mínimo. Ni creo que los jóvenes de hoy tengan menos posibilidades que los jóvenes de mi generación. Creo, como te decía antes, que con las nuevas tecnologías esos jóvenes están teniendo la posibilidad de hacer un disco cojonudo en su casa. Lo creo de verdad.

8

CÓMO SE HACE UNA CANCIÓN
(SUS MÉTODOS DE TRABAJO. SUS MÚSICOS O «CÓMPLICES DEL DESCONCIERTO». LOS MÉTODOS DE TRABAJO DE ALGUNOS DE SUS COLEGAS. SUS INICIOS DISCOGRÁFICOS. UNA AMERICANA EN ROMA)

Una canción capaz de hacer
de tripas corazón,
un *rock and roll* para correr...

Contrabando
(Alivio de luto)

«En los márgenes de lo cantado es probable que quede casi todo lo mejor. Puesto que uno, desde que sueña una canción hasta que la concreta como tal, a veces, sin darse cuenta, está desechando el mejor licor.» «Tal vez un compositor escriba siempre la misma canción y un escritor la misma novela. Lo que realmente me preocupa es llegar a hacer canciones sin necesidad, sin que ellas exijan existir, sólo porque hay que sacar otro disco. Siempre he criticado a la gente que lo hace.» «*Like a rolling stone* es una biblia. Es un equilibrio perfecto entre desesperación, insulto, escupitajo y estructura musical de cuatro acordes con un tiempo medio impresionante. Aún la oigo, por Jagger o Dylan, y me estremezco.»

Nadie es de consenso. Y Sabina, a pesar de haber conseguido situarse —como ya señalé en la introducción del tercer capítulo— en una privilegiada atalaya de cuasi unanimidad, no es la excepción a esa regla.

Sin embargo, ni siquiera aquellos que cuando oyen pronunciar su nombre experimentan los síntomas propios de la salmonelosis en su estado más virulento pueden negar que es alguien extraordinariamente dotado para la escritura de canciones.

En *Perdonen la tristeza* fui aún más allá y me atreví a aseverar que sus textos para ser cantados rozan la excelencia, y que en esas lides su nombre figura entre el selecto y reducidísimo parnaso de los más grandes letristas en español vivos. Esa sentencia le acarreó a mi libro la torticera etiqueta de «hagiografía» por parte de unos pocos presuntos expertos en crítica musical, quienes sin darse cuenta estaban haciendo de ese modo seudocrítica literaria. Pues bien, cinco años después me reafirmo en lo dicho. Porque cuando escribí que a su lado los textos del más dotado de los integrantes de la nueva generación no pasaban de ser una burda redacción de colegio, y añadía que por si eso fuera poco salía más que ellos, se divertía más que ellos, transgredía más que ellos, se emborrachaba más que ellos y se acostaba mucho más tarde que todos ellos, ¿acaso estaba diciendo algo que no fuera rigurosamente cierto?

En las conversaciones previas a la realización de este libro convine con Joaquín que, puesto que se daba por sentado mi respeto y admiración por su obra y su confianza en mí, no íbamos a escribir un libro en el que estuviésemos recordándonos en cada página lo larga que la teníamos.

Pero llegados a este punto hay que llamar al pan, pan, y a Joaquín, maestro. Y al que vea en esto un panegírico o ditirambo que no se corresponde en absoluto con la realidad, le invito a que se dé una vuelta por las letras escritas en este país en las dos últimas décadas y saque sus propias conclusiones.

Bien. Dicho esto, Joaquín, como todo creador de fuste, y tras haber escrito algunas canciones que siguen sosteniéndose muchos años después de haber sido alumbradas sin que se aprecie en ellas el menor signo de envejecimiento, me confiesa con cara de hablar completamente en serio que desconoce cómo se hace una (buena) canción.

Esa declaración, lejos de causarme perplejidad, me retrotrae a un poema del mexicano Aurelio Asiaín titulado, cabalmente, *De qué modo se escriben los poemas*, y del que reproduzco el siguiente fragmento: «Yo soy en ti la hiedra y la adherencia / sedienta desatada, soy la oscura / avidez de lo oscuro, soy la lengua / y la sed reclamándote a la lengua / de tu piel, soy el hambre a la deriva / devorándose, lengua que claudica / de las palabras y mudez que guía / la voz del extravío, espesa urdimbre / que la luna evapora, soy la sombra / y la sed, soy la lengua y no sabría / de qué modo se escriben los poemas.»

Como él, Sabina es capaz de escribir algo como «este hacerse mayor sin delicadeza, / esta espalda mojada de moscatel, / este valle de fábricas de tristeza, / esta espuma de certeza, / esta colmena sin miel» o como «nunca pude cantar de un tirón / la canción de las babas del mar, del relámpago en vena, / de las lágrimas para llorar cuando valga la pena, / de la página encinta en el vientre de un bloc trotamundos, / de la gota de tinta en el himno de los iracundos» y aun «y si quieres también, / puedo ser tu estación y tu tren, / tu mal y tu bien, / tu pan y tu vino, / tu pecado, tu dios, tu asesino...» y no saber, ay, de qué modo se escribe una canción.

Claro, que lo terrible sería que afirmase lo contrario. Porque entonces ¿para qué seguir buscando, vanamente, estérilmente, la Canción?

J. S.: Durante bastantes años, por lo menos quince o veinte, he pensado que había un libro necesario, no ya para mí sino para la gente, que nunca he hecho y que no sé si haré porque ahora con éste van a salir tres en los próximos años, que se titularía *Cómo se escribe una canción*. La idea era la de un libro más bien pedagógico. Yo pensaba juntar a autores de diverso pelaje, procedencia y clase social: Serrat, Charly García, Pablo Milanés, Silvio Rodríguez, Rubén Blades, Juan Luis Guerra y no sé si me dejo alguno. Sentarnos alrededor de una mesa y contar cómo trabajamos.

J. M. F.: Te refieres, imagino, a cómo componéis.

J. S.: Sí. Diré una cosa que he dicho en otras ocasiones pero que repetiré ahora porque quiero que éste sea el libro definitivo de viva voz: una buena canción es una mezcla de una buena letra, una buena música, una buena interpretación, un buen arreglo y algo más que nadie sabe lo que es, y que es lo único que importa. ¿Cómo hago yo las canciones? No siempre las he hecho de la misma manera. Hay una pregunta tópica y típica: «¿Qué nace antes, la letra o la música?» Bien. Pues no siempre ha sido igual. Eso sí, las épocas mejores han sido cuando nacían juntas. Un buen poema no es por definición la mejor letra de canción, aunque a veces sí, y una buenísima letra de canción, sin la música, no suele ser un buen poema. En el principio de los tiempos, siempre que iba a componer me sentaba con una guitarra. Te estoy hablando de Londres y de La Mandrágora. Pero luego, años después, cuando di el paso de Dylan de electrificarme y ponerme de pie en el escenario como el homínido de Darwin, descubrí una cosa maravillosa. Descubrí que uno podía ir a un local de ensayo —que estaba, por cierto, al ladito del de Manolo Tena y sus Alarma!!!—, llevar una letrita o un esqueleto de canción y luego tener músicos lo suficientemente buenos como para que envolvieran eso de un modo que yo desconocía que podía hacerse. Eso ha llegado hasta hoy con diferentes etapas. Pero lo primero que quiero hacer es nombrar, fundamentalmente, a Pancho Varona y a Antonio García de Diego. Punto y aparte. Luego a Olga Román. Punto y aparte. Y luego a Romerito [José Antonio Romero, guitarrista], que ha tocado muchos años con gitanitos y éstos le llamaban el payo Romero; a Jaime Asúa [quien fuera guitarrista de Alarma!!!] y a otros como, por ejemplo, John Parsons. Gente estupenda.

»Pancho Varona, mi hermano y sin embargo amigo, no es un gran instrumentista que brille por su digitación. Lo que tiene Pancho es que es un extraordinario músico que tiene una cabeza perfectamente diseñada para transmitirles a mis otros músicos el alma de las canciones que yo quiero hacer.

»Antonio García de Diego es el mejor guitarrista y uno de los mejores teclistas que he oído en mi vida. Resumiendo, el mejor instrumentista que he oído en mi vida. Antonio y yo nos hemos alimentado mutuamente. Por ejemplo, cuando le conocí era teclista y tenía abandonada la guitarra, y yo en cambio lo contraté como guitarrista. Había sonidos de su infancia que tenía completamente olvidados porque andaba en rollos de rock progresivo, y cuando yo empecé a hacer medio boleros, medio corridos, Antonio, por un lado, ponía cara de ¿cómo es esto?, y por otro, yo sabía que le estaba tocando una parte del corazón que tenía secuestrada. Hay anécdotas maravillosas. Un día compré una guitarrita portuguesa. Antonio llegó al estudio donde yo estaba grabando *De purísima y oro* y le di la guitarrita portuguesa, que tiene una afinación que no tiene nada que ver con una guitarra convencional y que él no había tocado en su puta vida, e hizo con ella la joya que hay en el disco.

»Antes te he dicho que no creo mucho en la creación colectiva, de hecho no creo casi nada, pero sí creo en las paradojas. Y eso me autoriza a decir que Panchito, Antonio y yo somos un grupo infinitamente más grupo que todos los grupos que en el mundo han sido. No hay más que ver los créditos de mis discos para ver que hay cientos de canciones firmadas por los tres.

J. M. F.: Pero ¿en qué porcentaje son ellos responsables de muchas de las excelentes canciones que habéis firmado juntos?

J. S.: Hay dos sistemas. El mejor, el que a mí más me gusta, es que yo hago un comienzo de letra sin acabar, que me suena a canción, y hago unos acordes y un esqueleto.

J. M. F.: Luego, al contrario de lo que muchos piensan, siempre hay un principio de melodía en tu cabeza que conduce al resultado final de todas, o casi todas, tus canciones.

J. S.: Sí, excepto cuando viene de fuera. Por ejemplo, ahora John Parsons me ha pasado dos melodías preciosas, y alguna vez me las pasó Jaime Asúa, y entonces les pongo una letra encima y ya está. Pero eso no es lo habitual. Eso ha sido más habitual cuando he trabajado para otros: Miguel Ríos, Ana Belén, Gurruchaga... Entonces sí. Ellos me daban unas melodías cantadas en guachi-guachi y yo escribía la letra. Ese método no me costaba nada y además me comprometía poco, porque tenía la impresión de que no me jugaba nada. Pero mi sistema, ya te digo, es otro. Mi modo de trabajar ha sido siempre hacer una letra completa. Y cuando digo una letra no digo un poema que luego se musique, no. Cuando escribo canciones sé que estoy escribiendo canciones. Lo que quiero decir es que si yo no puedo cantarla por dentro, eso no es una canción. Será a lo mejor un soneto, pero no una canción. Siempre las canto por dentro. Muchas veces con una melodía precaria y provisional, y luego les digo a los músicos que trabajen a partir de ahí. Te diré que cualquier cosa que no se pueda cantar en rock, en corrido o en bolero no es una canción. Aunque tengo algunas hermosas excepciones. Por ejemplo, yo les canté a mis músicos *Y nos dieron las diez*. Se la canté no para que la grabaran así, sino para que tiraran la música a la basura, como han hecho muchísimas veces, e hicieran otra versión. Y tanto Panchito como Antonio me dijeron: «No, no, esto es así.» ¿Me explico? La música que luego han tenido esas canciones es la música que yo había creado en mi mente.

J. M. F.: Sin embargo, como te apuntaba antes, no son pocos los que sostienen que sin Pancho Varona y sin Antonio García de Diego muchas de tus mejores canciones no existirían.

J. S.: Hay algunas que no existirían, desde luego. Pero no olvides que, además de todo lo que te he dicho, yo soy el responsable de ese grupo. He sido el que los ha elegido entre mil, y también soy el que dirige esas cosas. Y cuando no las dirijo yo, como antes te he dicho, las dirige mi Panchito Varona, que sabe muy bien que tiendo a ideas concretas, que detesto la superproducción, que detesto el exceso de maquillaje y que detesto la retórica.

J. M. F.: Por ejemplo, *Yo me bajo en Atocha*. ¿La melodía también es tuya, o al menos en parte?

J. S.: No. En casos como *Yo me bajo en Atocha*, que hay muchos, yo cojo una guitarra y les canto prácticamente improvisado, pero sí con el tiempo dylaniano, y luego ellos me piden que se la grabe y les digo: «No. Ya lo habéis oído, ¿verdad? Pues ahora hacedlo.»

J. M. F.: En *Como un dolor de muelas*, la canción, incluida en el disco *Dímelo en la calle*, cuya letra cofirmáis el subcomandante Marcos y tú, la música es original de Varona. ¿Eso es infrecuente?

J. S.: Es infrecuente, sí. Pasaron meses y años y no salía de mí, porque no soy tan dado a escribir por encargo y sí soy muy dado a defraudar a la gente. Había algo de morbo en defraudar a alguien mítico y no hacerle al día siguiente, corriendo, la canción. De hecho, amigos como Fito Páez o Pablo Milanés me decían: «Pero hijo de puta, con esta pedazo de carta que te ha mandado, hazle ya eso, no seas cabrón.» Pero había algo que me lo impedía.

J. M. F.: Has llegado a firmar canciones con Aute. ¿Cuál es el método de trabajo que emplea? ¿Y Serrat? Por lo que has tenido ocasión de ver y te han podido contar.

J. S.: Bueno. Aute es el único de todos ellos, y cuando digo de todos ellos me refiero a los grandes, con el que sacábamos las guitarras en su casa y cantábamos. Eso no lo he hecho nunca con Serrat. Lo hice con Fito por obligación contractual y lo he hecho con Charly García en delirios alcohólicos. Pero de los españoles, con nadie he estado tantas veces como con Aute.

J. M. F.: Me sorprende que con Krahe no haya sido así.

J. S.: A Krahe le he hecho melodías, pero no. Teníamos distintos modos de componer. Con Pablo Milanés he cantado mucho, pero no hemos compuesto juntos. Lo hice con Aute. De hecho, le he dicho bastantes veces a Eduardo, y lo digo ahora, que me parece mejor melodista que letrista. Eso que nadie dice: lo que tiene Aute es que es capaz de cantar la guía telefónica con una hermosísima melodía. Eso opino. Y con él he pasado mil noches haciendo duetos. Con poca gente más.

J. M. F.: ¿Y Serrat?

J. S.: Con Serrat no. Somos muy amigos de cenar y

divertirnos, pero Serrat es absolutamente autónomo. Yo le pregunto a todo el mundo cómo lo hace, pero ésa no es la conversación favorita de Serrat. Él prefiere tomarse unas copas conmigo y pasarse unas risas y decir maldades. Yo sé cómo trabaja porque lo he ido averiguando a lo largo de los años. Él, cuando tiene que hacer un disco, se levanta y va a un sitio y se pone todos los días a trabajar. Al principio le cuesta mucho y luego ya va saliendo. Yo envidio eso porque nunca he sabido hacerlo. Nunca he sabido que la inspiración me pillara trabajando.

J. M. F.: Has contado alguna vez que te costó muchísimo escribir tus primeras canciones; aquellas que componían el libro que te autoeditaste en Londres, *Memoria del exilio*, y que luego incluiste en *Inventario.* Asegurabas que a punto estuviste de tirar la toalla.

J. S.: Sudor y lágrimas me costaron, sí. Lo que sucede es que no había toalla que tirar porque yo sí pensé hacer unas canciones, pero no, como bien sabes, que iba a ganarme la vida como cantante.

J. M. F.: ¿A partir de qué año, en qué época, te vino una cierta facilidad para escribir canciones?

J. S.: Eso tardó mucho. La facilidad no está, desde luego, en *Inventario.* Quizá en *Malas compañías.*

J. M. F.: Pero entre *Inventario* y *Malas compañías* tan sólo media un par de años.

J. S.: Sí, pero te diré qué fue lo que pasó en esos dos años. Pasó que el único modo que tenía de ganarme la vida, con veintinueve años, era tocar en los bares, exactamente lo mismo que hacía en Londres. Pero con una diferencia. Y es que en Londres cantaba canciones mexicanas o canciones de Dylan, y en España, en los momentos de la premovida y de la Transición, no podía ir por ahí cantando canciones mexicanas. De esa forma comencé a escribir canciones. Y en esos dos años pasó de todo: pasó

Tomás Muñoz, pasó Pulgarcito,[28] pasó CBS y pasó La Mandrágora.

J. M. F.: Háblame de Pulgarcito.

J. S.: Es una historia de Dickens. Pulgarcito era un chavalín que yo adopté.

J. M. F.: ¿Estaba dotado para la música?

J. S.: En aquel momento pensé que sí; ahora pienso que... No pienso nada. El caso es que venía a mi casa de Tabernillas, debía de tener unos diecisiete años, y Lucía era su madre y yo, su padre. Era fantasioso y tenía bastante gracia. Se ponía a cantar a la puerta de El Corte Inglés de Callao y ocurrió como en las novelas de Dickens. Un día pasó Tomás Muñoz, capo de CBS, en su Mercedes o en su limusina o en su lo que fuera, porque alguien le dijo que tenía que ver a este chaval. Entonces Muñoz se bajó, le oyó tocar una canción y se lo llevó a CBS. Allí, Pulgarcito, contra su voluntad, no le quedaron más cojones, le confesó que la canción de marras, *Qué demasiao*, era mía. Entonces me llamó Antonio Pérez Solís, de la editorial, no Tomás Muñoz, que era el pope. En aquella época yo ya estaba en La Mandrágora, y lo que dijera Krahe iba a misa. Así que suena el teléfono de casa, lo descuelgo y me dicen: «Oye, te llamamos de parte de la editorial de CBS, de Antonio Pérez Solís. Sabemos que tienes una canción que se llama *Qué demasiao* y queremos saber si tienes más», la conversación sigue un rato y, nada más colgar, llamo

28. Pulgarcito era uno de los numerosos cantautores que, entre finales de los setenta y principios de los ochenta, vendía su arte por las calles del centro de Madrid. Joaquín, que lo acogió como a un hijo, le retiró el saludo y la patria potestad *for ever and ever* cuando aquél le traicionó contándole a Lucía, su mujer, una pequeña aventura que había tenido. Todos los demás datos de interés del susodicho los aporta a continuación Sabina con la elocuencia de un libro abierto.

corriendo a Javier Krahe para contárselo, y él me pregunta: «¿Quién te ha llamado?», y yo: «Una secretaria», y me dice, segurísimo de sí: «Diles que no», y yo: «¡Pero cómo les voy a decir que no...!» El caso es que lo hice. Bueno, pues a las cuatro horas me llamó Pérez Solís en persona para invitarme a comer. Llamé a Krahe en busca de consejo y me dijo que adelante, que fuera. Pérez Solís quiso saber si tenía más canciones y le dije que sí, que muchas más, pero que no las tenía grabadas en maqueta y si quería conocerlas tendría que conseguirme una guitarra. Me llevó a CBS y no sólo me facilitó una guitarra, sino que la guitarra me la trajo una chica que luego, durante un cuarto de hora, fue mi novia. El caso es que les canté siete u ocho temas, *Mi vecino de arriba* y otros de *Inventario.* Quizá también *Pongamos que hablo de Madrid.* Entonces Antonio me dijo que me iba a hacer un contrato y que me compraba veinte canciones. Me dieron, creo, cien mil pesetas. Imagínate, las primeras cien mil pesetas que tuve en mi vida. Pero antes de aceptar, le puse una sola condición. Le expliqué que, además de escribir canciones, también cantaba. «Tú te comprometes —le dije— a que Tomás Muñoz me oiga cantar. Nada más.» Y eso hizo. Por cierto, no fue en La Mandrágora como se ha dicho: alquilamos un local de esos suramericanos, una de esas peñas que hay por Argüelles, a eso de las siete o las ocho de la tarde. No fui solo, sino que llevé a dos amigos por si acaso colaban. Uno era Krahe, que coló, y otro era Juan Antonio Muriel [coautor de la célebre *Princesa*], que no coló.

»Ah. A Pulgarcito también le editaron un disco.

J. M. F.: En aquella época hiciste además, para CBS, adaptaciones al español de canciones italianas y francesas.

J. S.: Así es. Yo volví a España de hippie, y prácticamente en el aeropuerto, pasando cinco minutos por Úbeda, me fui a la mili. Nada más licenciarme me vine a Madrid y empecé a recorrer bares con mi guitarrita, cantando donde podía y como podía, y mi situación económica era en verdad bastante precaria. A raíz de lo que pasó con Pulgarcito, Pérez Solís me dijo: «Parece ser que escribes muy bien y que tienes conocimientos de francés, inglés e italiano, y aquí queremos editar a grandes cantantes franceses e italianos.» Me habló concretamente de Michel Sardou, de Riccardo Cocciante y de algunos más que ya no recuerdo. Y de algunas italianas tetonas tipo Cicciolina que eran fantásticas. Aquél era un trabajo maravilloso, porque como antes has dicho yo hacía las versiones al español —creo, además, que las hacía bastante bien— y había una segunda parte del proceso que era extraordinaria: viajar a Roma, París o Bruselas para supervisar la pronunciación de esos grandes cantantes que cantaban en español. Eso duró más o menos año y medio o dos años.

J. M. F.: Imagino que además estarías muy bien pagado.

J. S.: Sí, me pagaban muy bien y disfruté muchísimo. Hice versiones finalmente para Cocciante, para Michel Sardou y para algunas tetas de cuyos nombres no quiero acordarme. Viví en hoteles maravillosos y me divertí como nunca.

J. M. F.: ¿A Claudio Baglioni también lo adaptaste al español?

J. S.: Sí. Tengo a tu disposición una colección de *singles* con esas versiones que no le he enseñado absolutamente a nadie. No estoy muy orgulloso de ellas, pero tampoco las tiro a la basura. Creo que de esto sí que no había hablado nunca. Jamás. Yo vivía en la calle Tabernillas, que era un sitio bastante cochambroso, y de pronto volaba a Roma y vivía en un hotel extraordinario, con un tipo francés, hijo de un exiliado español, que hacía las versiones en francés de Cocciante. Íbamos a grandes restaurantes y a grandes conciertos. Cocciante nos llevó a ver las catacumbas [risas]. Y me acabo de acordar de una cosa que te va a gustar mucho. Un día estaba en el hotel, en ese hotel romano maravilloso, serían más o menos las siete de la tarde y habíamos acabado el trabajo, porque allí todos eran muy madrugadores. Estaba solo en el bar y había una colección de gringos. De pronto, se me acercó una chica. ¿Por qué cuento esto? ¿Para decir que he follado mucho? No. Para decir que es una de las cosas más perfectas que han pasado en mi vida. No sé cómo empezamos a hablar ni en qué lengua, supongo que sería en inglés. Me preguntó si estaba solo —«hola, ¿estás solo?»— y le contesté que sí. «Parece que somos los dos únicos solos del hotel», me dijo. Después me preguntó que qué hacía allí y le conté. Me ofreció tomar una copa y le expliqué que había quedado con Cocciante y con los otros traductores para cenar, pero que a las once estaría de vuelta. «Estaré aquí», me aseguró. Ella era la maquilladora de los integrantes del grupo Kiss, que andaban por allí de gira. Era la que los pintaba.[29] Cuando volví fuimos a bailar a Via Veneto, como es natural, y luego pasamos la noche juntos. Al despertar, ya no estaba. Nunca más he vuelto a saber de ella. Sé, aunque ahora no la recuerdo bien, que le dediqué alguna gran frase en ese encuentro, de esas a lo Billy Wilder. Algo así como «si me necesitas, silba». *«If you need me, put your lips together and blow.»* Ella me dijo algo parecido. De hecho, eso es todo lo que hablamos.

J. M. F.: Tu canción *Juegos de azar*, de *El hombre del traje gris*, ¿tiene algo que ver con esa aventura? Porque

29. Los cuatro miembros originales del supergrupo neoyorquino de rock duro Kiss —Paul Stanley, Ace Frehley, Gene Simmons y Peter Criss— lucían una pintura de guerra que cubría por completo sus rostros. Hasta el punto de que sus *fans* desconocían su verdadera identidad. Una peculiaridad que llegó a trascender su música y los convirtió en un símbolo en Estados Unidos.

encuentro ciertas similitudes entre esa letra y lo que me acabas de contar.

J. S.: Sí, sí tiene que ver.

J. M. F.: ¿Es cierto que esa canción, que a mí me gusta mucho, sólo la interpretaste una vez, en el concierto de Labordeta que luego se materializó en disco? Porque el caso es que Pancho Varona me dijo que, en aquella época, a ti también te gustaba mucho.

J. S.: Es absolutamente cierto que sólo la interpreté en esa ocasión. Y sí que me gustaba, pero también le pasaba aquello que decía Rafael Alberti de algunos poemas y de algunas canciones, que se le veían las costuras.

J. M. F.: Sí, eso también lo decía Cela de ciertas novelas.

J. S.: Eso es. Pues yo creo que a esa canción se le ven las costuras. También a algunas otras. Y a mí eso no me gusta. Me gusta que parezca que han salido de una sola vez, de un soplo de aire.

J. M. F.: ¿A partir de qué disco empiezan a desaparecer esos costurones?

J. S.: *Juez y parte.* Porque *Juegos de azar*, aunque está incluida en un disco posterior, era más antigua. *Malas compañías* es uno de mis discos más apreciados por la gente, pero no por mí. Sí, es verdad que en ese disco hay cuatro o cinco canciones que luego han tenido que ver mucho con mi biografía canora. Pero el disco no me gusta nada. Yo empiezo a sentir que soy dueño de mi arte, por decirlo de un modo petulante, en un estudio a partir de *Juez y parte.* Es decir, a partir del momento en el que tengo un grupo de músicos que entienden lo que les digo y yo empiezo a hablar en su mismo idioma.

UN PARÉNTESIS A PROPÓSITO DE ANA BELÉN

(Te contaré dos anécdotas sobre Ana Belén. La más bonita es la primera. No sé si era la revista Tiempo *o una revista parecida que daba unos premios anuales a los personajes del año. Había sido un buen año para mí y también para Ana. Nos sentaron a la misma mesa. Lástima que a la derecha me pusieran a san Marcelino Camacho, con su eterno jersey de lana que le tejía su mujer mientras él estaba en la fría mazmorra. Marcelino empezó a contarme anécdotas: «Pues el 18 de julio de 1936...» y, claro, hasta que no llegamos al 82 o el 83, que era el año de marras, yo no pude gritarle a Ana: «¡Guapa!» El caso es que el premio, que era un coche, se lo dieron a ella. Yo no tenía coche y sigo sin tenerlo. Lo tiene mi novia pero yo no, y además mi novia lo tiene desde hace un mes. Así que a la salida le dije a Ana: «Eres una cabrona. Me has robado el coche. O sea, que me debes un paseo.» Pasaron seis, quizá siete meses cuando un día sonó el teléfono en mi casa, en la época en la que yo tenía contestador, y oí una voz maravillosa que decía: «Oye, soy Ana Belén. Te estoy llamando sin que lo sepa Víctor...», entonces di un salto a lo Sandokán, levanté el auricular y contesté con mi mejor voz: «¡Hola!» Ana me invitó a esperarla a las siete de la tarde en una cafetería completamente anónima que está en la plaza de Colón. Cuando llegó me dijo: «Te debo una», y me montó en el coche del premio, que le habían entregado ese mis-*

mo día, y dimos una vuelta por Madrid y nos reímos mucho. Fue fantástico. Eran dos anécdotas. La que acabo de contar es en la que ella quedaba mejor. Bueno, pues la segunda es que una noche le hacían un homenaje a Anita en un programa que tenía Julia Otero, creo que en la televisión catalana, y llevaron a una serie de invitados sorpresa, uno de los cuales era yo. Estuvimos, pues, en el programa, luego nos fuimos a cenar todos y después al hotel. Debía de ser la una o una y media de la mañana. Yo había ido a Barcelona con un par de músicos y, desde luego, no estábamos dispuestos a dejar sin explorar la noche barcelonesa. Y Ana me dice de pronto: «Oye, Joaquín. ¿Sabes que no tengo nada de sueño? ¿Qué vais a hacer vosotros?», y yo: «Pues vamos a tomar unas copas por ahí, a golfear un poco.» Entonces me propone que la lleve conmigo. A mí me hubiera encantado llevarla, pero en ese momento pensé que si entraba con Ana del brazo a cualquiera de los tugurios a los que pensábamos ir, se transformaría todo el local. Y, con todo el dolor de mi corazón, le dije que no. Ella se acordará de eso porque se enfadó mucho. De hecho, es la única vez que le he dicho que no a Ana Belén. Claro. Si ella en vez de eso me hubiera dicho: «Y ¿por qué no la última copa en mi habitación?», yo le habría contestado en el acto: «¡Sí!»)

9

¿SABINA INFRAVALORADO?
(SUS CANTAUTORES «DE CABECERA». *PONGAMOS QUE HABLO DE MADRID.* SUS MEJORES CANCIONES Y DISCOS)

Ya quisiera yo, en lugar de este reggae,
haber escrito *Rapsodia en blue*,
Chelsea Hotel, *Guantanamera*,
Tatuaje o *She loves you*,
Pedro Navaja, *Like a rolling stone*,
Dos gardenias para ti,
Mira que eres canalla, *No hago
otra cosa que pensar en ti*,
Marieta, *La estatua del jardín botánico*,
Moon over Bourbon Street.

Rap del optimista
(El hombre del traje gris)

«Me pregunto si mi público sabe qué dosis de ternura y de cinismo hay en mis canciones.»

Siempre he pensado que pese a su condición de *best seller* de calidad, de ser uno de los cantantes españoles de enjundia de mayor éxito y proyección fuera de nuestras fronteras (en países de habla española, claro), la obra de Joaquín Sabina no ha sido valorada como en realidad merece.

Esta afirmación que a simple vista puede parecer una contradicción e incluso un dislate, no lo es en absoluto. Puesto que casi más que su talento, lo que ha influido de veras en su ascenso al estrellato y en su extraordinaria aceptación social en un lapso de tiempo relativamente corto ha sido su atractiva figura. O más acertado sería decir la mezcla irresistible de ambas facetas.

Pero ¿qué ocurriría si se analizaran sus canciones por sí solas, dejando a un lado su equipaje canallesco y su personalidad beligerante y siempre presta a los excesos verbales y a las salidas de tono?

Tomemos como ejemplo a Serrat. He ahí un poeta puro y emocionante; un músico brillante y honesto ante el cual público y crítica se rindieron definitivamente hace ya siglos, y cuya obra ha sido elevada a los altares *per se*. Hasta el punto de que cuando alguien escucha *Mediterráneo* o *Cantares* o *Lucía* no necesariamente piensa en su creador, sino que se deja llevar por la carga poética y sentimental de esas canciones ya universales y las hace suyas.

¿Por qué razón Sabina, que goza del mismo potencial creativo que Serrat si no mayor, no ha recibido una lectura de su obra tan respetuosa y aun ponderada como la del catalán?

Mi teoría es que Serrat, al margen de los méritos arriba descritos y de su incontestable condición de catalizador de la memoria sentimental de tres generaciones de españoles, siempre, desde sus inicios, se ha tomado a sí mismo muy en serio, y se ha cuidado mucho, en todas sus intervenciones públicas, de no salirse del tiesto. Al menos, hasta que ha conseguido situarse por encima del bien y el mal y ha podido decir lo que le viniera en gana.

Joaquín, en cambio, desde sus pinitos en La Mandrágora ha rehuido la solemnidad como si apestara. De hecho, en aquel lugar la lírica contenida en los versos de *Calle Melancolía* o *Pongamos que hablo de Madrid* quedaba eclipsada sin remedio por la desvergüenza y el cachondeo padre reinantes. Y esa vandálica puesta en escena llega hasta hoy.

En fin. Delicada cuestión esta. Tan delicada que, como a continuación podrán comprobar, al propio interesado le parece que yerro sobremanera en mis apreciaciones al respecto. Claro que ¿acaso podría adoptar otra actitud sin que de forma automática se le tachara de narcisista y megalómano? Que sea el lector, como siempre, quien decida por sí mismo cuál de los dos anda en lo cierto. O mejor aún: si hay o no debate.

J. M. F.: Declaraste: «Me pregunto si mi público sabe qué dosis de ternura y de cinismo hay en mis canciones.» En ese sentido, y metiendo en el saco no ya sólo a tu público, sino también a la *crítica especializada*, ahora soy yo el que se pregunta, Joaquín, para escándalo de muchos de los lectores y quizá tuyo, si pese a tu enorme éxito no estarás infravalorado.

J. S.: Y ¿cómo puedo tomarme eso en serio sin sonrojarme? Tú lo que quieres es que te responda a si aún estoy «a la orilla de la chimenea». Pero ¡¿por qué no hablamos un poco comparativamente, Dios mío?! Cuando me metí en este oficio, pensaba que lo mejor que me podía pasar era ser Krahe. Quiero decir: Tom Waits es un héroe de culto que nunca va a tener problemas para pagar el colegio de sus niños. Lo que a mí me pasó ni estaba previsto ni estaba yo preparado para asumirlo. Y ahora vienes tú y me dices que hay tres canciones que la gente no ha apreciado lo mucho que valen. Pero esas tres canciones que tú dices, o tal vez diez, que la gente no ha apreciado están incluidas en discos que han vendido muchísimo. ¿Así que pretendes que me queje de eso? Tienen el disco en su casa y además lo han pagado. Y siempre habrá un nieto o un sobrino o un bala perdida o una oveja negra que un día descubra la canción que tú quieres que descubran. Es decir, una siembra ha quedado por ahí, ¿no? No quisiera yo ponerme solemne...

J. M. F.: A donde quiero ir a parar es a que sospecho que muchos de los que compran tus discos se han quedado en la superficie, en el estereotipo, en ese retrato que tan bien supiste forjarte y que tan rentable te ha resultado. Y esos árboles de hojas corsarias y excesivas les impiden ver, me temo, el verdadero bosque de tu talento.

J. S.: Francamente, creo que en los últimos tres o cuatro años, desde que no estoy en el escaparate, desde el *marichalazo*, estoy, como diría Derrida, que por cierto se murió ayer...

J. M. F.: Deconstruyendo.

J. S.: Sí, creo que estoy deconstruyendo. Porque la única idea matriz, la única idea madre, como dicen los políticos, que he desarrollado en los últimos años, es «estoy retirado». Ya no estoy en los bares, ya no estoy en la calle, ya no voy con putas y ya no toco. Eso simplemente es verdad. También me he tomado un tiempo, no diré yo que por voluntad propia sino por hacer de la necesidad virtud, que ya dura casi tres años y que he usado para sacar unos libros del cajón y estoy encantado de haberlo hecho. Éste incluido. Lo que quiero decir no es sólo que no tenga ninguna queja de cómo han circulado mis discos, más bien al contrario. Creo que en Valparaíso, en Puebla y en Costa Rica hay canciones de las que te gustan a ti que gustan también a otras personas, y también en Ámsterdam y en Berlín. No quiero que se enfaden los que las han hecho, pero he sido absolutamente incapaz de leerme una tesis doctoral sobre mi persona. Pero si vas a casa y buscas, es probable que encuentres diez. Todo este discurso es para decirte —porque tu propuesta era «hay unas canciones cojonudas, la del Dioni y otras, y la gente no se ha enterado»—: oiga usted, pero ¿de qué estamos hablando? Esos discos vendieron más de doscientas mil copias. Alguien se habrá enterado.

J. M. F.: Añadiré en mi descargo que yo no estoy diciendo, que nunca he dicho, que seas el más rubio, el más alto y el más guapo de la clase, no. Lo único que trato de decir, y quien quiera discutirlo a su disposición me tiene, es que eres un género. Que Joaquín Sabina es un género. Y, creo, de eso no se han dado cuenta la mayoría de tus *clientes.*

J. S.: Y ¿de qué te quejas, si he sido un gran vendedor?

J. M. F.: Es que es eso, precisamente, Joaquín. Es que más allá del superventas y del golfo y del crápula hay alguien que ha sido capaz de inaugurar un género propio. Un género literario, volcado a la música, que se llama Sabina. Puesto que no hay en España ahora mismo —yo al menos no lo conozco— ningún otro cantante del que se pueda decir que comparte rasgos artísticos (de creación) contigo.

J. S.: Vamos a ver. El otro día me decías, contestando a una pregunta mía, que nuestra común revista, *Interviú*, vendía un disparate de ejemplares, no me acuerdo bien del número exacto, y que además la familia entera se hacía pajas con ella y que su influencia era muy grande. Es decir, que estaba en la sala de estar. Pues ahora te devuelvo el argumento. Si yo del disco que menos he vendido en los últimos quince años he vendido doscientos mil, quiere decir que aquí, y en todo el continente americano, donde se habla con diferentes y maravillosos acentos la hermosa lengua de Cervantes, me habrá oído muchísima gente. ¿Qué pasa, que la gente que me escribe cartas sólo me habla de *Y nos dieron las diez*? Pues no. También me hablan de *Más de cien mentiras* y de *Contigo*. No he tenido, y es una pena, la oportunidad de hablar con todos los que aman esas canciones que tú crees que han pasado desapercibidas.

J. M. F.: Más allá de discos vendidos y canciones concretas, estoy hablando del reconocimiento debido a tu talento. Y en eso incluía no sólo a los numerosos compradores de los que hablas y que yo sé que tienes, entre los cuales habrá por supuesto gente enterada que valore tu arte en su justa medida, sino también a la crítica. Pues, por alguna razón, ésta no ha terminado de darte su bendición como sí ha hecho con otros de tus colegas. De todos modos, también quiero que sepas que si en nuestro país se llevara a cabo una encuesta acerca de cuáles son los más grandes cantaescritores vivos en español, a mí me parecería legítimo y razonable que muchos pensaran que el más grande es Serrat, que otros pensasen que el más grande es Aute o que otros sostuvieran que ese honor únicamente le corresponde a Silvio Rodríguez. Quizá todos ellos tuvieran razón. Sin embargo, y es ahí adonde quiero llegar, creo que de todos los que sois, de la poco más de media docena que sois, tú eres el único que es realmente distinto. Y eso te convierte de algún modo en inclasificable. Eres rara avis dentro de ese exclusivo grupo. Ya digo, un género.

J. S.: Bueno. Yo voy a entrar a ese toro, que es un toro muy jodido, y voy a hacerlo de la siguiente forma. Eso lo he discutido con Pablo Milanés y con Silvio Rodríguez, y he pensado muchas veces quiénes eran los más grandes. Tenía una lista en la que estaban: como creador, Silvio; como hacedor de memoria de distintas generaciones, Serrat; luego, como paradigma de la modernidad, Juan Luis

Guerra, que tuvo tres años para morirse, y por último, Pablo Milanés como intérprete. Y había otro mucho menos consensuable si no has estado en Argentina, Charly García; que inventó el *rock and roll* en español. Y creo que no hay más. Porque lós que hay, que sí los hay, son brasileños como Chico Buarque. Pero sí hay maestros poco o nada reivindicados. Cada vez que voy a Perú, me parto la cara hablando de Chabuca Granda; cada vez que voy a Chile, se me llevan todos los demonios porque no hay una colección de cedés de Violeta Parra. Y cada vez que voy a Argentina busco una carpeta preciosa o una cajita de Atahualpa Yupanqui y tampoco la hay.

J. M. F.: Me has dicho que hablaste con Pablo Milanés y con Silvio Rodríguez acerca de quiénes eran los más grandes nombres vivos de la canción de autor. Me imagino que ellos sí te incluyeron en sus listas. ¿Qué destacaban de ti?

J. S.: Cada vez que hablo de esa lista, digo que tengo otra lista. Las normas son que uno no puede nombrarse a sí mismo ni puede nombrar al que le está incluyendo en la lista. Para mí, insisto, los más grandes son Silvio, Pablo, Serrat, Juan Luis Guerra y Charly García.

J. M. F.: De los tuyos, ¿cuáles son tus discos favoritos?

J. S.: Si los tuviera aquí, te los pondría. Mi primer disco, *Inventario*, ay, es un desastre.

J. M. F.: Lo detestas, lo sé. Pero ¿no salvarías nada de él? ¿Ni siquiera *Tratado de impaciencia*?

J. S.: Sí, lo que pasa es que *Inventario* no es ni siquiera un disco. Yo no pensaba editarlo pero un amigo del que ya te he hablado, Publio Mondéjar, llevó una maqueta a la discográfica que finalmente lo editó [Fonomusic] y lo grabé en un permiso de un mes de la mili. Permiso que me gané escribiendo para la revista *El Hogar del Soldado* o algo así, la revista de las Fuerzas Armadas. Había leído que daban un mes de permiso por escribir ahí y pensé: «Claro, pero yo no me vendo tan barato.» Porque ya te puedes imaginar cómo eran todos los artículos de esa revista. Pero sucedió que vino a tocar Paco de Lucía al auditorio de Palma de Mallorca, y ahí encontré yo un tema democrático. Escribí una página sobre Paco de Lucía y me dieron un mes de permiso. En ese mes grabé *Inventario.* Me importaba un carajo todo. No le pregunté a nadie quiénes eran los músicos ni qué arreglos había, nada. Yo no tenía el plan riguroso y serio de ser cantante. Y una vez de vuelta a España tras mi estancia en Londres, estaba a verlas venir porque no sabía qué iba a pasar, y me dije: «¿Grabar un disco? ¿Por qué no?» El resultado fue un disco nada memorable.

»Luego vino *Malas compañías.* En ese disco, que sigo pensando que es un mal disco, había en cambio tres o cuatro canciones que me gustan mucho. Por ejemplo, *Calle Melancolía* o *Qué demasiao.*

J. M. F.: O *Pongamos que hablo de Madrid.*

J. S.: Exactamente. Pero el disco lo pones hoy y no hay dios que pueda oír ese desastre. A partir de ahí, y con una salvedad de transición que se llama *Ruleta rusa...* Digamos que desde *Hotel, dulce hotel* hasta hoy, firmo orgullosamente todos mis discos y todas mis canciones.

J. M. F.: Y *Juez y parte* ¿no lo mencionas? Tengo entendido que a ti te gustaba mucho, y en una conversación anterior has aludido a él como el primer punto de inflexión en tu carrera.

J. S.: Sí, sí lo menciono, perdona, he patinado. A partir de *Juez y parte* comienzo a ser completamente dueño de mi arte, si lo tuviere, o de mi desarte, si lo tuviese. Desde *Juez y parte* hasta *Diario de un peatón*, los errores y los aciertos de mis discos son responsabilidad exclusivamente mía.

J. M. F.: Es decir, tu etapa BMG-Ariola.

J. S.: *Oui.* En *Malas compañías*, en *Ruleta rusa* y, sobre todo, en *Inventario*, no quisiera yo que se me culpase por los errores. A partir de *Juez y parte* sí soy el único responsable de ellos.

J. M. F.: Y ¿cuáles crees que han sido los principales errores o desaciertos de los discos de los que te sientes responsable al cien por cien?

J. S.: Bueno, hubo un momento en el que yo pensé que estábamos cayendo en una rutina de superproducción y necesitaba un poquito más de frescura. Y la verdad es que me equivoqué. Porque ir a buscar frescura con un cantante argentino ex marido de Cecilia Roth... Me equivoqué, ya digo. Pero luego a la vuelta acerté. Acerté con *19 días y 500 noches*, un disco de producción independiente que hice con Alejo Stivel.

J. M. F.: Aun así, en el disco con Fito Páez hay algunas canciones magníficas. Por ejemplo, *Lázaro* o *Yo me bajo en Atocha.* Pero hablemos, si te parece, de las que a tu juicio son tus mejores canciones. A partir, siguiendo tu criterio, de *Juez y parte.*

J. S.: Bueno, como te decía hay también canciones en *Malas compañías*, como *Calle Melancolía*, muy tótem.

J. M. F.: Manolo Tena sostiene que es una obra maestra.

J. S.: Sí, y se lo agradezco. Y en *Ruleta rusa* también hay alguna que me interesa mucho. Como *Negra noche*, que me la piden siempre y nunca la canto. Yo no estoy vilipendiando los discos anteriores a *Juez y parte*, lo que digo es que en esos discos desconocía profundamente el oficio de ser el responsable último de la grabación y, además, no tenía vocación de grabar discos. Creía que *Inventario* era el primero y el último, y no me ocupaba por pereza y por dispersión. Me empecé a ocupar seriamente a partir de *Juez y parte.* Luego no estoy diciendo que esos discos sean malos, que lo son, sino que yo no estaba en el sitio en el que se ponen los toreros.

J. M. F.: Antes de pasar a *Juez y parte* quiero preguntarte por *Pongamos que hablo de Madrid.* Hoy tu relación con tu pueblo materno es buena, ¡hasta le han puesto a una escuela de música tu nombre!, pero durante años fue inexistente, de mutuo desdén. ¿Fue tu decisión de cambiar la última estrofa de *Pongamos que hablo de Madrid*, sustituyendo el «cuando la muerte venga a visitarme / que me lleven al Sur, donde nací...» por «cuando la muerte venga a visitarme, no me despiertes, déjame dormir. / Aquí he vivido, aquí quiero quedarme...», lo que motivó el mal rollo?

J. S.: Es que no hubo mal rollo con Úbeda. Con lo de la estrofa que dices se ofendieron los andaluces, no los ubetenses. Lo de «que me lleven al Sur, donde nací» me pareció que era retórico y demagógico. Porque yo no me quería morir y, desde luego, no quiero que hagan con mi cadáver lo que hicieron con el de Juan Ramón Jiménez. Pero me has dado un buen pie. No existe la mínima animadversión hacia Úbeda, y voy a contarlo. La animadversión no es a Úbeda, es a la infancia. Es decir, yo no tengo nada contra Úbeda, lo tengo contra el mundo de mi infancia. Eso no lo han entendido. Y no lo han entendido porque no lo entiende nadie. Cuando yo hablo con García Márquez, él me dice que Aracataca es su patria. No es mi caso. He dicho mil veces que cuando era pequeño lo único que quería era ser mayor.

»¿Qué pasa con *Pongamos que hablo de Madrid*? Pues que yo escribo esa canción en la época de Tabernillas, en un bar, en una servilleta redonda, de cualquier manera, y resulta que se edita y se convierte en un himno. Para mi enorme sorpresa y para gloria de Madrid, porque es una canción que vomita contra Madrid en cada verso. Madrid es la única ciudad del mundo capaz de hacer un himno de una canción que la insulta. Es cierto que en ella está la sombra de Dylan y su *Talking New York*, como tú contaste en *Perdonen la tristeza.* Quería describir la visión de un chaval provinciano con maleta de cartón que camina por la Gran Vía y ve que las casas son demasiado altas y las mujeres demasiado guapas, y que nunca tendrá acceso a eso. Bien. Los madrileños, pues, aceptan la canción como un himno cuando yo creía que no iba a ser así. Entonces, cuando empiezo a cantarla y veo que es un himno, empiezo a cuestionarme el final, porque me parece de una demagogia insoportable y rancia.

J. M. F.: Pensaste, de pronto, que le debías esa canción a Madrid.

J. S.: Claro. Me topo con una ciudad donde por primera vez encuentro una casa y un lugar donde vivir, y en los últimos versos digo que me voy pa'l Sur. ¡Pues qué carajo! No la corregí para darle gusto a Madrid, muy al contrario. Madrid estaba encantada con lo que yo decía. Sí te diré que la estuve cantando en Andalucía durante tres o cuatro años y, como no soy tan miserable como para cambiarle el final, cantaba la segunda versión, la de quedarme en Madrid. ¡Y eran unos abucheos como no te puedes ni imaginar! Pancho Varona me decía antes de cada concierto: «No vas a tener huevos», y yo: «Ya verás.» Eso es como en la última gira por el País Vasco, que gritaba: «¡Y que esos hijos de puta dejen de matar!», y Pancho me decía que no iba a tener huevos.

J. M. F.: Y ¿cómo reaccionaba el público vasco ante eso?

J. S.: Muy bien. Pero en Andalucía, los primeros años de la nueva versión de *Pongamos que hablo de Madrid*, ya te digo, unos abucheos brutales.

J. M. F.: ¿Y si hoy la cantaras?

J. S.: Hoy no la cantaría. Tú me dijiste que viste el concierto en el que la canté por última vez, en Las Ventas con Los Rodríguez [1996]. Para mí esa canción está obsoleta, y prefiero cantar *Yo me bajo en Atocha.* Sobre todo después del 11-M. *Pongamos que hablo de Madrid* pertenece al pasado remoto. Desde luego, si hago una gira más, que los dioses quieran que la haga y yo pienso hacerla cuando reúna las suficientes «ganas de», cantaré *Yo me bajo en Atocha* y a lo mejor sí la adapto un poco a lo que pasó en Atocha.[30]

30. Los dioses quisieron que hiciera esa gira —la gira *Ultramarina*— y, en efecto, Joaquín cumplió su palabra y adaptó esa canción a la ominosa tragedia de la madrileña estación de Atocha, incluyendo para ello un soneto (*Idus de marzo*, fechado el día de Nochebuena de 2004 y publicado previamente en la revista *Interviú*) a modo de introducción. Dicho soneto reza: «Santa Eugenia es un tren de cercanías / que descarrila entre las dos Españas, / sangre en El Pozo, luto en las legañas / de la Virgen de Atocha, madre mía, / qué espanto, Leganés, qué uñas en celo, / qué pronto madrugó la madrugada, / qué tripas corazón, qué desconsuelo, / qué pesadilla, qué tanto por nada. / Pongamos que hablo de un Madrid herido, / póstumo, cojo, mártir, desabrido, / Samur de mica, feldespato y cuarzo. / Móvil afónico, cristales rotos, / luego llegó la gente con sus votos / a tomar por asalto el tren de marzo.» No obstante, Sabina sí volvió a cantar *Pongamos que hablo de Madrid.* Fue en el macroconcierto *Los N.º 1 de 40 en concierto*, que se celebró la tarde-noche del 17 de junio de 2006 en el estadio de fútbol Vicente Calderón, en Madrid, con motivo del cuadragésimo aniversario de *Los 40 Principales.* Lo hizo al alimón con Rosario Flores, en un sentido homenaje al hermano de ésta, el ya fallecido Antonio Flores, quien un cuarto de siglo atrás llevó esa canción al número uno de la más famosa de las listas de éxitos en una versión roquera que nada tenía que ver con la que interpretaba Joaquín por aquellas fechas. El ubetense y la pequeña del clan Flores lograron emocionar con unos versos que apenas han perdido vigencia a los más de cincuenta mil asistentes al concierto, que contó además con las actuaciones de Alejandro Sanz, Amaral, Shakira, Miguel Ríos, Antonio Vega, Manolo García, Loquillo y Miguel Bosé, entre otros.

J. M. F.: Por cierto, ¿conservas en Úbeda algún amigo de la niñez o de la adolescencia?

J. S.: No. Aunque de vez en cuando recibo alguna carta de alguien, eran amigos obligados por la edad. Sí conservo uno que era muy pequeño cuando yo tenía catorce años, que es un primo segundo. Se llama Juan José Gordillo y es mi cordón umbilical con Úbeda. Y esto le va a molestar a mucha gente, pero es así. Cuando yo estaba en Londres, este primo mío, que entonces era un enano y del que yo me acordaba vagamente, me mandó unas canciones de Brassens y yo le mandaba cintas grabadas, cantadas por mí, de Atahualpa Yupanqui. Y eso ha durado hasta hoy. Cuando fui incluido en la lista de Izquierda Unida para la alcaldía de mi pueblo —el veintiuno de la lista, el último—, fue por él. Le quiero mucho y si alguna vez cedo a la alcaldía de mi pueblo mis libros y mis cuadros, él será el fundador de eso. Y es, ya te digo, mi cordón umbilical con mi pueblo. Eso les va a molestar mucho a diversos sectores de mi familia, y la verdad es que no quisiera yo molestar a nadie. Pero me suda la polla.

J. M. F.: Bien, vayamos ahora con *Juez y parte*. ¿Qué hay de *Rebajas de enero*?

J. S.: *Rebajas de enero* me parece una de las más hermosas canciones de amor que he hecho en mi vida. Si alguien quiere saber algo de Lucía, que lo busque ahí. Pues describe absolutamente —hombre, con todo el cinismo, porque las canciones no son tratados morales— lo que tuve con ella.

J. M. F.: *Cuando era más joven.*

J. S.: *Cuando era más joven* es más obvia. Yo había oído bastante a Dylan y me gustaba muchísimo la épica de subirse a los trenes. A eso añádele que para tomar un tren desde Úbeda, mi pueblo, había que recorrer dieciséis kilómetros, porque la estación más cercana se llamaba

Linares-Baeza. Se sigue llamando así. Basé, como sabes, una de mis giras en eso. En Linares pasaba además una cosa fantástica, y es que llegaba un niño de Úbeda, como yo, con la boina, se tomaba un café y se tiraba tres horas allí viendo pasar unos trenes que iban de Cádiz a Madrid, París o Barcelona, que eran lugares que yo no había visto en mi puta vida. Entonces eso funcionó en mi cabeza como un tótem, como un icono, como un mito, mucho antes de que yo escuchara a Dylan, que, como toda la generación *beatnik,* hablo de Jack Kerouac, tiene una enorme fascinación por los trenes de mercancías, en los que se colaban para recorrer el país. Era muy literario. Pero en mi caso, de literario no había nada. Es que a dieciséis kilómetros de mi pueblo, como te digo, te tomabas un café y veías pasar unos trenes que iban a Barcelona, y las caras de esas chicas, de esos chicos, de esos viejos asomándose por la ventanilla... Nunca podré olvidar esas caras. En mi próximo disco, *Números rojos* [después pasó a ser *Doce + Una* y finalmente se tituló *Alivio de luto*], hay una canción que habla de eso.

J. M. F.: *El joven aprendiz de pintor.*

J. S.: De esa tengo algo que decir. Está hecha en la calle Tabernillas. ¿Por qué digo lo de Tabernillas? Porque era un piso que me costaba cuatro mil pelas al mes; era una casa de mierda que tenía lo mismo que tiene mi casa de ahora. Es decir, pobre, rico o mediopensionista, mis casas se han parecido mucho en su odio al minimalismo. En la calle Tabernillas había cosas más baratas que las que tengo ahora, pero había muchos libros y cuadritos y dibujitos. Lo curioso de esa canción es que se adelanta mucho a su tiempo. O bien, cosa no desdeñable, que yo era vanidoso *avant la lettre.* Porque la verdad es que no tenía dinero para comer y escribí esa canción como si fuera Frank Sinatra. Como vengándome de cierta gente. Es una canción que sigo escuchando con gran placer y me divierte mucho eso que te digo: el que yo, en Tabernillas, en La Mandrágora, ya tuviera complejo de persecución y de envidias ajenas. Es un enigma para mí. Porque la escribí mucho antes de tocar en auditorios importantes.

J. M. F.: *Así estoy yo sin ti.* ¿Es tu primera canción inequívocamente de amor?

J. S.: Yo tenía una amiga que algunas veces follaba conmigo y otras con un pez gordo del PCE asturiano. Una amiga mía periodista y muy querida. Así que un día me llamó de parte de la revista para la cual trabajaba y me dijo: «Estamos haciendo una encuesta de canciones de amor y, como a mí me gustas mucho, he oído toda tu discografía y me he dado cuenta de que no tienes una sola canción de amor.» Así que cuando me fui a escribir el nuevo disco, *Hotel, dulce hotel*, a la isla de Hierro, pensé: «Voy a escribir una canción de amor.» Por cierto, las mejores canciones de amor suelen tener nombre y apellidos. Las que hice después tenían nombre y apellidos, desde *A la orilla de la chimenea* hasta *Cerrado por derribo,* todas. Pero *Así estoy yo sin ti* no. Porque como yo no estaba curtido en la materia, hice una canción de amor sin tener ese amor. Me inquietó mucho lo que me dijo esa chica y, en principio, lo negué; pero cuando después repasé mi discografía me di cuenta de que ella tenía razón. No había un «bésame, bésame mucho, / como si fuera esta noche la última vez...», e hice *Así estoy yo sin ti.*

»Por cierto, te contaré algo de *Hotel, dulce hotel.* Quería estar en el lugar más solitario del mundo y me fui a Las Palmas de Gran Canaria, pero en los bares no me dejaban en paz. Entonces, un sabio grumete de hotel me preguntó: "¿De verdad quiere usted estar solo? Pues váyase a la isla de Hierro", y eso fue lo que hice. Es el culo del mundo. Ni siquiera puedo decir, como digo en Argentina: "El culo más hermoso del mundo." No, no. Era el culo. Y como no quería estar *tan* solo me llevé a Javier Batanero[31] para que me hiciera compañía. Hice el disco en doce o trece días. Uno de esos días quisimos ir al pueblo y como yo no conducía —y sigo sin conducir porque soy un caballero— alquilamos un coche que pilotó Batanero. El caso es que tuvimos que volvernos al hotel porque se había caído un pedazo de roca y había bloqueado la carretera. En el hotel había una recepcionista que era una de las chicas más feas que he visto en mi vida. Eso el primer día que llegamos; al décimo era Venus-Afrodita. ¡Era la única! Rápidamente me enteré de que a ella lo que le gustaba era Julio Iglesias, entonces me aprendí *De niña a mujer* y funcionó [ríe]. Es decir, nada repugnante me es ajeno [ahora soy yo quien ríe]. Al final quedé como el culo, porque estaba muy contento con las canciones y el último día conseguimos ir a un bar del pueblo e invité a unas treinta personas a que vinieran para que se las cantara. Pero me entró la pájara y le dije a Batanero que les transmitiera que no estaba en condiciones de bajar. No estaba ni drogado ni borracho ni nada. Era un miedo escénico tan apabullante, que los dejé tirados a los pobrecitos. En fin.

J. M. F.: *Pacto entre caballeros*, otra de las canciones estrella de *Hotel, dulce hotel.* Dices de ella en *Con buena letra*: «Sí, me pasó, pero... ¿qué importa?»

J. S.: Bueno, lo que yo digo siempre es que todas las semanas de mi vida, y en unos cuantos países, se me acerca mucha gente para preguntarme si eso que cuento en *Pacto*

31. Ex miembro del trío cómico Académica Palanca, cantaescritor y actor —fue candidato al Goya al Mejor Actor Revelación por su trabajo en *Leo*, de José Luis Borau—, Javier Batanero firmó con Joaquín la célebre *Pacto entre caballeros*, de *Hotel, dulce hotel.*

entre caballeros me pasó realmente, y yo contesto que sí, pero la verdad es que casi habría sido mejor que me la hubiese inventado. Lo que quiero decir es que ¿qué importancia tiene si lo que cuentas en una canción te ha pasado o te lo has inventado? Siempre he dicho que mis canciones están hechas con poca imaginación y exceso de autobiografía. ¿*Pacto entre caballeros*? Sí me pasaron dos cosas parecidas en una semana. Dos cosas que tú además contaste en la biografía que hiciste sobre mí.[32] Pero lo que en verdad importa es que esa canción me sigue gustando mucho por una razón: porque yo quería romper un poco el territorio de los cantautores y *Pacto entre caballeros* es, con ese ritmo tan acelerado, casi *heavy* y casi punki. Eso me gustó siempre, como me gustó cuando hice un par de raps. Siempre pienso, cuando hago ese tipo de cosas, que estoy cumpliendo con algo que me propuse hace años, que era no ser un cantautor al uso e invadir terrenos ajenos como si fueran propios.

J. M. F.: Me temo que acabas de verbalizar lo que yo antes trataba de decirte, aquello de que eres un género [compone una gran sonrisa y no dice nada: ¿otorga?]. Volviendo a *Pacto entre caballeros*, ¿provocó esa canción una bronca fraterna, como se ha llegado a decir? Porque lo cierto es

32. Si bien la experiencia que Sabina relata en *Pacto entre caballeros* nunca tuvo lugar, sí que vivió dos episodios similares que le sirvieron como base de inspiración. En el primero de ellos, tres individuos fueron a atracarle y al reconocerle le dejaron marchar, entre felicitaciones y abrazos propios de camaradas, sin despojarle de sus pertenencias. En el segundo, sucedió que le robaron el abrigo en la madrileña sala de conciertos Elígeme, de la que además él era copropietario, y al darse cuenta, por la documentación que llevaba, de quién era, se lo devolvieron a los pocos minutos y con la cartera intacta. De lo cual se deduce que el lumpen opina que Sabina *for president*.

que a tu hermano, que era comisario, lo de «mucha, mucha policía» no debió de hacerle ninguna gracia.

J. S.: No, al contrario. Ésa es una leyenda más de las muchas que han circulado sobre mí, pero no es cierto. Y aprovecho para decirte que la relación que mantengo con mi hermano en la actualidad es muy buena.

»De todos modos, te veo venir y sé que eres capaz de hacerme analizar una por una todas mis canciones, y te juro que me siento incapaz de eso ahora y en cualquier otro momento.

J. M. F.: Vale, vale, no sigas. Dime al menos cuáles consideras que son tus tres mejores discos y tus tres mejores canciones.

J. S.: Los discos, *19 días y 500 noches*, *El hombre del traje gris* y *Física y química* o *Yo, mí, me, contigo*. De las canciones nunca aparto las mejores, pero sí las que más me emocionan a mí. Por ejemplo, *Contigo*, *Que se llama soledad* (en la versión con Olga Román) y *El caso de la rubia platino*, que, aunque te escandalice, me gusta mucho. Ahora bien, si me sobrevivieran *Y sin embargo*, *Noches de boda* y *Contigo* estaría más que satisfecho. Habrás visto que he nombrado no las más exquisitas, pero sí las que me parece que podría haber escrito cualquier otra persona, y eso me gusta. Y dentro de veinte años las orquestas de los pueblos tocarán, seguro, *Y nos dieron las diez*.

UN (LARGO) PARÉNTESIS MUSICAL CON SABINADA DE POSTRE

(*¿A mí me gusta el* rock and roll? *¿Qué quiere decir el* rock and roll? *Es un modo de ser y es un modo adolescente de estar contra los adultos. Es Elvis Presley, es Keith Richards, es Tom Waits. Y es una pierna mía, la otra no; la otra está en La Mandrágora. ¿Por qué estoy hablando de esto? Porque creo que el penúltimo movimiento antisistema fue el punk, y el último, que me interesa extraordinariamente, aunque no soy nada erudito en el asunto, es el de los puertorriqueños y los chicanos y los que hacen un rap absolutamente militante contra la policía. Es una pena que el rap que se hace en España sea un rap tan complaciente, tan gitanito, tan poco militante y tan poco terrorista. Dicho terrorista con minúscula y sin que signifique lo que significa en labios de los miserables. Eminem, por ejemplo, me interesa mucho. ¿Por qué lo estoy diciendo? A lo mejor porque pensaba que sin estar tan borracho no lo diría. ¿La Mala Rodríguez, Violadores del Verso, Mucho Muchacho...? Te diré, con una temeridad que raya en el virtuosismo, que no los he oído. Es decir, que sí los he oído pero sin fijarme. El rap que se hace en Europa, excepto en una zonita de París donde hay un rap muy mestizo, muy argelino, muy marroquí, comparado con el de sus congéneres americanos es una puta mierda. Y comparado con el de sus congéneres caribeños también. Porque el rap allí es una cosa muy parecida a lo que pasó con el punk. ¿Qué* *pasó con el punk? Pues que había unos jovenzuelos enfadados a muerte con sus padres, con el sistema, con el barrio, con todo, y que dijeron: «No hay que saber tocar, no hay que saber cantar para triunfar», y lo hicieron los Sex Pistols de qué manera. Bien. ¿Qué pasa con el rap? Algo muy parecido. Además, hay una cosa que no he visto escrita en ningún lugar y que es muy paradójica, y es lo siguiente: el rap tiene una ventaja sobre el punk, y es que mientras que en el punk había que gritar, cantar o escupir, en el rap sólo hay que recitar. Me parece una espléndida noticia que los tipos más importantes de Estados Unidos, de Eminem para abajo, lo que están haciendo es recitar y aprender a versificar y a rimar. Y no me hables de La Mala Rodríguez. He tratado de oír a algunos de éstos y, bueno, no digo que sean malos, pero no he encontrado nada en ellos que me haya seducido. Hay un disco que no me he traído pero que estoy loco por oír, sin muchas esperanzas, pero bueno. Es el disco de Fito y los Fitipaldis. Porque yo estuve con un cantante argentino discípulo de Charly García cuyo nombre no recuerdo, pero me lo trae a la cabeza vagamente ese de los Fitipaldis... ¿Me sorprende que Eminem sea blanco? No. Porque el rap que a mí me gustaba y me excitaba era un rap, como te digo, muy militante, muy negro, muy racista. Muy racista quiere decir negros contra blancos. No olvidemos que algunos capos del rap murieron en las calles... Sí, sí, a balazos. Eminem tomó eso de los negros y lo cambió, y les habló de pollas y de hijos de puta negros. Eso fue hace cuatro años. Y en mi opinión, que no soy Diego Manrique, para nada, y que no he oído palabra por palabra lo que dicen, el rap ha ido cambiando de una forma muy interesante. Cuando se mostraba sexista, lo único que estaba haciendo, con más ironía de lo que la gente creía, era mostrar la cara blanca del rap sureño de Estados Unidos. Y cuando aquel cantante* [Justin

Timberlake] *le sacó la teta a la hermana de Miguel* [Michael Jackson], *ese que dicen que se tira a los chavales y que tiene un parque de atracciones en su casa, quien quedó en ridículo no fue Janet Jackson, no, sino el Imperio. Hablemos en serio. El hip-hop y el rap tienen mucha más repercusión de la que en su día tuvo el punk, que existía fundamentalmente en tres clubes de Londres. Lo que pasa es que el punk tuvo unas ondas por las que se multiplicó el mensaje y trascendió la música. Aunque si oyes ahora a los Sex Pistols y a los Clash te das cuenta de que aguantan muy bien el paso del tiempo. Yo estuve en Rockola la noche en que Las Vulpes cantaron* Me gusta ser una zorra. *Creo que nunca he visto nada tan particular. Les llegaban veinte escupitajos a la cara de cada una de ellas, y supongo que a ellas eso les parecía tan hermoso como cuando a Jesulín de Ubrique, más, y a mí, menos, nos mandan bragas usadas. Por cierto: anteayer, en Málaga, dos. Pero realmente fue un concierto muy vibrante y estupendo. Me estoy perdiendo... Estábamos hablando del punk comparado con el rap... Desde el punk, yo no había visto un movimiento alternativo tan importante. Hubo cinco minutos, que se llamaron grunge y Kurt Cobain. Y su viuda... Sí, Courtney Love. Que sigue partiéndoles botellas de cerveza en la cabeza a los periodistas, lo cual es una noble causa. Pero el rap y el hip-hop tienen un tremendo poder, que es adaptable además a cualquier cosa. Y repito que el rap que a mí me gusta es el rap neoyorquino, el rap de los negros, el rap de los hispanos y el rap profundamente antisistema. A veces es el rap terrorista. Bueno, conozco alguna anécdota del asesinato de algún policía y eso yo no lo firmo, claro, pero me gusta mucho ese rap. Sin embargo, aquí tenemos el rap de La Mala Rodríguez y el de muchos cubanos, algunos muy graciosos. Ahora diré algo muy pretencioso. Del mismo modo que Dylan inventó el rap en alguna de sus canciones, en* Como te digo una co te digo la o *y en aquella que hice con un telepredicador de enorme talento llamado Manu Chao,* No soporto el rap, *y creo que en* El hombre del traje gris *hay otra de cuyo nombre no quiero acordarme... Sí,* Rap del optimista. *Bien. Te decía que del mismo modo que sostengo que Dylan ha inventado todos los géneros sin quizá saberlo, en este país, que no está Dylan, a lo mejor veinte años después de que yo me muera algunas personas dicen que adapté «algunos géneros», claro que no los inventé. Y si tengo algo de invención es en un género que no tiene nada que ver ni con el hip-hop ni con el pop ni con el country ni nada. Creo que la síntesis que hice entre rumbita flamenca, mexicaneo y la firma de aquí un humilde servidor, de la casa... Verás. Estuvieron en mi casa Calamaro y Ariel Roth, y los dos me dijeron: «Conocemos a José Alfredo Jiménez por ti.» Punto final. Bueno, no. Tenemos media hora más. Vamos a ver. Soy un chico de Úbeda, hijo de un inspector de policía, que se va a Granada a estudiar Filosofía y Letras y que se encuentra a un tipo que se llama Pablo del Águila. Hasta ahí la guitarra no aparece para nada. Lo que aparece inmediatamente con Pablo del Águila es Neruda y Vallejo. Me da, en el mismo día,* Los versos del Capitán, *de Neruda, y* Poemas humanos, *de san César Vallejo. Entonces me vuelvo loco, pero absolutamente loco. Sí tenía una guitarra porque cantaba canciones de Los Brincos y de Atahualpa Yupanqui, pero Pablo empezó a proponerme otras cosas. Al final decidí enviarle una carta a mi novia* Chispa, *cuyo padre se la había llevado a Barcelona para tenerla en las antípodas de mí, y en esa carta le mentí absolutamente. Le dije que Pi de la Serra, que entonces era un cantante muy prestigioso y que luego ha sido muy amigo mío, había escuchado mis canciones y había dicho que estaban muy bien. ¡Mis canciones no existían! Yo no tenía ni una sola canción. Ya que estamos de anecdotario, una noche estábamos en casa de Aute mi querido Serrat y yo. El día anterior yo había hecho* Y nos dieron las diez, *y aquella noche se la canté. Por cierto, muy mal. Tengo fotos de ese día. La canté muy mal porque yo me encontraba inseguro. El caso es que pasó sin pena ni gloria. Luego cantó Serrat unos boleros nada memorables pero con un arte que era para comérselo. Porque Joan Manuel con una guitarra en la mano y con auditorio es un trueno. Pasaron meses, incluso años. Y cada vez que venía Serrat a mi casa de Madrid o yo iba a la suya de Barcelona, me decía: «Yo creía que lo sabía todo y no supe ver* Y nos dieron las diez.*» No supo verla, no. Creo que Aute la vio más que Serrat... Cada vez que Aute va a América, le dicen: «Carajo, qué ganas teníamos de verte, qué estupendo que estés aquí, ya era hora», y cuando le preguntan: «¿Qué opinas de Sabina?», él contesta: «Hombre, Sabina está en América porque yo lo mandé.» Son cosas tan infantiles... Porque los genios como Aute tienen derecho a ser, además, infantiles. En cierta ocasión estuvimos, Aute y yo, dos años sin hablarnos. ¿Sabes por qué? Porque Silvio vino a Madrid y en vez de llamarle a él, me llamó a mí. Te estoy hablando de hace casi veinte años. Silvio estaba muy jodido porque esa noche iban a fusilar a Arnaldo Ochoa.*[33] *El caso es que me llamó y me preguntó*

33. El 13 de julio de 1989, el general Arnaldo Ochoa y otros tres oficiales de las Fuerzas Armadas y del Ministerio del Interior de Cuba fueron fusilados después de que un tribunal militar (el proceso sólo duró treinta y cuatro días entre la primera acusación, el arresto y la ejecución) los declarase culpables de los cargos de narcotráfico y corrupción. La pena máxima establecida por el Código Penal para ese tipo de delitos era de veinte años de cárcel. Para poder condenarlo a muerte, Ochoa fue juzgado por «actos hostiles contra un Estado extranjero». El fusilamiento de Ochoa fue, según el escritor Norberto Fuentes, que como dele-

si podía convocar una rueda de prensa en mi casa, y yo le dije: «No, en mi casa no: es tu casa.» Pregúntale al pope de la crítica musical, a Manrique, porque allí estuvieron todos. O sea, que en mi casa, que no era muy diferente a como es ahora, hicimos una rueda de prensa. Y la verdad es que los periodistas estaban un poco acojonados porque no entendían muy bien cómo en un momento tan terrible, porque como te digo esa misma noche fusilaban a Ochoa, yo ofrecía mi casa. Pero tampoco hicieron preguntas al respecto. ¿Que si me he preguntado por qué no lo preguntaron? Supongo que porque era muy crudo. Además, ¿conoces tú a muchos periodistas que sepan qué hay que preguntar? Porque a mí me vienen a la cabeza muy pocos y conozco a más periodistas que tú, en quinientos países. Y ¿crees que saben lo que hay que preguntar?... En Buenos Aires, una noche, después de tocar el último de cuatro conciertos que ofrecí en el Luna Park, íbamos en el coche camino de un restaurante para cenar y notamos que nos perseguían implacablemente. Le dije a mi chófer que, por favor, hiciera algo, y paramos en un semáforo. El tipo que me perseguía se puso a nuestro lado, asomó la cabeza y sacó a un niño por la ventanilla, al modo de Michael Jackson con sus hijos en Alemania. Bajé la ventanilla y me dijo: «Mira. Se llama Joaquín.» Entonces arrancamos y al parar en el siguiente semáforo me enseñó de la misma forma a una niña, y dijo: «Se llama Sabina»... Oye, ¿no puedes llamar a la Jime? Sí, sí, ahora. Es que una vez que lleva-

gado de Castro vivió aquellos acontecimientos de primerísima mano, una maniobra del *comandante* para deshacerse de aquellos hombres, que comenzaban a hacerle sombra. Ochoa era, además, favorable a la perestroika soviética que había llevado a cabo Mijaíl Gorbachov, algo que Fidel consideraba un «prurito desestabilizador» que podía extenderse por toda la isla.

mos unos días y que esto va para delante, me muero por una guitarra. Sólo me tiene que traer una guitarra. No, no le pongas un mensaje, llámala, aunque sea tarde. Sí, da igual que esté durmiendo. No hay nada que le vaya a gustar más que el que la llame yo en este momento. Así piensa que al menos durante esos segundos no estoy follando con un putón... «Aló, guapa. Sí, ya sé que estás durmiendo y que te jode mucho... No, no, Javi está aquí conmigo... Mira, Jime. Como llevamos unas noches estupendas de grabaciones, tráeme por favor mi guitarrita. No, espera, porque tengo que explicarte cuál es. La funda que hay debajo de la chaise-longue *y la guitarra que tiene el bocado en la parte derecha. Tráemela porque a lo mejor me voy de aquí con un espléndido libro y con un par de canciones. El trabajo está yendo tan bien que nos vamos a quedar aquí el tiempo que haga falta, ¿sabes? Pero mañana ¿tú y tu hermano os vais a dejar invitar a comer por Javi? Javi tiene un dinerito... Bueno, entre la una y las dos... Ahora son las... seis y pico de la mañana..., bueno, te mando un beso... Oye..., sí venís mañana, ¿verdad? Dadme unos toques ligeros en la puerta a las dos menos cuarto... Un beso...» Por cierto, Javi, ¿has llamado ya a tu novia?...)*

10

UN MÚSICO ARGENTINO EX MARIDO DE CECILIA ROTH
(FITO PÁEZ. CHARLY GARCÍA)

Lo conté tal cual fue,
¿cómo haré que al final
los cuentos que yo cuento acaban tan mal?

Los cuentos que yo cuento
(Física y química)

«Lo más difícil ahí queda: / catorce hermosas canciones, / clip, reseñas, promociones, / mi voz de lija y tu seda; / conque sálvese quien pueda, / antes de que otras rencillas / conviertan en pesadilla / los sueños rotos de la razón. / También sé decir que no / si me buscan las cosquillas.» «Fito y yo tuvimos discusiones serias que disfrutamos mucho en el terreno de las opciones estéticas del disco, y al final yo decidí no hacer la gira. Pero seguimos siendo amigos.»

Entre las estrellas de la música que utilizan el español como vehículo de expresión, pocas veces se ha dado un caso de desposorio y consiguiente divorcio en el que mediara tan corto intervalo de tiempo. O lo que es lo mismo: lo que entre Fito Páez y Joaquín Sabina comenzó siendo un empecinado contigo pan y cebolla, acabó en un despechado devuélveme el rosario de mi madre sin apenas solución de continuidad.

Enemigos íntimos, el disco de la discordia, nació como un interesante proyecto en el que sus dos artífices estaban tan enamorados de sus respectivos talentos que hasta inmortalizaron su felicidad con un beso en la boca que dio la vuelta al mundo.

Conociendo a Joaquín no me extraña lo más mínimo que se encaprichara de ese modo con el rosarino, ya que él es dado a ese tipo de flechazos amicales a los que podría atribuírseles aquella máxima de que el sol que brilla con el doble de intensidad se extingue en la mitad de tiempo.

Y en cuanto a Fito, no tengo el gusto de conocerle en persona, pero no hay más que observarle con atención unos segundos para hacerse una idea bastante aproximada de por dónde van los tiros: es tan sumamente explosivo, tan enérgico y gesticulante, que parece que vaya a estallar de un momento a otro.

Cuando el disco estaba en pleno proceso de grabación, Páez lo definió como «un Frankenstein muy simpático». Aludía de ese modo a que era un monstruo hecho a pedazos: que si un terceto dantesco de Joaquín sazonado con sal y pimienta por aquí; que si una ración de semicorcheas de Fito regada en aceite porteño por allá; que si una melodía con reminiscencias costellianas de Fito por aquí; que si un preclaro ritornelo de Joaquín por allá... Así, hasta que la bestia sonora despertose y, evidenciando que no era tan buena gente como ellos creían, volviose contra sus hacedores con la intención de inocularles el veneno del desamor, cosa que sin duda consiguió. Un veneno para el que lamentablemente no se conoce antídoto alguno.

Todo lo que vino después es del dominio público: una guerra de versos encendidos e incendiarios en los que la común necesidad de decir la última palabra estranguló de un modo definitivo el poco amor que les quedaba. Y luego ya, sin más, un intratable telón que se baja y anuncia un «si te he visto no me acuerdo, *love*».

Es decir, la historia de un calentón tan apasionado, tan apasionado que devino en *gatillazo.*

¿Que cómo están las cosas a fecha de hoy?

Sírvanse ustedes mismos.

J. M. F.: A lo largo de todo el libro nos estamos trayendo, y no sé por qué demonios pluralizo, una coña constante con eso de «Fito, que es un cantante argentino», o «un cantante argentino marido, o ex marido, de Cecilia Roth». Imagino no obstante que, bromas aparte, guardas en la recámara más de un piropo para tu más íntimo enemigo.

J. S.: Pues claro que sí. Te diré, por ejemplo, que Fito es un artista químicamente puro. Con unos métodos que no son los míos, pero es un tipo al que podría comparar con Aute. Tú sabes que Aute, a quien conoces bien, desde que se levanta hasta que se acuesta sólo piensa en una cosa y sólo vive para esa cosa: su trabajo. Es el caso de Fito, que es capaz de escribir una canción a las ocho de la mañana y a las doce de la noche tenerla grabada y mezclada con una orquesta sinfónica. Si eso no es tener empuje, valentía y talento, yo no sé lo que es. Luego hay un montón de cosas, desde el punto de vista estético y también sobre el modo de trabajar, en las que discrepamos mucho. Por ejemplo, yo siempre le decía que no se daba el menor reposo para disfrutar de su trabajo. Es demasiado metódico. Y a mí una de las cosas que más me gustan de las grabaciones es el poder sentarte por la noche con un cigarrito y un whiskito a oír el trabajo. Eso es algo que jamás se hizo con Fito. Él estaba siempre trabajando, mezclando, de un modo feroz. Para mí era muy agobiante. No me consideré respetado porque él tenía sus ritmos pero no tenía el más mínimo respeto por los míos. Y yo trabajé mucho en ese disco. ¡Muchísimo! Pero es que con Fito no hay tregua.

J. M. F.: Me parece que la intentona de piropo se ha quedado en eso, en simple intentona.

J. S.: No. Artista químicamente puro.

J. M. F.: Eso entroncaría con aquello que te pregunté sobre quién es más inteligente, Charly García o Javier Krahe. Me contestaste que más inteligente es Krahe, pero que García es infinitamente más artista. Supongo que Fito, por encima de todo lo demás, es eso: artista.

J. S.: Sí, Fito es artista. Indudablemente lo es. De muy grueso calibre, además. ¿Cuál es el pero? Pues eso, que carece del más mínimo reposo. No es capaz de sentarse a mirar lo que está haciendo ni un segundo. Su actividad es frenética, agotadora.

J. M. F.: Como talento musical y artístico, ¿Charly o Fito? Conozco la respuesta, pero quisiera que la matizaras. Es decir, con un teclado ¿cuál de los dos hace más alta poesía?

J. S.: Charly es muy grande. Charly es los Beatles. Es los Beatles de Argentina. Lo que te estoy diciendo, Fito lo opina mucho más que yo. Yo he estado con Fito en mi casa de Madrid y se me ha ocurrido poner el vídeo de un concierto de Charly, y Fito realmente se ha arrastrado por el suelo. Lo ama profundamente. Lo ha dicho siempre, lo seguirá diciendo y eso es verdad porque yo lo sé. De hecho, los años en que estuvieron separados y medio sin tener contacto no fue por culpa de Fito, que, como te digo, lo ama, sino porque Charly va a su aire y además no le gusta nada que le hagan sombra.

J. M. F.: ¿Es cierta esa historia que cuentan, aquello de que Charly le dijo a Fito: «Yo soy la joya, vos sos *bijouterie* [bisutería, en francés]»?

J. S.: Es cierto. Y Fito contestó que sí. Ya te digo, la persona que más ama a Charly del mundo es Fito. Además, lo predica a los cuatro vientos. Te contaré una anécdota muy graciosa. Cuando hicimos el disco juntos, Fito estrenaba un estudio que se llamaba Circo Beat. Era un estudio, para que te hagas una idea, tan bueno como el mejor de Nueva York. De hecho, luego tuvo problemas financieros por ese descomunal gasto. Ese estudio lo inauguramos él y yo. Un estudio maravilloso, de absoluto diseño, todo perfecto, recién pintado y con unos muebles estupendos... [Estalla de pronto en una sonora carcajada.]

J. M. F.: No me irás a decir ahora que Charly casi se lo quema...

J. S.: Era una época en la que estaban a punto de reconciliarse. Y era una época en la que, en mis conciertos en Argentina —tú lo sabes bien porque lo has visto—, Charly se subía conmigo al escenario y éramos muy troncos y muy cómplices,[34] y Fito quería que Charly fuera a verle.

34. A principios de marzo de 2000, asistí a dos conciertos que Sabina ofreció en el estadio Luna Park de Buenos Aires dentro de la gira *19 días y 500 noches*. En ambos, y en el sagrado momento de los bises, García irrumpió en el escenario y aquello fue el acabose. Dicho espectáculo —pues era la primera vez que lo veía en acción— me pareció uno de los más surrealistas y vigorosos que habían contemplado nunca mis ojos. De hecho, pensé que los Sex Pistols debieron de ser eso. Charly interpretó dos temas que partían del mismo tronco y que había compuesto tan sólo unos días antes: *Me voy a tirar de un noveno piso* y *Me tiré por vos*. Dos piezas autobiográficas que recogían su salto desde el noveno piso de un hotel de Mendoza (Argentina) a la piscina situada en la segunda planta; es decir, un salto de ¡siete pisos! que fue mo-

Entonces medié y llamé a Charly para que hicieran las paces. En aquella época, Charly iba a todas partes con los sprays esos que utilizan los grafiteros. De hecho, su casa estaba toda pintada con *spray*, incluido el televisor y los sofás. No había un solo centímetro del piso que no estuviera pintado. Entonces Charly llegó al superestudio de diseño de Fito y éste, que estaba muy emocionado, lo llamó «maestro» y se abrazaron. Y Charly sólo hizo una maldad, pero fue genial. Dijo: «Me traje el *spray*» [risas]. ¡Me traje el *spray*...! No lo sacó, pero la cara de Fito tenías que haberla visto. Mira, querías que le echara un piropo a Fito, pues se lo voy a echar ahora: si Charly llega a sacar aquel día el *spray*, Fito le deja que pinte el estudio de arriba abajo. Enterito.

---

tivado porque una cachorra de buena familia con la que andaba liado por aquel entonces le acababa de abandonar, y del que salió milagrosamente ileso. He de decir en honor a Joaquín que se comportó como el más exquisito de los caballeros que en el mundo son, pues no sólo le consintió al argentino que monopolizara el colofón de su actuación (unos cuarenta minutos), sino que le rió y le siguió la gracia, con él en el escenario, hasta el final. Creo que cualquier otro hubiera considerado que García le estaba robando el concierto y se habría cogido tremendo mosqueo. Chapó, pues, por la generosidad de Joaquín. Él también, y ahora lo comprenderán, se habría dejado embadurnar de *spray* hasta las orejas.

UN PARÉNTESIS JOCOSO

(¿Qué me ibas a decir? No te acuerdas. Claro, es que te he cortado. Seguramente porque ibas a decir algo inteligente y yo estoy aquí para erigir mi estatua, no la tuya. Eso fue lo que le dijo Dalí a Buñuel... ¿Conoces la historia? Pues Buñuel llega a Nueva York y lo contratan en un almacén de películas o en la Biblioteca Nacional, no recuerdo bien. Entonces se entera, le cuentan sus amigos, que Dalí ha ido pregonando que Buñuel es un rojo rojísimo y que no le contraten. Entonces Buñuel, que no era rojo rojísimo pero sí era un tipo bragado..., sí, exacto, y de armas tomar. Eso quiero que esté en el libro, lo de armas tomar, porque Buñuel se metió su arma en el bolsillo y se dirigió al hotel Plaza a matar a Dalí. Directamente. Del que había sido íntimo. Porque Dalí era un miserable. Entonces llegó y ¿sabes cómo se libró Dalí de la muerte? Le gritó el aragonés: «¡Cómo puedes ser tan miserable!», y Dalí le dijo: «Luis, tendrías que entender que yo he venido aquí a levantar mi estatua, no la tuya.» ¡Y el aragonés no lo mató!... Sí, Dalí es un antecedente de Umbral. En el automarketing, en el cinismo, en la impostura... Jime, que odia a..., iba a decir a los argentinos, pero no: odia a las argentinas, y tiene sólidos motivos para hacerlo... Por cierto, le tengo que decir que te haga una imitación de las argentinas. Es una feroz imitación con un acento genial... Cuando quiere tomarme el pelo, porque yo amo a las argentinas, imita a cualquier argentina que habla de mí y dice:

«Vos sos un transgresor.» Hablando de Argentina, ¿te sabes el chiste de la guerra de las Malvinas? Es uno de esos chistes obras de arte que sólo en Lepe lo superan. Dice el argentino: «¡Che! La primera guerra en la que participamos, y quedamos subcampeones.» ¿Y te sabes el de México? Es de mis preferidos. Tan bueno como el anterior. Dice el mexicano: «Yo soy tan macho, tan macho, que ya ni me gustan las mujeres porque parecen pinches maricones»... Oye, querido Javi, que sepas que estamos haciendo un libro bien divertido. Me está gustando mucho. Bueno, ¿cuál era la pregunta?...)

11

DE CINE

¿Has visto un ciclo en televisión
del cine en tiempos de Franco?
Yo soy aquel chaval que creció
en la fila de los mancos.

Una de romanos
(El hombre del traje gris)

«... Pero en la pantalla del Ideal Cinema, cuando no daban una de romanos, el viento golfo de Manhattan le subía la falda a Marilyn y era domingo, y no había clase, y los niños de provincias soñábamos despiertos y en technicolor con pájaros que volaban y se comían el mundo. Y el mundo que querían comerse los pájaros que anidaban en mi cabeza... pongamos que se llamaba Madrid...»

La vinculación de Joaquín con el cine viene de antiguo. La vinculación profesional, quiero decir. Ha escrito canciones para películas: *Dos mejor que uno* (Ángel Llorente, 1984); *Sinatra* (Francesc Betríu, 1988); *Siempre hay un camino a la derecha* (José Luis García Sánchez, 1997);

Torrente 2. Misión en Marbella (Santiago Segura, 2001) e *Isi/Disi* (Chema de la Peña, 2004).

En las citadas *Sinatra* e *Isi/Disi* tuvo, además, pequeños papeles. En la primera daba vida a un imitador de Groucho Marx que regentaba un cabaret de medio pelo, y en la segunda se interpretaba a sí mismo.

También protagonizó un documental de la serie *Autor por Autor*, auspiciada por la SGAE y la cual no llegó a ser comercializada, en la que siete cineastas se ocupaban de las figuras de otros tantos cantautores. A él lo retrató José Luis García Sánchez bajo el título *El poeta fotógrafo.*

Pero su participación más sonada en el séptimo arte le vino precisamente por la película de Santiago Segura: su canción *Semos diferentes*, cantada al alimón con el avispado director / actor e incluida después en el disco *Dímelo en la calle*, fue candidata al Goya a la Mejor Canción Original. No lo consiguió porque Luz Casal y Pablo Guerrero tuvieron esa noche la fortuna de su parte. (Tampoco su colega y sin embargo amigo Luis Eduardo Aute, que competía en la misma edición pero en la categoría de Mejor Película de Animación con la cinta *Un perro llamado Dolor [el artista y su modelo]*, pudo llevarse el cabezón a casa. Los viejos cantaescritores se quedaron, pues, compuestos y sin novia.)

No obstante, al margen de estas colaboraciones puntuales, Joaquín, desde que guarda memoria, ha tenido una honda relación sentimental con el cine, como constatan la cita y el fragmento del texto *Curándome en salud* que abren este capítulo.

Por otro lado no es difícil imaginar a ese niño de Úbeda, cargado de inquietudes y lecturas, «soñando despierto» con un mundo por y para adultos que entonces únicamente existía en las salvadoras pantallas de los cines.

Lo ha repetido hasta la náusea: él, de pequeño, sólo

ansiaba una cosa, ser mayor. Abandonar aquel pueblo que no era más que una mota insignificante en la inmensidad del orbe y despojarse cuanto antes del traje aprisionador de la infancia. Hacerse hombre y, quizá, conocer a alguna de esas mujeres inalcanzables a las que amaba en silencio desde una menesterosa butaca de un cine varado en mitad de la nada. Tan solo en su enfermedad de querer ser hombre como aquel infante voraz del *Romancillo del niño que todo lo quería ser*, de Manuel Benítez Carrasco.

Y luego está la evidencia del cine, su poderosa influencia en sus canciones. Empezando por la estructura de éstas, que, en vez de perderse en disquisiciones bizantinas —otros lo han hecho y lo han hecho muy bien, y él en los últimos años también se ha acercado con acierto a esa fórmula—, obedecían a un patrón clásico de planteamiento, nudo y desenlace.

Se trataba, en fin, de contar una historia. De escribir una crónica que ardiera, que estuviese tan viva como el fragor incesante de la calle, que llegara al corazón. Ésas eran entonces sus únicas pretensiones y eso fue lo que lo distanció, con el viento a su favor, de aquellos otros autores que, en teoría, sólo en teoría, surcaban idénticas aguas creativas.

El hombre del traje gris. Más de cien mentiras. Peces de ciudad.

Tantísimo que ver, tantísimo que inaugurar, tantísimo que probar.

Addio, don Calloggero, don Tomassino. Partiamo per l'America.

Perdonen la tristeza.

J. M. F.: Hay una clara voluntad de estilo cinematográfico en muchas de tus canciones. Sobre todo, en las de la primera época. Alguna vez hemos hablado de cine, y a pesar de reconocer que tienes grandes lagunas, lo cierto es que con las referencias que manejas te has defendido muy bien. Vamos, que has sabido llevarte eso a tu terreno con suma habilidad.

J. S.: Sí, es cierto. Ahora no tanto, pero cuando yo empecé a hacer canciones quería que fueran muy cinematográficas. Quería que contaran historias de la última mitad del siglo XX, no historias como las que contaban los juglares. Historias de un mundo que pertenecía más a la pantalla de un cine que a los libros. Yo no me engañaba sobre ese primer público de barrio que tuve después de La Mandrágora. Y, desde luego, no sólo no eran letrados sino que eran bastante iletrados. Hay una cosa que te diré ahora con mucha vanidad y muchísimo orgullo: a raíz del libro de sonetos, muchísima gente se ha puesto a escribir sonetos. Sonetos que me mandan. Pero me estoy yendo del tema. Vamos a ver, yo no voy al cine. A pesar de que dirigí un cineclub rojo en Londres, nunca fui al cine. Ahora, veo muchos vídeos en casa. Y la saga de *El Padrino* me parece Homero, y Woody Allen, Billy Wilder, Scorsese y Coppola me parece que han hecho la gran cultura del siglo XX. Buñuel me resulta también muy inquietante, a pesar de que se me antoja un director torpón, pero un creador de imágenes muy inquietantes. Y he visto películas de Woody Allen que me parecen insuperables desde el punto de vista de cómo le hablan a uno de uno mismo. Hablo por ejemplo de *Deconstructing Harry*. Es decir, el cine es, desde luego, importantísimo para un creador. El séptimo arte es tal vez el primero en los tiempos que corren. Pero el reino de los efectos especiales y de las superproducciones no lo puedo soportar. A mí me gusta una hermosa historia. No hay nada más feliz para mí que pasarme una tarde de domingo tumbado en la cama viendo *Los Soprano* veinte horas seguidas, o viendo *El Padrino* o

Gangs of New York en sus versiones largas. Como podrás observar, tengo una enorme debilidad por el cine de gánsteres, por los gánsteres y, sobre todo, por las novias de los gánsteres.

J. M. F.: De hecho, tu canción *El caso de la rubia platino* es un homenaje a ese mundo.

J. S.: Sí. Esa chica que es tonta y que va envuelta en un abrigo de pieles, caminando a saltitos detrás del gánster, me parece una maravilla. Siempre que la Jime me pregunta: «¿Quieres que veamos una película? ¿Qué te busco?», yo le contesto que una de gánsteres.

J. M. F.: Aquellas en blanco y negro de James Cagney...

J. S.: Impresionantes.

J. M. F.: De todos modos, a pesar de confesar que las películas de acción y efectos especiales no las soportas, ayer me contabas que la primera media hora de *Independence day* te impresionó mucho.

J. S.: Sí, porque crea un clima trepidante de guión y de montaje que me interesa mucho. La primera media hora es muy buena, pero mi interés decrece cuando llegan los alienígenas y la nave esa.

J. M. F.: Sí, cuando el argumento se va al traste. Aunque para argumentos disparatados, o mejor dicho inexistentes, los de las películas porno que a ti tanto te gustan.

J. S.: Sí, sí. «Está uno hasta la polla de Bertolt Brecht.» ¿Te he contado eso? Cuando Javier Ruibal venía a tocar a Madrid, solía quedarse a dormir en mi casa y casi siempre le acompañaba un guitarrista muy gracioso. Al guitarrista y a mí nos gustaba mucho el porno, así que él decía: «Venga, Joaquín, pon una porno», y yo ponía una película porno. Como tú bien has dicho, en el porno se habla poquísimo, por no decir nada, pero cada vez que decían una frase, que generalmente era «cómeme la polla» o algo por el estilo, este guitarrista, que tenía el mando a distancia, le daba al avance rápido y decía: «Está uno hasta la polla de Bertolt Brecht» [risas]. ¡Es un disparate! Ese mismo guitarrista tiene otra anécdota muy buena. Ruibal y mi queridísimo uruguayo Jorge Drexler[35] tienen un circuito subterráneo que incluye festivales de jazz en sitios rarísimos en los que yo jamás he estado. El caso es que Ruibal tocaba en Praga, yo creo que era antes de la caída del Muro o por esas mismas fechas, y al llegar al hotel con este guitarrista que te digo, cada uno entró en su habitación. De pronto, Ruibal oyó un grito desgarrador proveniente de la habitación del guitarrista y fue corriendo hacia allí: «¿Qué pasa?», le preguntó, y el guitarrista le contestó: «Nada, que he puesto la tele y ha salido Lauren Postigo» [risas]. ¡En Praga! Claro, dio un grito de pánico.

J. M. F.: Coño, como para no gritar.

J. S.: Figúrate. Vas a Praga, pones la televisión y te encuentras con Lauren Postigo. ¡Te puede dar algo!

J. M. F.: Por las fechas que dices, lo mismo era su programa *Cantares*.

J. S.: Claro, sería algo así.

J. M. F.: Hablando de cine y de sustos en la pantalla: en cierta ocasión llegamos a preguntarnos si Woody Allen habría sido tan brillante de haber sido guapo. Ahí tenemos a actores, como Robert Redford y Paul Newman, que luego como cineastas resultaron ser muy talentosos, e incluso escritores inequívocamente bellos, como Sam Shepard, cuya excelencia literaria está fuera de toda discusión. ¿Crees que si tú hubieses sido un guaperas habrías escrito peor o menos?

35. Conste que la cariñosa mención a Jorge Drexler fue hecha por Joaquín cinco meses antes de que aquél obtuviera el Oscar por su canción *Al otro lado del río*, incluida en la película sobre la vida del Che Guevara *Diarios de motocicleta*.

J. S.: En mi caso creo que sí habría escrito menos, que la tesis sí es adecuada. Pero es verdad, como tú bien has dicho, que esa regla está llena de excepciones.

J. M. F.: Es que es un poco como el tópico de la rubia tonta.

J. S.: Precisamente iba a eso. Sí diré de un modo cínico, umbraliano, que la única prueba que habría en mi mundo de una cierta existencia de Dios es la ley de las compensaciones. Es decir, a mí me parece bien que las guapas sean tontas porque algo tienen que dejar para los narigones.

J. M. F.: Pero sí que habrás conocido a algunas guapas listas.

J. S.: Sí, desde luego, pero son la excepción, como Sam Shepard, Robert Redford y Paul Newman. Además, si son guapísimas, ¿para qué cojones quieren escribir? [Risas.]

J. M. F.: Clint Eastwood también fue muy guapo y es, hoy, uno de los más brillantes cineastas vivos.

J. S.: Sí, pero te diré que ha sido más grande de viejo que de joven. Cuando empezó a envejecer fue cuando empezó a hacer cosas más ambiciosas.

J. M. F.: Porque de joven se centró, casi exclusivamente, en la interpretación.

J. S.: Sí, y hacía unas películas, como las de la serie del policía *Harry*, que en la Universidad de Granada nos parecían fascismo. Sin embargo, él está muy lejos de ser un fascista. Creo que ha sido, sí, de los que más bellamente han envejecido, y lo cierto es que adoro su arte. La película *Sin perdón* tiene un clima crepuscular hermosísimo, con esos tíos ya retirados que se juntan para vengar a unas putas ultrajadas...

J. M. F.: Hay otros casos de guapos con talento. Por ejemplo, el del actor y director John Cassavetes, ya fallecido. Aunque no era Marlon Brando, tampoco era Woody Allen.

J. S.: Sí, es cierto. De todos modos, a mí ese orden de la naturaleza de que los Woody Allen sean feos y los guapos sean tontos me parece muy bien. Como te decía antes, según la ley de las compensaciones algo tiene que quedar para los feos.

J. M. F.: A pesar de tu amigo y pigmalión Pablo del Águila.

J. S.: Pablo del Águila era guapísimo, sí, y listísimo, y se pegó un tiro con sólo veintiún años. Así que no le cambio el destino. A mí me gusta el gordo Michael Moore. ¿Crees que Michael tendrá una rubia estupenda? Es probable, ¿no?

J. M. F.: Hombre, yo pienso que esa cabeza se la puede permitir. Aunque sea...

J. S.: ¡Pagando! [Los dos al unísono. Reímos.] Ahora, que sepas que a mí el amor de pago siempre me ha gustado mucho porque me ha parecido muy decente. Es decir, ahí no hay malentendidos de ningún tipo: vengo por esto, éste es mi precio. Ya está. No es la primera vez que te digo que pagué quinientas veces sin hacer *uso de.* Pagaba por tener una fiesta, y pagaba por invitar a mis amigos.

J. M. F.: Y para salvar a las putas de los miserables.

J. S.: También. Tuve una relación con una, a la que nunca me tiré, impresionante. Le pagaba todas las noches para que no tuviera que aguantar a cuatro ejecutivos gordos y babosos. Se venía a casa y se quedaba dos horas charlando conmigo.

J. M. F.: Ya, Joaquín, pero convendrás conmigo en que ése es un ejemplo de amor de pago un tanto sui géneris.

J. S.: Bueno, sí. Desde luego no había ni amor ni sexo. En cualquier caso, a mí las putas me han gustado siempre, insisto, para bailar y hacer fiestas.

J. M. F.: ¿Por ese orden?

J. S.: Sí, en serio. Por ese orden.

Joaquín Sabina, acompañado del grupo Ramillete de Virtudes, en plena actuación en la sala Rockola, en Madrid (1983). Para que quienes sostienen que la movida sólo la protagonizaron Almodóvar, Alaska y Radio Futura sepan que no, que aquel *movimiento cultural* tuvo muchas (y ricas) caras.

Joaquín posa con sus músicos o «cómplices del desconcierto» minutos antes de uno de los recitales de su *Gira Ultramarina* (2005-2006). De izqda a dcha.: Antonio Garcia de Diego, don Joaquín, Olga Román, Pedro Barceló y Pancho Varona.

Joaquín con Pancho Varona, su *hermano* y mano derecha musical. Responsable junto con García de Diego –en parte o al cien por cien– de muchas de las magníficas melodías del cancionero de Sabina.

Beso casto del fauno Joaquín a la ninfa Olga Román, que le pone voz de oro al desgarro sabiniano.

Ana Belén le toma la flor a Joaquín. Ambos cantan, seguramente, *A la sombra de un león o Peces de ciudad.*

Con el maestro Serrat. Dos extraordinarias bocas de la mejor canción en español. Muy distintas, pero muy suyas.

El genial Luis Eduardo Aute y Sabina, a la busca de la canción más hermosa del mundo. Entre la metafísica del primero y las *boutades* del segundo, resulta que les dieron las cuatro y diez

«Indúltamente, cabrón, cámbiame el clima», le pedía / ordenaba Joaquín en un soneto de homenaje a su *brother* Pablo Milanés, tan suyo y tan nuestro.

Joaquín se troncha a la ubetense entre otros dos magos de la palabra, Silvio Rodríguez (izqda.) y Gabriel García Márquez.

Paco Ibáñes y Sabina: dos generaciones y dos modos muy distintos de entender la canción. En este libro, Joaquín confiesa su inmensa admiración por la obra del autor valenciano.

En su «altar mayor de deidades paganas» Javier Krahe ocupa un lugar preferente. De hecho, es muy posible que sea la deidad madre o el dios padre (todopoderoso). Joaquín no se cansa de pregonar su enorme amor hacia él ni de señalar lo increiblemente bien amueblada que tiene la cabeza.

Sabina y Fito Páez comprueban el equilibrio de un muñequito (que quieren, cada cual hace lo que puede para apresar a la musa). Nada volvió a ser igual para ellos tras la grabación de *Enemigos íntimos.*

Joaquín me lo tiene dicho: «Charly García es los Beatles de Argentina.» El susodicho lo resumío de otro modo: «Soy el John Lennon del subdesarrollo.» Pues eso.

Antonio banderas se ríe y se deja querer cuando Joaquin le recrimina que le ha fusilado el *look*. *«Mi barba tiene tres pelos...»*

Trinidad Jiménez y Sabina bromean, en el transcurso de un acto público, con el presidente del Gobierno español, José Luis Rodríguez Zapatero, y su mujer, Sonsoles Espinosa.

En compañia de Julio Anguita, ex coordinador general de Izquierda Unida (IU), por quien Joaquín sintío siempre una rendida admiración.

Joaquín se dirige a las huestes de simpatizantes de Izquierda Unida (IU), formación política a la que, salvo en las últimas elecciones generales (2004), en las que apostó por Zapatero, siempre apoyó.

Fidel Castro y Sabina en el segundo encuentro que se producía entre ambos. Marzo de 2006

El subcomandate Marcos posa con la biografía de *Joaquín Sabina. Perdonen la tristeza* acompañado del célebre periodista mexicano Ricardo Rocha.

Sabina y su novia, Jimena Coronado (que en la foto recuerda a Amparo Muñoz cuando era Amparo Muñoz), en compañía de Michelle Bachelet, la flamante presidenta de Chile. Joaquín la adora.

Don Jerónimo Martínez Gallego y doña Adela Sabina, padres de Joaquín. Ambos han fallecido.

Don Ramón Martínez, abuelo paterno de Joaquín, a quien todos llamaban «tío Ramón». Una de las personas más importantes de su vida.

Paco Martínez Sabina, el *Sheriff* (según acuñación de sus hijos), deteniendo a su hermano.

Con su sobrino Francisco martínez, hijo del *Sheriff*.

Con su primo Juan José Gordillo, «su cordón umbilical con Úbeda».

Joaquín posa en los jardines de La Alhambra en compañia de un amigo del pueblo en su época de estudiante.

El Big Ben, al fondo, da fe de su exito londinense. Con dos amigas de entonces.

Primer plano de un Sabina soldado. Por la expresión de su cara –¿qué he hecho yo para merecer esto?–, es obvio que se le ocurrían 19.500 planes infinitamente mejores para pasar el rato que andar disfrazado de verde y vivir en un hotel que se llamaba Todo por la Patria.

Carnet de «informador» del diario mallorquín *Última Hora* (1977). Otro documento digno de ser subastado en un futuro en Sotheby's.

Joaquín incluye al gran Gabriel García Márquez, el Gabo, en una lista con los cuatro autores cuyos libros deberían estar en todas las casas del mundo. Los otros tres son Homero, Cervantes y Shakespeare. Ahí es nada.

«Nunca he escrito una novela porque las que quería escribir ya las ha escrito Alfredo Bryce Echenique.» Pues eso. Guía triste del Perú más excelso.

De izqda. a dcha.: Benjamín Prados, Sabina, Almudena Grandes, Ángel Gonzáles y Luis García Montero. El club de los «Poetas líricos» casi al completo. Sus *confrères*. Sus amigos.

Joaquín con los poetas Luis García Montero y Juan Gelman, y el editor Chus Visor.

Con el novelista y vate Felipe Benítez Reyes, otro de los «poetas líricos».

De izqda. a dcha.: Jesús Maraña, director de la revista *Tiempo;* la pintora Margarita Bañón; Javier Menéndez Flores; Carmen Fernández de Blas, directora editorial de Ediciones B; el periodista y escritor Ángel Antonio Herrera y Sabina, el día de la presentación del libro Esta boca es mía (Ediciónes B, 2005)

Jimena y Joaquín llamando a las puertas del cielo.

Con Isabel Oliart, la madre de sus hijas, en los toros.

Con Chispa, su primer amor de juventud, cuando ellos, los entonces, ya no eran los mismos.

Con Pepa, su histórica asistenta, que le tiene la Melancolía como una patena.

Cena familiar en la Dorada (Madrid). Alberto Oliart (segundo por la Izqda.), Isabel (a continuación), el hermano de Joaquín (tercero por la dcha.), y la madre de Isabel (junto a un riente Sabina).

Sabina con sus niñas: Rocio (a la izqda.), y Carmela. Todo un padrazo, como pueden ver.

Con Diego Armando Maradona el 18 de marzo de 2006 en el teatro Gran Rex de Buenos Aires, interpretando Y *nos dieron las diez*, imagenese lo que debió de ser aquello...

UN PARÉNTESIS RUIDOSO

(Quiero contar una cosa que siempre tengo la sensación de que se pierde. He dado muchos conciertos presentando así una canción. Lo que quiero contar es una mezcla entre lo que uno toma prestado, lo que uno roba y lo que uno añade. Todo a favor del espectáculo, claro. Es decir, yo tengo una canción que se llama Ruido *que siempre presento con un chiste de Woody Allen que nadie sabe que es de Woody Allen: «Mis padres vivían encima de una discoteca y todas las noches se quejaban los de la discoteca.» Ésa es mi segunda presentación favorita. La primera está robada de Bernard Shaw, y empieza así: «George Bernard Shaw... Sí, el de* Pigmalión, *el de* My fair lady... *No, no se sientan ustedes inferiores por no haberlo leído, porque yo voy a contar una anécdota pero tampoco lo he leído...», y cuento una anécdota real, o que al menos él aseguraba que lo era: estaba George cenando con una marquesa, en una cena de la alta sociedad victoriana, y le preguntó: «Milady —estaban haciendo bromas de sociedad—, ¿se acostaría usted con alguien por diez millones de dólares?», y milady contestó: «Por diez millones de dólares me lo pensaría seriamente.» Entonces Bernard Shaw añadió en el acto: «Le doy dos dólares.» La marquesa, escandalizada, gritó: «¡Por quién me toma!», y Bernard Shaw sentenció: «Eso ya ha quedado claro. Ahora vamos a discutir el precio.» Bueno, pues después de eso yo digo —porque ahí no ha acabado la presentación de mi canción—: «El otro día fui*

con mi amiga Maite a ver la película de Robert Redford Una proposición indecente, *y nada más salir del cine le pregunté: "Oye, Maite, ¿tú te acostarías con Robert Redford por un millón de dólares?", y mi amiga Maite me respondió: "Si los tuviera..."», y a continuación comenzaba la canción, que ya no recuerdo cuál es... Por cierto, ya sabes que la canción* Ruido *está dedicada al padre de Cristina. Cuando conocí a Cristina, sus padres ya estaban separados. Conocí mucho a su madre, que era una señora mayor muy guapa, muy frivolona, gastona, divertida y muy tramposa. También conocí a su padre, que era un señor más bien oculto. La madre, de algún modo, se las había apañado para que los hijos le tuvieran miedo al padre. Los hijos decían que el padre era alcohólico, pero estuve tres o cuatro veces con él y yo bebía bastante más. Además, el padre me echó un piropo estupendo: «Tú sabes beber», me dijo. Bueno, el caso es que a mí me gustaba el padre. Eso no quiere decir que no me gustara la madre, pero me gustaba el padre. Como yo estoy tan destradicionado siempre trato de crear tradiciones, y había una con Cristina y su familia: todas las Nocheviejas yo me iba a un hotel de Palma de Mallorca e invitaba a toda la familia y cenábamos, bailábamos, nos poníamos narices de payaso, nos tirábamos confeti y hacíamos el ridículo sin mucho entusiasmo. Así que un año le propuse a Cristina que invitáramos también a su padre, y aunque ella al principio me dijo que me había vuelto loco, que si iba su madre él no iría, cuando llamé al padre aceptó. Y de ahí saltamos inmediatamente al desenlace. El desenlace es que mi pobre ex suegro sólo salió una vez en el periódico. Había empezado a correr y a nadar en la playa y se sentía feliz. Había resucitado y superado el problema del divorcio, y una mañana1 apareció como un cadáver no identificado en la playa. Se ahogó. Y luego pasaron cosas muy divertidas que te voy a contar. Fuimos al entierro y entonces la familia estaba dividida, porque unos querían enterrarlo y otros, incinerarlo, y él no había dejado muy claro lo que quería. El caso es que se hizo ¡mitad y mitad! ¿Que si enterraron la mitad inferior o la superior? Es una muy buena pregunta, pero lo único que sé es que se enterró la mitad. Y la otra mitad, lo creas o no, como no sabíamos qué hacer con las cenizas, nos la llevamos Cristina y yo a mi casa de Madrid en una cajita. Las cenizas estuvieron en esa cajita dos o tres meses... Resulta que el padre de Cristina había sido muy* fan *de las rancheras, y yo quería muchísimo a Cristina y sentía un gran respeto por las cenizas de la mitad de mi suegro. Así que algunas noches —por lo menos dos, para no exagerar— en las que volvimos a casa sobre las seis de la mañana, yo, muy borracho —porque aquello coincidió con una época en la que me emborrachaba mucho—, cogía una guitarra, ponía las cenizas de la mitad de mi suegro delante de mí y le cantaba* Pero sigo siendo el rey *emocionadamente... Un día decidimos que había que hacer algo con las cenizas y fuimos a Mallorca a tirarlas al mar, a lo Sara Montiel y Pepe Tous. Entonces el padre, a título póstumo, me deslumbró aún más. Porque cuando volvíamos de tirar las cenizas al mar, la hermana de Cristina nos puso una cinta casete que había encontrado de cuando Cristina tenía unos seis años. En ella, una de las niñas, no sé si Cristina o una hermana, dijo «la criada», y al padre, que se había educado en una inclusa y que era expósito, se le oye protestar en ese momento: «¡Cómo que la criada! Esta señora es un ser humano igual que vosotras.» Te estoy hablando de hace treinta o cuarenta años... Por eso le dediqué* Ruido. *Y entre él y su señora había, sí, muchísimo ruido.)*

12

A PROPÓSITO DE LAS MAGDALENAS
(LAS PUTAS)

Acércate a su puerta y llama
si te mueres de sed,
si ya no juegas a las damas
ni con tu mujer.
Sólo te pido que me escribas
contándome si sigue viva
la virgen del pecado,
la novia de la flor de la saliva,
el sexo con amor de los casados.

Una canción para la Magdalena
(19 días y 500 noches)

«No me importaría residir una temporada en un monasterio de clausura siempre y cuando me dejasen llevar putas cada quince días.»

Las putas forman parte de la aureola goliardesca que ha envuelto a Joaquín desde sus comienzos. Una caricatura extrema que, como el propio cantante y escritor ha confesado en estas páginas, él mismo se encargó de modelar y difundir.

De igual modo que jamás ocultó que consumía drogas y bebía de forma habitual, o que vivía de noche y dormía de día como los vampiros, siempre reconoció que frecuentaba prostíbulos y alternaba con odaliscas, y que aquél le parecía un oficio infinitamente más decente que otros infinitamente más indecentes. Como el de los políticos o los médicos inoperantes o avocacionales.

En su cancionero hay sobradas muestras de esa querencia por las santas mujeres de pago: *Negra noche*; *Ring, ring, ring*; *Por el túnel*; *Medias negras*; *Viridiana*; *Barbi Superestar*... Una querencia que alcanzó su cenit en la lírica y bellísima *Una canción para la Magdalena.*

Y aunque ahora ya no ejerza y esas casquivanas compañías formen parte sólo del mítico pasado, tanto las ha querido que tardará en olvidarlas mil y un días y quién sabe cuántas febriles, desmayadas y demoledoras noches.

J. M. F.: Hablemos de las putas, Joaquín. Has llegado a hacer una defensa de ellas tan entusiasta, que muchas mujeres, por no hablar de las airadas asociaciones feministas —las cuales necesitan muy pocas excusas para lanzarse al ataque—, se han escandalizado sobremanera y sostienen que das una imagen muy negativa de la mujer, de mero objeto sexual.

J. S.: Y tú, ¿qué opinas?

J. M. F.: Creo que es una tontería, desde luego que sí. Y que no han entendido en absoluto tu ironía y tu cinismo. Pero es un buen momento este para que expliques, tú, no yo, por qué esas acusaciones son una tontería.

J. S.: ¿Sabes qué pasa? Es que me cuesta hablar de las putas porque creo que exprimí el limón en *Una canción para la Magdalena*. Pienso que lo que tenía que decir al respecto ya lo he dicho. Pero, vamos, que he sido putero lo sabe todo el mundo. De hecho, aún me sorprende que no haya aparecido una de éstas en un programa *del corazón*, porque, carajo, hay miles. Creo que no lo han hecho porque son buena gente y saben a quiénes les pueden hacer eso y a quiénes no se les debe hacer. Siempre las he querido, siempre las he respetado, siempre les he pagado el doble de lo que pedían y la inmensa mayoría de las veces no me las he tirado. No por respeto, sino porque yo sé que tampoco son tan vocacionales. Aunque las hay, ¿eh?

J. M. F.: ¿Has conocido a muchas de las que disfrutan haciendo su trabajo?

J. S.: Sí. Las había que se sentían humilladas y jodidas —es un decir— porque no me las tiraba. Como diciendo: «Y aquí ¿qué pasa?»

J. M. F.: Y eso tan literario y terrible a un tiempo de enamorarse de una puta ¿a ti te ha llegado a pasar? Aunque te durase cinco minutos.

J. S.: Sí, con esa que te contaba antes que la llevaba a casa y me ponía a hablar con ella. Por cierto, nunca la toqué y nunca me la tiré. Venía dos horas por la noche y charlábamos. Iba vestida de Chanel y parecía una señorita bien. Cuando me di cuenta de qué iba la cosa, dije «ay». Además, me hizo una confesión maravillosa que nunca olvidaré (para los que creen que no las hay vocacionales): «Siempre, desde que tengo uso de razón, quise ser puta.» Desapareció un día, sin más. Llamé a su madam y nada, no dejó rastro. No sé cómo se llamaba ni me dio su número de teléfono. Pero te diré que ese tipo de aficiones noctámbulas, tabernarias, goliárdicas y puteras las tengo abandonadas rotunda, absoluta y radicalmente. No he perdido la afición, pero ahora estoy ahí metido en un pisito discutiendo conmigo mismo, con quien tengo muchas cosas de que discutir. Pero antes... ¿Te he contado lo del bombero torero? Lo he contado alguna vez, pero ahí va para los que no conozcan la historia. Me cuentan los jovenzuelos que la noche en Madrid sigue siendo interminable, que hay *after hours* y esos sitios de fin de semana de pastilleo en los que la fiesta dura tres días. También me cuentan que hay jovenzuelos sin la mayoría de edad que salen de su casa diciendo que van al colegio y no se meten en *afters* sino en *pre hours*. Es decir, que van a las diez o a las doce de la mañana a un sitio que viene de la noche anterior. Eso también pasaba antes en un local que no era de jovenzuelos, sino que allí se reunía una mezcla de gánsteres, bohemiazos, artistas sin galería y sin editorial, vagos y maleantes, putas en toda regla y putas *amateurs*, chorizos, camellos y lumpen en general. Una mezcla muy interesante que hacía que allí me sintiera como en mi propia casa. Por aquella época yo tenía el siguiente circuito: escribía en casa hasta las tres o tres y media de la mañana, desde después de cenar. A las tres y media me iba a Joy caminando, porque está al lado de mi casa, y cerraban sobre las cinco. De ahí me iba, ya con una basca que iba uno recogiendo, a Pachá. Dos horas después nos echaban de Pachá y, entonces, dependiendo de las épocas, había diferentes tugurios, ya de muy dudosa reputación, y para allá que íbamos. Un día, en uno de ellos, el sitio que te decía antes, que ha cambiado de nombre muchas veces y que está justo enfrente de la estación de Chamartín... No me acuerdo ahora de cómo se llamaba... Presto, sí. Se llamaba Presto.

J. M. F.: Tengo entendido que allí, al menos eso me contó alguien, una noche en que estabas acompañado de unas cuantas putas junto a la pista de baile, sacaste de pronto un fajo de billetes, lo arrojaste a la pista y gritaste, encolerizado: «¿Queréis dinero? ¡Pues tomad el puto dinero!» ¿Es eso cierto? Si lo es, me gustaría que me lo contaras antes o después de la historia que me estabas relatando.

J. S.: Eso es cierto y te lo ha debido de contar mi socio Julio, que se quedó muy escandalizado con aquello. Como estaban jugando con nosotros y yo nunca creí que fuera por mi careto, y sabía el juego que estaban llevando a cabo, les dije: «No os preocupéis, que no queremos follar. ¿Vosotras queréis dinero...?» Eso te lo ha debido de contar mi socio Julio, porque nadie más estaba allí. En fin. Te decía que una noche, en esa misma discoteca, ocurrió eso que pasa a veces, que te vas quedando y quedando y quedando sin decidirte a marcharte a casa. El caso es que ya eran las doce de la mañana y quedaba sólo una puta de unos cincuenta años, bastante ajada. Bien es verdad que la iluminación del Presto maquillaba ese tipo de cosas, y el alcohol también. Entonces nos miramos y nos dijimos: «¿Qué hacemos?», y ella me propuso que la acompañara a tomar una copa y yo le dije que sí, que encantado. «¿Me puedo llevar a un amigo?», me preguntó de pronto, y yo: «Naturalmente.» El caso es que el amigo era el enano del bombero torero. Así que, en alegre procesión y silbando una alegre cancioncilla, la chica, el amigo y yo nos montamos en un taxi y nos dirigimos, con una alegría digna de mejor causa, a unos apartamentos por horas de Capitán Haya. Quisiera tener un vídeo de lo que vio el portero cuando entramos: la puta crepuscular, el enano del bombero torero y yo con esa cara de «no estamos borrachos y esto no es lo que parece». Pedimos champán y nos tumbamos en la cama a bebérnoslo y a discutir sobre cosas que ahora no te sabría decir. Sí recuerdo que la puta me atacaba y yo no me defendía [risas]. Y hubo un momento en el que me di cuenta de que habíamos alcanzado tal grado de descontrol y de desastre, que me dije: «Como te descuides, Joaquín, el enano te echa un polvo» y, en una brizna de la poca sensatez que me quedaba, me levanté con la excusa de ir a mear y me largué de allí a la francesa. Ya en el taxi, camino de casa, pensé: «¡Dios mío de mi vida!» Debían de ser ya las tres de la tarde. Imagínate la cara que ponían los taxistas cuando me veían en semejante estado. De hecho, Gurruchaga me contó un día, porque él también era de taxistas pues tampoco ha tenido nunca coche y también era noctámbulo, que había cogido un taxi y le había dicho el taxista (serían las doce del mediodía): «¡Joder! Acabo de llevar a su amigo Sabina. ¡Iba con una chica que le estaba echando una bronca...!» Bueno. El caso es que la mañana del enano del bombero torero, cuando por fin llegué a casa, pensé: «Hogar, dulce hogar.» Sentí el calorcito de la calefacción, me di una ducha y, al meterme en la cama, noté en mi piel el roce de las sábanas limpias. Y eso fue, te lo juro, como una vuelta a la civilización.

»Te contaré otra anécdota muy graciosa. Como bien sabes, en *Una canción para la Magdalena* hay unos versos que dicen: «Y si la Magdalena pide un trago / tú la invitas a cien que yo los pago.» Bueno, pues al poco de editarse el disco recibí una carta, con toda la solemnidad del mundo y sin el más mínimo sentido del humor, de un bufete de abogados de Bilbao. Y un tipo me decía: «Ayer fui al puticlub equis y estuve con la Magdalena. La invité a unas copas. Cumple tu palabra», y me mandaba una factura. Creo que no se la había tirado, porque eran quince mil pelas o así, y eso son cuatro benjamines [botellines de cava]. El caso es que le mandé el dinero con una notita. Un verso de Brassens que dice: «La menor reincidencia rompería el encanto.»

13

NI DIOS NI PATRIA NI REY
(LA POLÍTICA)

¿Y si te quitas el jersey
y nos sacamos otra ley
del sombrero?

Locos de atar
(El hombre del traje gris)

«Lo primero que se me ocurre al pensar en política es "caca". Lo segundo, que es algo demasiado importante para dejarlo en manos de los políticos.» «No es cierto que Alberto Ruiz Gallardón y yo no nos parezcamos en nada: a ninguno de los dos nos quieren en el PP.»

Desde que en 1968, cuando era estudiante universitario en Granada, colocó un artefacto explosivo en una sucursal bancaria en protesta por el Proceso de Burgos,[36] *kalebo-*

36. El 28 de diciembre de 1970 se dictaron en la ciudad de Burgos las sentencias del controvertido juicio conocido como Proceso de Burgos, en el que fueron juzgados varios activistas de la banda terrorista ETA. El saldo fue de nueve condenas a muerte, quinien-

rrokada anterior a la *kale borroka* que le obligó a poner proa al Reino Unido —aunque él prefiera decir «exiliarse»—, donde ya se sabe que residió por espacio de siete años, Joaquín ha apoyado con su nombre, y a veces incluso con sus vísceras, más que ideas o partidos políticos, causas perdidas y a personas afines o que por algún motivo merecen su admiración.

Dentro de las primeras, las causas perdidas, destaca su activa participación en las manifestaciones que se celebraron en Madrid entre 1985 y 1986 en protesta por la permanencia de España en la OTAN, y de forma más reciente —aunque ésa finalmente fue una causa ganada— su presencia en muchas de las movilizaciones que tuvieron lugar en nuestro país en contra de nuestra intervención en la aún abierta guerra de Irak.

Y en cuanto a las segundas, las personas, a pesar de haber sido siempre en exceso crítico con el modo de gobernar del PSOE, algo de lo que muchos parecen no haberse enterado todavía, pues le han asociado errónea e injustamente a esas siglas en múltiples ocasiones, no ha

---

tos años de prisión y una multa de un millón y medio de pesetas. Sin embargo, el general Francisco Franco, jefe del Estado español, espoleado por la enorme presión internacional, decidió indultar in extremis a los condenados. No se mostraría en cambio igual de piadoso cinco años más tarde, cuando tan sólo dos meses antes de su muerte ordenó la ejecución de cinco hombres, dos integrantes de ETA y tres del FRAP (Frente Revolucionario Antifascista y Patriótico). El fusilamiento, tras un consejo de guerra sumarísimo, levantó una ola de indignación en las principales capitales europeas. Mientras que en París una multitudinaria manifestación provocó graves disturbios y en Lisboa, tan amantes ellos de los claveles, llegaron a incendiar la embajada española, el agónico Régimen franquista convocaba una manifestación de apoyo al Caudillo en la madrileña plaza de Oriente.

dudado, cuando la situación lo ha requerido, en apoyar a algún renombrado amigo socialista. Como cuando en 1986 salió a la plaza pública para recabar el voto para Juan Barranco, candidato a la alcaldía de Madrid.

Pero si hubo un político con el que llegó a caérsele literalmente la baba, ése fue un señor de Córdoba con cara de moro Muza, verbo florido y fijación por las pinzas.

Tan fuerte le dio con el personaje en cuestión, que incluso llegó a ser el elegido por éste para leer el discurso de cierre de campaña electoral que el susodicho había redactado para las huestes de simpatizantes de su formación política, Izquierda Unida, en 1993, debido a que un infarto que se quedó en un simple susto le impidió hacerlo a él mismo.

Mucho ha llovido desde entonces. Y aunque sentimentalmente su corazoncito sigue decantándose por el lado de los que más a la izquierda se sitúan dentro del espectro político nacional, en las últimas elecciones generales se vio en la obligación de secundar eso que llaman el voto útil y volvió a entregar su valiosa papeleta a sus enemigos íntimos, los socialistas, para descabalgar del poder a la derecha.

No obstante, ni que decir tiene que ya no es aquel veinteañero romántico que lanzaba cócteles molotov en nombre de un mundo mejor y de la cándida adolescencia. Los otoños, como a su querida Chavela Vargas, le han ido dorando la piel, endureciéndole el corazón y afilándole hasta lo indecible el escepticismo. Que, aunque en él sea congénito, es una enfermedad no necesariamente maligna que suele manifestarse con la edad, como las arrugas o el desdén hacia el cónyuge.

Políticamente sigue teniendo muy claro, por tanto, dónde tiene que estar y con quiénes. Y, desde luego, en qué conciliábulos ni loco y con qué personajes ni por todo el oro del mundo.

Pero entusiasmo, lo que se dice entusiasmo, *rien de rien*.

J. M. F.: Hablemos de política, Joaquín.

J. S.: Sí, hablemos. En mi opinión, estamos viviendo uno de los momentos más cruciales desde que tengo memoria. Y mira que han pasado cosas: la guerra de Vietnam, la caída del Muro de Berlín... Pero lo que ha ocurrido en Estados Unidos, en Bagdad, en Atocha y en el mundo entero desde el 11-S para acá, y meto en ese saco a Aznar, a Bush, a Blair y a todos esos hijos de puta, me parece muy grave. Es decir, el asalto al poder del fundamentalismo cristiano-petrolero de Bush y sus amigos me parece una amenaza gravísima para la humanidad. La no firma de los protocolos de Kyoto, la retirada de impuestos a los ricos, la desprotección sanitaria absoluta más el boicoteo a la ONU, que era una mierda de garantía pero era la única que teníamos, me parece, en fin, muy grave. Bien es verdad que el mundo ha reaccionado, pero lo ha hecho tarde. Creo que todo lo que estamos leyendo estos días en la prensa, esos artículos que apoyan a Kerry, está llegando demasiado tarde. En cualquier caso, de lo que no me cabe la menor duda es de que la batalla electoral que se está viviendo ahora mismo en Estados Unidos le importa muchísimo al mundo.[37]

»Me gustaría añadir que este país, en el que yo ya no

37. Las elecciones a las que alude Joaquín se saldaron con el triunfo de los republicanos, esto es, de Bush. El cantante, cariacontecido, escribía en su página semanal de *Interviú*, bajo el título *Tejana balada triste*: «... A pesar del pesar de la Historia, / Oklahoma no tiene memoria, / pese al gordo bufón Michael Moore. / A pesar de Saigón e Hiroshima, / a pesar de Guantánamo, prima / Kerry palma por órdago al mus, / me cago en Bush...»

depositaba ninguna esperanza, dio un ejemplo al resto del planeta muy difícil de olvidar. Estoy hablando, por supuesto, del noventa por ciento de la población en contra de la guerra de Irak —y diciéndolo en la calle, sin hacer seguidismo a ningún partido—, de la solidaridad con las víctimas de Atocha, de lo que pasó en esos tres días que conmocionaron al mundo antes de las elecciones y del posterior y sorprendente vuelco electoral.

J. M. F.: ¿Políticamente hemos entrado ya en el siglo XXI?

J. S.: Sí. Creo que la guerra de Irak es el comienzo del siglo XXI.

J. M. F.: Más bien el 11-S, antecedente de esa guerra.

J. S.: Sí, sí, ahí empieza de verdad el siglo XXI. Y Bush, después de ver *Fahrenheit 9/11*, del hermoso gordo Michael Moore, me parece una amenaza casi tan grande como la de Hitler. Por otros métodos, pero también hay que decir que *Jorge* y su círculo de hijos de puta tienen mucho más poder del que nunca tuvo Hitler. Además, cuentan con un país seriamente analfabeto que tiene el presidente, mucho me temo, que se merece. Pero a esos analfabetos los ha hecho alguien, ¿no? No surgen por generación espontánea.

J. M. F.: Antes, mientras comíamos y leíamos la prensa, coincidías con lo que decía Carmen Rigalt en un artículo: que dado que careces, entre otros avances tecnológicos, de móvil e Internet, eres un auténtico ciudadano del siglo XVI. ¿Cómo se siente alguien del siglo XVI con una política de ciencia ficción como la del siglo XXI?

J. S.: Desde luego, no pienso que cualquier tiempo pasado fuera mejor, pero sí creo, y lo dice todo el mundo, que el siglo XXI se resume con la frase «el poder está en la información». Como eso es así, yo quiero estar del lado de la información más pensada y con más matices, que son los periódicos y los libros. Es decir, tengo la sensación de que sin Internet y sin teléfono móvil, a pesar de que son muy importantes, no me estoy perdiendo casi nada. Digo *casi*.

J. M. F.: Sin embargo, en el ámbito político esa información no siempre, o más bien casi nunca, es real. Es la que quieren darnos y la que les interesa que nos creamos. Hay una manipulación informativa insoportable.

J. S.: Bueno, sí, desde luego. Pero esa manipulación informativa se está dando claramente en la televisión y en la radio, y por último en la prensa escrita. Sin embargo, creo que los libros se escapan a eso por muchas razones. Principalmente, porque se trata de cosas pensadas, escritas, reescritas y corregidas, y uno sí ha aprendido con los años a saber buscar los libros que quiere leer.

J. M. F.: Antes de seguir, quisiera que te definieras políticamente de una vez por todas. Algo que, aunque a algún lector le pueda parecer extraño, nunca has hecho. Porque a ti, aparte de rojo, que es genérico, te han llamado de todo: anarquista, comunista, marxista... En cualquier caso, te voy a leer un par de declaraciones tuyas que, creo, pueden arrojar luz sobre la opinión que te merece la política —o mejor sería decir los políticos profesionales— y sobre tu adscripción a un movimiento político concreto: «Detesto desde el fondo de mi corazón la política. Tanto, que creo que no puede dejarse en manos de los políticos profesionales: tenemos que ocuparnos los propios ciudadanos», y: «Los míos no existen ya, a los míos los quiero siempre en la oposición. Yo soy ácrata. No he votado nunca por eso.» ¿Lo suscribes?

J. S.: Lo suscribo. Es más, no sólo lo suscribo sino que creo que si hoy por hoy existe de verdad un cáncer que está haciendo la vida realmente invivible es que la selección de mandos, tanto en las multinacionales como en la política, está propiciando que los que más alto lleguen sean los Acebes y los Bush. Me refiero a los más tontos de la clase. Porque los más listos, como ya hemos dicho antes, hace tiempo que han dimitido porque no quieren saber nada de esa política bochornosa que no le llega a Maquiavelo ni a las uñas de los pies. Esa política atroz de pasillos, de conspiraciones y de puñaladas traperas por la espalda.

J. M. F.: ¿Ángel Acebes, ex ministro del Interior del PP —el discutido ministro del Interior durante la crisis del 11-M—, es, según tú, el más tonto de la clase?

J. S.: En mi opinión, Acebes es el más tonto de la clase, sí, y Bush también. En el caso del segundo no es solamente en mi opinión, sino que basta con consultar las hemerotecas para constatar que es así.

J. M. F.: Sin embargo, Acebes es, hoy por hoy, una de las piezas fundamentales dentro del organigrama del PP.[38]

J. S.: Es que el PP es un horror de partido. Hubo un momento en el que el PP refundado, con Aznar en la oposición, sirvió para que la derecha española no se echara al monte. Pero ahora está en el monte. O sea, el PP está en el monte.

»Ah. Me quedaba por decir una cosa. Firmo todo lo

38. En julio de 2005 unas declaraciones del actual presidente del PP en Cataluña, Josep Piqué, levantaron una gran controversia. En ellas aseguraba que había llegado el momento de abrir una nueva etapa para presentar una alternativa firme al PSOE, y para ello era preciso que gente como Ángel Acebes y Eduardo Zaplana, «que conecta con el pasado», abrieran la puerta a otras voces del partido. Más claro, *water*: la derecha rancia, a la puta calle. Sin embargo, debido a que el jefe, Mariano Rajoy, terció asegurando que los citados Acebes y Zaplana gozaban de su total confianza, Piqué no tuvo más remedio que inclinar la cerviz y pedir disculpas a los aludidos. Mas ahí queda eso.

que has dicho antes, pero me faltaba decir que lo que yo soy es rojo. Dicho en el sentido en el que lo dice Eduardo Haro Tecglen, en el sentido en el que lo decían los rojos de la Guerra Civil, que no eran ni comunistas ni anarquistas. Eran rojos. Para mí eso viene de la Revolución Francesa: libertad, igualdad y fraternidad. Es que no quiero utilizar la palabra "progresista" porque los hijos de puta de la derecha la han cubierto de mierda. Y tampoco me parece una palabra bien traída. ¿Progresista? No. Rojo.

J. M. F.: Tu querido Aute me decía hace poco que en España hay en estos momentos un ambiente claramente guerracivilista. Sin embargo, también afirmaba que así como se puede seguir hablando de fachas, ya no se puede hablar de rojos en el sentido estricto del término.

J. S.: Comparto lo del ambiente guerracivilista, pero en cuanto a lo de rojos y fachas, sí creo que se puede hablar aún de las dos cosas. Por ejemplo: Eduardo Haro Tecglen es rojo; Campmany [cuando tuvo lugar esta charla ninguno de los dos había fallecido aún] es facha. Jiménez Losantos es facha. Albiac también.

J. M. F.: En el caso de algunos de ellos, con un pasado claramente de izquierdas, ahora que pertenecen a una derecha sin paliativos ¿se puede decir que son más papistas que el Papa?

J. S.: A mí es que me duelen mucho los recién conversos. Los que tienen el entusiasmo del recién converso. Los que vienen de la izquierda y del PCE, como es el caso de César Alonso de los Ríos, o los que vienen del anarquismo, como es el caso de Albiac. Discípulos de García Calvo y de Savater. Savater tiene bastantes más razones para decir lo que le parezca porque va a todos los sitios con escolta, con dos policías.

»Pero es verdad que a Jiménez Losantos lo queremos

metido en un aprieto. No pongas risas, por favor. No se te ocurra poner, aquí, risas.[39]

»Y ya que antes has leído un texto que suscribo, y en el que digo que no voto, y es verdad, también lo es que en las dos últimas elecciones que ha habido en este país he salido a la plaza pública. En las generales que ganó Zapatero, salí a apoyarle antes del atentado de Atocha, y luego, para las europeas, apoyé a Izquierda Unida. A mí no me parece que eso sea una incoherencia, aunque a mucha gente se lo parezca. Creo que el objetivo era echar a Aznar, de todas las maneras, y lo conseguimos. Además, no fui el único que para ello decidió usar esa ordinariez del voto útil. Esta mañana he oído decir a mi amigo Arturo

39. Joaquín le dedicó unos versos en su tribuna semanal de *Interviú* al citado Losantos titulados *Por todos Losantos* (octubre de 2005), los cuales reproduzco, íntegros, por su interés: «Ese Jiménez / que asusta a los nenes, / ese Losantos / curado de espantos / triste bragueta, / ese mañico, / ese don Federico, / tañe el cencerro / en las bodas de hierro / de Labordeta. / A ese grumete / ni dios se la mete, / a ese tribuno / tan suyo, ninguno / lo ningunea, / los liberales / son tal para cuales, / viven soñando / que triunfan bailando / con la más fea. / Esa ladilla / entre Ceuta y Melilla / tira con bala, / salpica, señala, / tonto por ciento; / Rouco Varela / lo absuelve, lo encela, / su yo profundo / es la Cope y *El Mundo* / su sacramento. / Ese profeta / de guerras probeta / no se merece / lo poco que crece / puntito y coma. / Los catalanes / no son talibanes / ni Zapatero, / el bombero torero, / ni esto Sodoma.» Por su parte, Jiménez Losantos, en sus «Comentarios liberales» del diario *El Mundo* (21-3-2006), en una columna en la que denunciaba al represivo e inadmisible régimen castrista, escribía: «[...] No más profunda que la lucha por la dignidad, esa que en la Cuba cautiva de hoy, cantada por los chequistas folclóricos a lo Sabina y escoltada por los chequistas políticos a lo Zaldívar, Llamazares o Zapatero, protagoniza un señor llamado Guillermo Fariñas, un disidente que lleva un mes en huelga de hambre para pedir el derecho de conectarse libremente a Internet.»

González una cosa muy graciosa que yo también firmo: "Estoy muy preocupado porque Zapatero lo está haciendo tan bien y tiene tanto éxito que en las próximas elecciones va a tener mayoría absoluta. Y yo no quiero que la tenga." Bueno, pues yo tampoco quiero. Y vuelvo, otra vez, al texto que me has leído. Creo que la izquierda debe estar en la oposición o, al menos, en un Gobierno de minoría. Los Gobiernos de mayorías absolutas, perdone usted que vaya a vomitar porque me estoy acordando de Felipe González.

J. M. F.: La frase es buena. Pero, en estos tiempos bipartidistas, si la izquierda está en la oposición es la derecha la que a la fuerza gobierna. ¿Es eso lo que deseas? Lo has sufrido durante ocho años y medio... Bueno, a decir verdad la primera legislatura del PP no la sufriste tanto. No estabas tan a disgusto.

J. S.: Ni yo ni nadie. Tan es así, que después eligieron a Aznar por mayoría absoluta y ahí empezaron los problemas.

J. M. F.: Como pasó, salvando todas las distancias, con Hitler.

J. S.: Sí, como con Hitler. Por cierto, no como con Bush, que robó unas elecciones. Los problemas con el PSOE también vinieron cuando obtuvieron dos mayorías absolutas seguidas y Felipe dijo: «Estamos aquí para quedarnos cien años», creyendo que podían hacer lo que les diera la gana. Luego está bien que haya un contrapeso.

»Ah. Que sepas que en el referéndum de la OTAN, yo y otros muchos sospechamos que hubo pucherazo. Y si no hubo pucherazo, desde luego hubo un chantaje a la gente in-so-por-ta-ble.

J. M. F.: En las elecciones municipales y autonómicas de 2003, los periódicos recogieron el veto que, en el transcurso de un acto convocado por un centenar de artistas bajo el lema de «Otro Madrid es posible, vota a la izquierda», le hiciste a José María Mendiluce, el candidato de Los Verdes, allí presente, con aquello de: «Sólo te dejamos hablar si es para anunciar la retirada de tu candidatura.» El propósito era que sus votantes, y los votantes de todas las formaciones de izquierda, fueran a parar a las filas del PSOE —el voto útil— y de ese modo mandar a la derecha a hacer banquillo a la oposición de una vez por todas. Con aquello te sumaste a ese grupo de «progresistas» que hace un rato rechazabas por lo manoseado del término.

J. S.: Eso fue una tontería. Yo pasaba por allí. La televisión y el propio Aznar, en los mítines, que me nombró, me dieron una importancia que no merezco. Yo, insisto, pasaba por allí. Mis amigos me animaron para que fuera con los llamados intelectuales o artistas a apoyar a la izquierda. El documento que leí, al que le di mi apoyo y por el que fui allí, decía que no estaban invitados los líderes de ningún partido. Cuando llegamos estaba Mendiluce, y entonces hubo unos corrillos y me dijeron: «Este cabrón, que sabe que no están invitados, ¿qué hace aquí?» Resulta que me tocó hablar en el momento en que Mendiluce pidió la palabra y yo le dije, con tono de absoluta broma, que sólo se la daba si renunciaba a su candidatura. Eso se sacó de quicio en el sentido de que yo le impedí hablar a Mendiluce, lo cual es una perfecta tontería. ¿Tú en verdad me imaginas a mí negándole la palabra a alguien?

J. M. F.: Dejémoslo así. Por cierto, no deja de resultar curioso el que cuando columnistas como por ejemplo Umbral, tu admirado Umbral, citan al PSOE, incluyan en el acto tu nombre como simpatizante de ese partido. O te han seguido poco, o no tienen ni idea de lo que hablan.

J. S.: Desde luego. Y muchos mienten como bellacos. Tú has visto mi archivo de prensa y has leído tres o cuatro artículos en los que un nieto narigón de Muñoz Seca

[Alfonso Ussía] dice que he estado en Marruecos cobrando de no sé quién y que he estado haciendo una campaña electoral cobrando no sé cuánto. Eso es simple y llanamente mentira, calumnia, infamia. Por cierto, por seguir hablando del PSOE de Felipe González: que sepas que una vez me ofrecieron un pastón por hacer campaña en el País Vasco y cantar para el PSOE. Lástima que yo ya me había comprometido, gratis total, con la Euskadiko Ezquerra (EE) de José María Bandrés.[40] Así que dejé de ganar un dinerito. Pero eso no me sirvió para nada porque el nieto narigón de Muñoz Seca dijo lo que me estaba pagando el PSOE sin querer enterarse de que yo estaba *de gratis* para Bandrés.

J. M. F.: Llamaste a Felipe González el *Señor X* (el responsable máximo de los GAL, el cerebro en la sombra), y lo pusiste a prueba con un desafiante: «Asumo las querellas que me pueda poner.»

J. S.: Sí, y no se querelló. Y además hace poco me invitó a cenar y, naturalmente, no fui. Eso tampoco le ha impedido al nieto narigón de Muñoz Seca decir que yo era asiduo de La Bodeguilla,[41] cuando yo nunca pisé ese sitio. Jamás.

40. El apoyo de Sabina a José María Bandrés —quien casualmente cumple años el mismo día que Joaquín, el 12 de febrero, al igual que Javier Gurruchaga y el escritor y periodista Ángel Antonio Herrera— se dio en las elecciones vascas de 1986. El cantante reescribió para la ocasión la letra de la entonces celebérrima *Pongamos que hablo de Madrid*, cuyo título pasó a ser *Pongamos que hablo de Bandrés.*
41. La Bodeguilla era una especie de chiringuito que Felipe González se habilitó en La Moncloa y en el que recibía a artistas, intelectuales y políticos afines. A diferencia de las revueltas estudiantiles del 68, en las que nadie estuvo pero todos aseguran haberlas vivido en primerísima línea, fueron legión los que frecuentaron La Bodeguilla, pero hoy ninguno lo recuerda.

J. M. F.: ¿Qué opinión te merece el entorno de Felipe González?

J. S.: Detestable. Me parece que arruinaron y llenaron de mierda las esperanzas más nobles de la izquierda de este país, que llevaba muchísimos años soportando el franquismo y que hizo un esfuerzo por no ser cainita durante la Transición y no recuperar la memoria. No se persiguió a nadie y nadie tuvo que ir a declarar nada. Todo eso se enterró y luego vino un Gobierno de izquierdas por primera vez desde Azaña, con una mayoría de votos que no se había conocido en la Europa occidental nunca, y acaba con Roldán, con Mario Conde, con el marido de la joven y guapa escritora uruguaya Carmen Posadas [el ya fallecido Mariano Rubio, ex gobernador del Banco de España], con Barrionuevo, con Amedo... Nunca perdonaré a la gente que hizo eso.

J. M. F.: ¿Le hicieron un mayor daño al país que el último Aznar?

J. S.: En mi opinión, mucho más. De hecho, la gente no votó a Aznar; la gente votó *contra* Felipe González. Para que se fuera(n) de una vez.

J. M. F.: Del mismo modo que en las últimas elecciones generales [2004] se votó contra Aznar.

J. S.: Sí, sí. Pero yo llevo en el bolsillo un cheque en blanco y por lo pronto sigue siendo para Zapatero.

J. M. F.: En cualquier caso, resulta descorazonador que en política se tenga que votar *contra X* y no *a favor de X*. ¿No es una aberración?

J. S.: En mi opinión eso tiene muchísimo que ver con lo que decíamos antes: que es muy sospechoso que alguien sea presidente o secretario general de un partido. Es decir, si alguien ha llegado a secretario general de un partido, ese alguien, para mí, se convierte automáticamente en sospechoso. Y con esto volvemos otra vez al sistema de selección de los grupos directivos, que me parece que está podrido en su esencia. Por eso creo que nunca más vamos a volver a votar a alguien con entusiasmo, sino tapándonos un poquito la nariz. Bien es verdad, y vuelvo a insistir, que por alguna extraña razón me tiene comprada un poquito la voluntad «el hombre que hace zapatos», como diría García Márquez. Le encuentro una rara nobleza. Además, llegó al poder de un modo rarísimo. No sólo en las últimas elecciones, sino al poder de su propio partido, en un congreso muy raro [Zapatero venció contra todo pronóstico a su rival, José Bono, a quien luego nombraría, tras ser elegido presidente del Gobierno, ministro de Defensa]. Por lo pronto, Zapatero tiene mi mano y me tomo una caña con él encantado. Por lo pronto. ¿Acabará defraudándonos? Es muy probable.

J. M. F.: A pesar de tu fe en Zapatero, tu visión del panorama político actual es en exceso fatalista. Definiéndote liberal, marcadamente de izquierdas, rojo, reconoces, no obstante, que siempre que la izquierda gobierne nos acabará defraudando. Aquello tan sabido de que el poder corrompe, lo ostente quien lo ostente.

J. S.: Bueno, bien. Sin embargo, dentro de ese fatalismo, que no tiene que ver con la izquierda sino con la composición de los partidos y con la fragilidad y la asombrosa burocratización de las democracias occidentales —por citar algo, las listas cerradas, que me parece que eso no se lo come nadie—, soy muy optimista, o un nuevo optimista, a partir de las movilizaciones que hubo en España contra la guerra de Irak y a partir de lo que pasó en las elecciones. Me pareció algo muy hermoso. Yo me acordaba del «no pasarán» y del Madrid de la Pasionaria. Creo que eso no lo hemos repensado, pero lo que pasó aquí fue algo realmente maravilloso. Incluida la barbarie y la sangre de los atentados y el modo en que la gente estuvo con las víctimas y sus familias. Al día siguiente hubo una manifestación, con todo el Gobierno delante, y a los tres días la gente sabía muy bien lo que tenía que hacer. Me parece que nos dieron una lección impresionante. Para mí, desde luego, inolvidable.

J. M. F.: Viajemos, si te parece, al pasado. En 1986 apoyaste públicamente a Juan Barranco, candidato del PSOE para la alcaldía de Madrid. ¿Las personas por encima de los partidos?

J. S.: [Abre los brazos y esboza una de esas sonrisas suyas de corsario a las que sólo les falta un destello de plata en un diente para ser de película.] Era mi amigo. A eso contesto exactamente igual que García Márquez cuando le dan el coñazo, porque se lo dan hasta el extremo, con Fidel Castro. Él sólo dice: «Es mi amigo.»

J. M. F.: Y ¿mantienes, hoy por hoy, algún tipo de contacto con ese amigo?

J. S.: Sí, lo veo a veces. Últimamente quiere llevarme a comer o a cenar, no sé por qué, con Rodríguez Ibarra. Y yo le he dicho que sí, pero le digo que sí cada año y luego no voy. A Juanito Barranco le tengo mucho cariño. Es alguien a quien maltrataron muchísimo porque, y ahí sí tenía razón Alfonso Guerra, no venía de las clases dirigentes.

J. M. F.: Llevándolo al extremo, ¿se puede decir que Barranco ha sido un fracasado en política?

J. S.: ¿Cómo va a ser un fracasado un tipo que ha sido alcalde de Madrid? Es decir, ni en los sueños más diabólicos del niño Juanito Barranco cabía esa posibilidad. Lo que ocurre es que él estuvo emparedado entre Tierno Galván y Álvarez del Manzano, y eso es terrible. Tampoco nos acordamos de Rodríguez Sahagún. Yo creo que Barranco fue un buen alcalde, lo que pasa es que acabábamos de enterrar a Tierno Galván. Y Tierno —que no hacía nada, las cosas las hacía Juanito Barranco— le llamaba Juanito *precipicios*. Aunque hay que reconocer que Tierno Galván tenía un gran empaque de torero viejo y un aroma maravilloso.[42] Barranco fue alcalde de Madrid, por un lado, en un momento bueno, puesto que coincidió con las mayorías absolutas del PSOE, pero, por otro, en un momento malo, porque empezó la guerra contra el *guerrismo* [sector del PSOE afín a Alfonso Guerra, vicepresidente del Gobierno desde 1982 hasta 1991] y él era *guerrista*. Tú me has preguntado antes si era un fracasado. Claro que no. Sigue siendo senador o no sé qué. Pero sí es verdad, y sé que vas por ahí, que luego fue muy ninguneado. Es decir, que las clases también existen en el interior del PSOE y en el interior de los partidos de izquierda. Y tanto Alfonso Guerra como Juanito Barranco han sido vistos siempre con mucho recelo porque

42. En el vigésimo aniversario de la muerte de Tierno Galván, los dirigentes del Partido Socialista de Madrid (PSM) y de su grupo municipal rememoraron su figura en un acto de homenaje que se celebró en el Círculo de Bellas Artes de Madrid, y para el que Sabina escribió unos versos —*Bulerías del viejo profesor*— que fueron declamados por el actor José Coronado. Helos aquí: «Verbo florido, / profesor letraherido, / santo pagano, / cínico y tierno, / con su traje de invierno / en pleno verano. / Patrón del foro, / colocarse y al loro, / doña Encarnita, / ciclón en calma, / corregidor del alma / del coleguita. / *A la bin, a la ban, / Tierno Galván.* / Que viene el sida, / virrey de la movida / de la bragueta, / Susana Estrada / le tiende una emboscada / con una teta. / Toreo de capa, / le gana un quite al Papa, / por latinajos, / los gallardones / prefieren los visones / a los andrajos. / *Obladín, obladán, / Tierno Galván.* / Voces inanes, / udoses, peter panes, / musas en celo, / qué desmesura, / qué bajo en las alturas, / qué desconsuelo. / Príncipe Pío / contra el malabajío / de la almohada, / flan con chorreras, / otoños, primaveras, / menos es nada. / *A la oui, a la rien, / Tierno Galván.*» En dicho acto, Juan Barranco destacó el carácter «libertario y anarquista» de su predecesor.

no son abogados, porque no son *hijos de*. Hay una anécdota muy graciosa de algo que le dijo Felipe González a Mario Conde: «Mario, tú y yo nos parecemos en una cosa, en que los dos somos negros; y nos diferenciamos también en una, en que tú crees que eres blanco.» Tenía razón Felipe: los dos eran negros, pero Felipe lo sabía y Mario Conde no. Por cierto: yo soy negro. ¡Y lo sé pero vamos...! Es decir, muchas veces, entrando con mi maletita en un hotel o yendo a una fiesta o a un restaurante, te juro por mis hijas que pienso que no me van a dejar entrar. Lo pienso en un segundo. Pienso que en cuanto me vean, me echan a patadas seguro. Y también me hace disfrutar muchísimo ver —y de eso ya hemos hablado— que estoy en sitios donde nunca me consideré invitado. Eso alimenta mi narcisismo de impostor y me gusta mucho.

J. M. F.: Volvemos de nuevo a la impostura y a la fama.

J. S.: A la gente le da igual Kiko Matamoros que Joaquín Sabina. Ahora, eso es a los ojos de la plebe. Yo tengo otro público al que considero muy cómplice y con el que se establece una relación muy de tú a tú. Y a eso no renuncio de ninguna de las maneras. Yo no soy Espinete ni ese que se follaba a Marujita Díaz. Ni el que le pegaba unas hostias a la hija de Antonio Ordóñez.

J. M. F.: Retomo la política. Si has llegado a mantener una auténtica relación de amor con un líder político, ése ha sido, sin duda, *El Califa*, Julio Anguita, ex coordinador general de Izquierda Unida. A quien le dedicaste, amén de mucho tiempo y saliva, y apoyo y admiración, un soneto. Un soneto muy valioso puesto que en aquel momento lo de dedicar sonetos a los amigos no era, como ahora, tu pan nuestro de cada día.[43]

43. «Hoy doblan las campanas a rebato, / Córdoba ya no está lejana y sola / desde que tiene un socio candidato / al califato de las

J. S.: Es que Anguita, en su momento, me pareció que era la voz que clamaba en el desierto. Y me pareció que pagó muy caro eso. Era un tipo que hablaba con la moral y la ética por delante, como un maestro de escuela, cosa que le reprocharon muchísimo, y decía verdades como puños. Y todo eso que dijeron entonces de la pinza que hacíamos los de Izquierda Unida con la derecha, pues yo no sé si era pinza o no, pero desde luego a mí me parecía que no se podía soportar la tergiversación y la peste que despedía el último Gobierno de Felipe González. Entonces Anguita salía ahí, con su cara de maestro de pueblo discípulo de Pablo Iglesias, con el dedo así, arriba, admonitorio, y echaba unos discursos estupendos y la gente o se dormía o salía al bar del Parlamento o al día siguiente lo ridiculizaban en la prensa.

J. M. F.: Estás diciendo que fue un político claramente atípico.

J. S.: Absolutamente. Yo lo sigo amando. Ahora, no sólo lo maltrataron de un modo feroz sino que, incluso, lo han hecho viudo de hijo. Es el colmo. El día que me enteré de que habían matado en Irak a su hijo, me pareció el colmo de los colmos.[44]

J. M. F.: ¿Lo llamaste para darle el pésame?

J. S.: Lo llamé esa misma noche, sí. A las dos horas de

amapolas. / La Bética de aceite y fandanguillo, / la de Averroes, Séneca, Adriano, / la que bordó un encaje de bolillos / con judíos, moros y cristianos. / El moisés de mis sueños andaluces, / la que iba cinco siglos por delante / de la Europa del siglo de las luces. / La sultana que adorna su mezquita, / con naranjas de seda de turbante, / cuando sale a votar a Julio Anguita.»

44. Julio Anguita Parrado, periodista e hijo del ex coordinador general de Izquierda Unida, falleció en Bagdad el 7 de abril de 2003, mientras llevaba a cabo la cobertura informativa de la guerra de Irak para el diario *El Mundo*. Tenía sólo treinta y dos años.

enterarme, llamé a Rosa Aguilar, alcaldesa de Córdoba y amiga mía, y me lo puso a los treinta segundos. No sé qué le dije, pero él estaba absolutamente entero, como se le vio en el entierro. Ése sí que es del siglo XVI.

J. M. F.: Y ¿cómo hay que interpretar la mención que haces de él en *Como te digo una co te digo la o*, cuando dices: «Desengáñate, / será muy honrao, / no digo que no / y trabajador / y pico de oro, / pero desfasao»?

J. S.: Es que quien habla no soy yo, es una señora. Y las cosas que dice esa señora sobre, por ejemplo, Cuba, no son las que yo pienso. Dice: «Y no vuelvo más», y yo he vuelto a Cuba sin parar. Por cierto, alguna vez, en Cuba, alguien me preguntó: «¿No decías que no volvías más?», confundiendo las voces. No, no, no. Eso es una novela, no un poema, y quien habla desde luego que no soy yo. Creo que es la única vez en mi vida en la que he conseguido hacer una canción en la que no hablo yo, de verdad. Es más, el ochenta por ciento de las cosas que dice esa señora yo no las comparto.

J. M. F.: De cualquier forma, resulta cuando menos chocante que esa voz, que dices no es la tuya sino la de una «señora», mencionara a Anguita, porque, si no me equivoco, por aquel entonces [1999] él ya no estaba en la primera línea de la política nacional.

J. S.: Sí debía de estar Anguita, porque si no, no lo hubiera mencionado. O quizá sí cuando escribí la canción y no cuando se dio a conocer. ¿Sabes, por cierto, dónde la escribí? Me fui al que es, tal vez, el hotel más bonito del mundo, La Mamounia, en Marrakech. Fui cuatro días con mi novia de entonces y la grabé yo solito con un casete.

J. M. F.: Estamos hablando de políticos, Joaquín, de aquellos que administran el poder. ¿Los intelectuales y los artistas son, sois, hoy, el quinto poder? ¿Se podría hablar de otro omnipotente *lobby* como el de la prensa?

J. S.: [Largo silencio.] Es una pregunta bien complicada. Tendría que pensarlo mucho. A bote pronto, se me ocurre que los intelectuales y los artistas, a cortísimo plazo, no sirven para nada. Ahora, a medio y largo plazo, ¡carajo!, crean la conciencia del mundo. Es decir, ¿por qué me gustan los libros, por qué tengo una biblioteca apreciable? Porque no está nada mal discutir con Goethe o con Cervantes. Eso es una cosa maravillosa. Si no se hubiese inventado la imprenta, imagínate.

J. M. F.: Y ¿qué hay, hablando de ese hipotético quinto poder, de aquellas personas que tienen la virtud o la capacidad de aglutinar y reunir a la flor y nata de la intelectualidad y el artisteo patrios? Gente, además, muy afín a determinadas siglas políticas, como es el caso de Elena Benarroch; que equivale a decir, entre otros, Zapatero, Felipe González, Almodóvar, Miguel Bosé...

J. S.: Yo he decidido no dar opiniones sobre nadie que no sea el nieto del que escribió *La venganza de don Mendo*. ¡Narigón! No daré una opinión de gente como Elena Benarroch porque, la verdad, tampoco tengo exactamente una opinión al respecto. Me parece Madame Pompadour, ésa es mi opinión. Es decir, me parece una señora que tiene un salón abierto donde mezcla a la crema-de-la-in-te-lec-tua-li-dad. Elena Benarroch me parece el Perico Chicote del PSOE, ¿vale? Y no digo más. Ahora, le ha dado de comer a mi Chavela Vargas.

J. M. F.: Aunque no es poco lo que has dicho ya de él, hablemos algo más de ZP.

J. S.: En eso, en ZP, me encuentro absolutamente adolescente y naif.

J. M. F.: No me irás a decir que te ha hecho recobrar el entusiasmo... A ti, el descreído por antonomasia.

J. S.: No, no, yo no he hablado de entusiasmo. Entusiasmo ninguno. Confianza. Y eso ya es mucho. Quiero decir que estoy jodido porque me ha quitado argumentos. Ahora mismo no puedo blasfemar. Quisiera que hiciéramos esta entrevista dentro de un año para poder cagarme en la puta madre que parió al actual presidente del Gobierno pero, por lo pronto, no puedo. Y eso me parece mucho. Eso está incluido en aquello que decías antes de mi fatalismo. Traté de explicarte que no, que al contrario. Que desde las movilizaciones por la guerra de Irak, pasando por los atentados de Atocha, la votación y el Gobierno de Zapatero, me parece que estamos en un momento de la historia política española muy esperanzador y muy interesante. También te hablaré de la oposición. Me gustaría un país, visto desde hoy, no desde el año que viene, donde Zapatero fuera jefe del Gobierno y Ruiz Gallardón jefe de la oposición. Me parecería un país con un grado de civilización impresionante. Por eso mismo al lado de la foto de Gallardón, la de Aznar y la de Bush ponen los pelos de punta. A mí al menos me ponen los pelos de punta. Y eso que llaman el *efecto Zapatero*, ojalá que sea verdad y que gane Kerry [ya hemos dicho que finalmente fue Bush quien ganó esas elecciones]. No, no, no. Que gane Kerry no; que pierda Bush. Porque ese imbécil de Kerry se hizo luego unas fotos en Irak con un rifle para que lo votaran, y dijo que siempre fue cazador y que cree que un hombre libre ha de tener un rifle. ¡Váyase usted a la mierda! Lo van a votar sólo contra el otro, no por usted.

J. M. F.: La decisión de Zapatero de traer de nuevo a España las tropas desplegadas en Irak por el anterior Ejecutivo, tal y como prometió que haría si llegaba a ser presidente del Gobierno, ¿merece un monumento?

J. S.: Yo me levanté y grité: «¡Ole, ole, ole, ole, ole!», y así estuve dos horas. Y aplaudí. Y me pareció que, por fin, la política servía para algo. Porque las trajo antes de lo que le exigíamos. Sí, un monumento para él. En lugar del que hay en Nuevos Ministerios, que está Franco ecuestre,[45] Zapatero pedestre. Y que no pierda de vista el pedestrismo.

»Creo que la derecha española está tan encabronada, y con el clima que dice Aute de guerracivilismo, porque les pone de los nervios que Zapatero sea un político muy rara avis. Parece que cree en lo que dice, parece que es de una ejemplar nobleza y parece, incluso, ingenuo, y eso les pone de los nervios.

J. M. F.: Al hilo de lo que dices, respecto a la decisión de retirar las tropas de Irak que tanto celebramos muchos, ¿cabe la posibilidad de que fuese tomada desde una cierta ingenuidad o, lo que es aún peor, desde la insensatez?

J. S.: Zapatero tenía un programa electoral que estaba hecho para no gobernar. El caso es que lo que está haciendo es lo que decía su programa electoral. Por cierto, se está metiendo ahora mismo en un berenjenal muy serio. Siempre que un Gobierno español se ha metido en ese berenjenal, ha salido perjudicado. Está haciendo que la Iglesia Católica, Apostólica y Romana se movilice y saque a la gente a la calle. Y eso es muy peligroso. Cuando Azaña dijo: «España ha dejado de ser católica», lo pagó muy caro.

J. M. F.: Y ponerle la popa a Estados Unidos y la proa a Francia, Alemania y, sobre todo, Marruecos y Latinoamérica ¿qué te parece?

J. S.: Es que yo creo que Estados Unidos es muy torpe. Es decir, Zapatero no le ha puesto la popa a nada ni a

45. La estatua ecuestre de Francisco Franco a la que aludía Joaquín entonces ya no existe. Fue retirada en marzo de 2005. Precisamente, Sabina presenció el *descabalgamiento* del dictador acompañado, entre otros, de los cantantes Miguel Ríos y Víctor Manuel y del poeta Luis García Montero. Venían de celebrar el cumpleaños de Santiago Carrillo, y por ese doble motivo fueron muy criticados por ciertos sectores de la derecha.

nadie. Lo que sucede es que Estados Unidos es un reflejo de su comandante en jefe, que es este *Jorge*, y el embajador que hay aquí es tan necio y tan torpe como él. Desde luego, estoy absolutamente convencido de que no pasa por la cabeza de Zapatero ser enemigo de Estados Unidos, aunque sólo sea por sentido común. Entre otras cosas, porque en este país sigue habiendo bases norteamericanas. Por cierto, habiendo bases norteamericanas, como las hay, regaladas por Franco además, el embajador de Estados Unidos debería andarse con un poco de tiento y no tratarnos como a un país enemigo. No, Zapatero ahí no tiene ninguna culpa y ha hecho lo que tenía que hacer. Cuando se publique este libro, a lo mejor Kerry es el presidente de Estados Unidos y a lo mejor se verá que Zapatero hizo lo que había que hacer [Kerry no ganó esas elecciones, pero eso no significa desde luego que Zapatero no hiciera lo que había que hacer].

J. M. F.: Si eso fuera así, las relaciones con Estados Unidos serían de nuevo fluidas.

J. S.: Sin ninguna duda. Y si sigue Bush en el poder, también sin ninguna duda. La diplomacia es la diplomacia, no hay más remedio. Entre otras cosas porque no hay otra superpotencia, ya no hay Muro de Berlín. No podemos comprarle el petróleo a Rusia como hacía Fidel. Como dicen los cubanos, el comunismo es el camino más largo entre el capitalismo y el capitalismo.

»Ahora, todo esto se nos va a quedar viejo enseguida porque Zapatero va a empezar a defraudarnos ya, como es su obligación. No, como es su obligación no. Como es su oficio.

J. M. F.: ¿Crees que Zapatero es uno de los últimos románticos de la política mundial?

J. S.: Yo lo que creo es que Zapatero y Anguita, aunque sean muy rara avis, no son Einstein.

J. M. F.: ¿Por qué razón hermanas a Zapatero y a Anguita? ¿Crees que tienen puntos en común?

J. S.: Pues por su condición de rara avis, por su creencia en los principios, por su honradez, por su nobleza. Incluso por lo que tienen de naif.

»De todos modos, quiero decir antes de que se me olvide que hay un tremendo y absoluto déficit democrático en el llamado mundo libre. Es decir, todos los días nos pasan por las narices lo que es la democracia, que viene de la Revolución Francesa, pero las listas cerradas, las multinacionales y la globalización, por citar sólo algunas cosas, son realmente insoportables. Lo que se ve en la película del gordo Michael Moore no es más que una levísima radiografía de la espantosa realidad, de ese déficit democrático del que hablo. Muchísimo me temo que en Europa y en Estados Unidos no se habla de esto desde hace veinte años, como si no existiera. Claro, habla Fidel y la arma. Porque él habla desde un lugar que no tiene credibilidad para los fundamentalistas democráticos, para los talibanes democráticos. Pero Fidel va a reuniones de jefes de Estado y, si te fijas, lo que dice va a misa. Otra cosa es lo que hace en Cuba, pero lo que dice va a misa. Por ejemplo, dice cosas del tipo: "Claro, la educación y la sanidad nunca serán portada de ningún periódico del mundo", y es que en Cuba la mortalidad infantil es la más reducida del planeta. No sé si lo sigue siendo ahora, pero lo era cuando Fidel lo decía. Y lo que decía, insisto, iba a misa. Por cierto, estoy harto de leer artículos en los periódicos que dicen que es un viejo coñazo que se tira diez horas hablando. Bien. A ese viejo coñazo que se tira diez horas hablando y que es tan ridículo, denle ustedes sólo un minuto de televisión para que veamos lo ridículo que es. Pero nunca se lo dan. Siempre que lo sacan, arrasa. ¿Por qué? Porque pasa lo que le pasa a Lázaro, que es el secretario y mayordomo de Pablo Milanés, amigo mío y muy maricón. Lázaro no soporta más a Fidel, es el único maricón que se ha quedado en Cuba, por lealtad a Pablo. Es el modelo de *Fresa y chocolate.* Bueno, pues Lázaro dice: "Siempre que Fidel sale en televisión —se refiere a Cuba, claro, porque aquí ya te digo que no le vemos nunca—, cambio inmediatamente de canal." Y yo le pregunto que por qué y me contesta: "¡Pues porque me convence!"

J. M. F.: Me lo acabas de poner a huevo, Joaquín. Hablemos de Cuba y, sobre todo, de Fidel Castro.

J. S.: Yo, por mucho que diga el nieto del que escribió *La venganza de don Mendo*, el narigón ese, nunca jamás he ido a Cuba invitado por el Gobierno cubano. Y cuando digo nunca jamás, quiero decir nunca jamás. De hecho, en los años en los que me invitó el Gobierno, no fui. Sólo fui cuando me invitó la Fundación Pablo Milanés. Y fui a cosas muy raras. Una de ellas era un concierto a favor de los enfermos de sida.

J. M. F.: Muchos pensarán que si te invitaba Pablo Milanés, te estaba invitando, solapadamente, el propio Fidel.

J. S.: No. Porque Pablo Milanés y también Silvio Rodríguez ganaban su dinero fuera de Cuba porque eran conocidos en todo el mundo. Mucho dinero además.

J. M. F.: Te lo digo por su postura, en este caso posturas, las de Pablo y Silvio, respecto al Régimen castrista.

J. S.: Es que la postura de Silvio respecto al Régimen castrista es absolutamente del Régimen, y la de Pablo es muy rara. Sin llegar a ser un disidente y sin que se le pase jamás por la cabeza irse de Cuba, Pablo tiene dos cojones, no firma determinadas cosas y no se pronuncia cuando hay que pronunciarse. Los dos son muy distintos. El caso es que yo fui, como te decía, porque me invitó Pablo. He ido a Cuba dos veces invitado por él.

J. M. F.: Háblame de esos dos viajes.

J. S.: Bien. Te contaré primero, no vaya a ser que se me olvide, el segundo, que es el del concierto a favor de los enfermos de sida. Pablo me llamó a Santo Domingo, donde estaba yo con Fito Páez, para contarme lo que estaba organizando y para decirme que le gustaría mucho que participáramos, y para allá que nos fuimos el ex marido de Cecilia Roth y yo. Era un concierto en el parque Lenin. Por cierto, hay algunas cosas maravillosas en Cuba. Por ejemplo, que los parques se llamen Lenin. No, no que se llamen Lenin, sino que se sigan llamando Lenin. Creo que Cuba debería ser una reserva y conservarla como es, con Fidel dentro, como una reserva india. Como Aspen.

J. M. F.: Sí, ese reducto caribeño que parece la contumaz aldea gala de *Astérix y Obélix*.

J. S.: Sí, sí, exacto. Es como la aldea de *Astérix y Obélix*. Pero bueno, terminaré de contar lo del sida. Era un concierto desde luego no antigubernamental, pero nada auspiciado por el Gobierno. Por dos motivos. Uno: el Gobierno no quería reconocer que había sida en Cuba, y dos: no querían reconocer que había «sidarios», que eran unos hospitales, fantásticos, para enfermos de sida. Y del mismo modo que digo que hay «sidarios», también digo que la propaganda de derechas ha dicho que los «sidarios» eran algo oculto, y en eso no les faltaba razón. Sobre todo teniendo en cuenta que en aquellos años Cuba estaba, como ahora, viviendo del turismo, y que el jineterismo era y es una de sus principales materias primas. Por cierto, Fidel, cuando ya no le quedó más remedio que admitir que había jineteras, dijo: «Sí, con diploma universitario y sin enfermedades.» ¡Y más guapas que todas las demás! Bueno, pues los «sidarios» sí existen, aunque te aseguro que no son campos de concentración como dicen los Jiménez Losantos, sino unos estupendos hospitales. De hecho, ese concierto del que te hablo lo presentaba gente de los «sidarios» y además, insisto, para nada fue auspiciado por el Gobierno. Se rodó un documental y se congregaron no menos de veinte mil personas. El caso es que hacia la mitad del concierto apareció el ministro de Cultura, Abel Prieto,[46] un novelista, un buen novelista, y un tipo con el que me tomo mañana una caña donde él quiera. Y apareció porque aunque ya te he dicho que ese concierto se hizo de espaldas al Gobierno, éste debió de pensar que había que apropiarse de eso como fuera, que no podían ignorarlo. Por eso mandaron a Abel Prieto, que era el mejor a

46. Abel Prieto estuvo en Madrid en abril de 2005 y levantó una gran polémica con sus declaraciones. Aseguró, por ejemplo, que el ya fallecido escritor Guillermo Cabrera Infante quedó «esterilizado en lo literario» por su «bilis y odio terrible» y que en Cuba, lejos de ser delito leer su obra, «se estudia en las universidades, pues dos de sus libros, *Tres tristes tigres* y *La Habana para un infante difunto*, están entre lo mejor de la literatura cubana del siglo XX». Respecto al periodista y poeta Raúl Rivero, que fue encarcelado por su disidencia con el Gobierno de Castro y finalmente puesto en libertad gracias a la mediación del mismísimo José Luis Rodríguez Zapatero —en la actualidad reside en Madrid y es colaborador del diario *El Mundo*—, dijo: «No estuvo preso por sus opiniones, sino por colaborar con un Gobierno en guerra con nuestro país y que este año destina cincuenta y nueve millones de dólares a subversión en Cuba. ¿Por qué no se dice que recibía dinero de Estados Unidos? ¿En qué otro lugar del mundo se le habría dejado actuar así? En otro podría haber acabado asesinado en una cuneta.» Joaquín Sabina acudió a aquella cita. También el cineasta Benito Zambrano, la actriz Pilar Bardem y la escritora Belén Gopegui. Alfonso Ussía, en un artículo publicado en el diario *La Razón* (16-4-2005) bajo el título «El melenitas» (en alusión al corte de pelo de Abel Prieto), escribía: «En honor a la verdad hay que escribir que Joaquín Sabina abandonó la sala cuando el sinvergüenza del ministro castrista pronunció su apología del crimen.»

quien podían mandar. Cuando acabó el concierto estábamos en el camerino Abel, Fito, Pablo, un famoso actor cubano y yo. Abel empezó a decirme lo mucho que le gustaban mis canciones, y me contó una cosa muy divertida: «Compañero, cuando nosotros teníamos diecisiete años nos fumábamos tremendos petardos y levitábamos y veíamos a Janis Joplin levitar», y yo le dije que a eso se le llamaba delírium trémens, y él me corrigió: «No, compañero, no. ¡Tremendo delirio!» [Risas.] Luego, como estábamos muy a gustito, pregunté que adónde íbamos y me dijeron que a casa del actor de marras. Entonces le pregunté a Abel, de la manera más inocente: «¿Te vienes?», y empecé a notar en el acto unos toques en mis extremidades inferiores y unas miradas asesinas. Y es que los códigos internos de Cuba son muy difíciles. Inmediatamente deduje que no querían que viniera. ¿Por qué? Luego me enteré. Pues porque aquel actor, que ya era un actor internacional y un triunfador desde que rodó una película con nombre de helado, llevaba años pidiéndole al Gobierno cubano, puesto que tenía mujer e hijos, que le diera una casa un poco más grande que el mísero apartamento que habitaba a cambio de todos los impuestos que él les daba por lo que cobraba fuera, y nunca le hicieron caso. Así que en ese momento el pobre Abel Prieto no estuvo invitado y no pudo ir a casa de ese actor. Fuimos Fito, la Jime y yo. Y Carlos Varela y Luis Alberto García. La nomenclatura actoral de La Habana, vamos. Pablo Milanés no pudo apuntarse porque estaba a punto de ser operado. Resumiendo, que lo pasamos de cojones.

J. M. F.: Ése fue tu segundo viaje a Cuba invitado por Milanés. Háblame ahora del primero.

J. S.: El primero, al que, insisto, no me invitó el Gobierno cubano sino Pablo, fue por algo relacionado con las juventudes comunistas. Cantamos Pablo y yo, y la plaza estaba completamente llena de gente. Habría, no te exagero, millón y medio de personas. A pesar de ello tengo que reconocer que no sentí un especial fervor, pues era una multitud bastante silenciosa. Además, Fidel no habló; y eso me pareció rarísimo. En realidad yo pensé: «Fidel, éstos están aquí pero con su actitud te están diciendo que a lo mejor el próximo mes no vienen.» Luego ya sabemos que eso no ha sido así, que han seguido yendo. Pero a mí me pareció un poco anticlímax, la verdad. Pablo me dijo que no, que era fantástico, y luego lo vi en televisión y la verdad es que me pareció que sí, que estuvo muy bien. Durante la actuación yo había visto que Fidel estaba detrás del escenario, en una especie de anfiteatro, siguiéndolo todo a través de un pequeño monitor de televisión. Nada más acabar el concierto nos fuimos, y estábamos ya a un kilómetro cuando se nos acercó una chica corriendo y nos anunció, emocionada: «¡Pablito, Pablito, vengo a deciros una cosa maravillosa! Que el comandante os invita esta noche a su casa», y yo exclamé en el acto: «¡Qué bien!», y Pablo, lo creáis o no, amables y sufridos lectores, dijo: «Si queréis que vaya, tenéis que decirme dónde vive», y yo solté una sonora carcajada y añadí: «Naturalmente que vamos.» Primero llegamos a casa de Pablo y estuvimos de celebración con todo el mundo, como se celebra en Cuba, y después de un rato, Sandra, la que entonces era su mujer, comenzó a decirle: «Pablito, sabes que siempre te he dicho que me presentes al comandante y que nunca lo has hecho. Vamos a su casa, por favor», y Pablo dijo que ni hablar. Entonces ella y yo nos arrastramos durante dos horas, diciéndole que no podía ser, que no podía dejarnos así. Pero cuando Pablo insistió una y otra vez en que no, y yo que le conozco muy bien sabía que estaba diciendo la verdad, porque el negro los tiene cuadrados y más grandes que el caballo de Espartero, con mi orgullo de viejo español, de judío converso, le dije que yo tampoco iba. Fue decir eso y empezar a notar unas caras de auténtico pánico a mi alrededor. Me dijeron que eso no podía ser, que tenía que ir sí o sí, y al final decidí ir porque Pablo me llevó a un aparte y me dijo: «Hermano, yo tengo mis motivos para no ir, pero tú no puedes faltar.» Me acompañaron mi novia de entonces, Cristina, Paco Lucena [su ex *manager*] y María Ignacia Magariños [su ex asistente personal], mi querida María Ignacia.

J. M. F.: ¿Fue en ese viaje en el que te hiciste aquellas fotos en las que parece que le estás leyendo la cartilla a Fidel?

J. S.: Sí, en ése. De hecho, recuerdo que en el momento en el que fueron tomadas esas fotos yo le estaba diciendo a Fidel lo que tenía que hacer [risas]. No, en serio. Lo que sí recuerdo es que mi novia, que era muy tímida, antes de entrar a su casa me dijo: «Oye, que te conozco. Ahora cuando entremos no me dejes sola, que a ver qué hago yo aquí», y yo traté de tranquilizarla asegurándole que no tenía por qué preocuparse puesto que no pensaba separarme de ella en toda la noche. Pero apenas entramos, y confirmando sus peores temores, la dejé sola. Estaba hablando con Fidel y, de pronto, la vi apartada, y Fidel también la vio y me preguntó: «¿Quién es esa chica tan guapa?» Le conté que era mi novia y le dije que no se hiciera ilusiones porque no pensaba darle su número de teléfono. Y él, con el gesto muy serio, comentó: «Tú por eso no te preocupes, que me lo va a dar ella.»

»Por cierto, cuando llevábamos mucho rato hablando le pregunté a Fidel si los cubanos solían hablarle del mismo modo que yo lo estaba haciendo, y él me contestó: "Generalmente no, porque son unos comemierdas."

J. M. F.: Y en tu casa, Joaquín, ¿se puede hablar mal de Fidel o es un tótem sagrado?

J. S.: En mi casa, querido biógrafo, pueden hablar mal de Fidel los cubanos, no los turistas sexuales españoles. En mi casa han recalado cubanos de todas las categorías y han hablado de Fidel bien, regular o mal, incluso a gritos. Lo que no admito es que llegue un español que no conoce Cuba de nada y hable mal de Fidel, porque entonces me encampano un poco. Me acuerdo que un día, estando en mi casa con Carlos Varela, que no es ni mucho menos el más castrista del mundo sino una bandera de la disidencia interna, vino una amiga de mi novia que era modelo y no sabía nada de Cuba, y al oírnos hablar un rato de la situación cubana —Carlos blasfemaba un poquito, la verdad— le preguntó a Carlos: «Si es todo así, tan malo, ¿por qué no matáis a Fidel?», y entonces Carlos se levantó de un salto y gritó: «¿Cómo? ¡Fidel es mi padre!» Por cierto, Carlos Varela me contó una cosa muy graciosa. Él va siempre de negro, disfrazado de pirata, y al parecer Fidel había preguntado: «Ese chico ¿por qué va siempre de negro?», y Carlos me dijo que él le habría respondido: «Y tú ¿por qué vas siempre de verde olivo?» [Risas.]

»Acaba de venirme una cosa a la cabeza. Una vez me invitaron a las Cumbres latinoamericanas, que se celebran cada dos años y van los Reyes. Fue en Cartagena de Indias. A mí no me invitó el Gobierno, que era Felipe González, ni tampoco los Reyes, me invitó César Gaviria, el presidente de Colombia. Lo sé porque me lo dijo el embajador español, que iba conmigo en el avión: "Que sepas que no vienes de representante querido por el Gobierno, sino que te ha impuesto Gaviria." Canté *La del pirata cojo* y al final los presidentes de cada lugar iban a saludar a sus artistas. A nosotros nos vino a saludar Fidel Castro, pero no los Reyes.

J. M. F.: Y, claro, aquello te sentó muy mal.

J. S.: Es que era su obligación. Les pagamos para eso,

para que nos representen. Del mismo modo que he dicho muchas veces que la Reina no puede ir todo el tiempo a ver a exiliados fiscales como la Caballé, también he dicho que soy republicano y que tengo una cierta amistad con los principitos. Bueno, esto último no lo he dicho pero lo digo ahora.

J. M. F.: El tema principitos lo abordaremos si te parece en el siguiente capítulo, pero ahora sigamos con Cuba. Supongamos que en España se convocara un referéndum vinculante sobre el *sí* o el *no* a Fidel Castro en Cuba...

J. S.: Yo preferiría que se convocara en Cuba. Cuando se cayó el Muro de Berlín, nadie daba ni medio peso por Fidel. Todos vimos en televisión lo que pasó con Ceaucescu.[47] El caso es que hicieron la travesía del desierto. Fidel está a no sé cuántas millas de Estados Unidos, muy pocas, soporta un bloqueo tremendo desde hace muchos años y ya no tiene amigos en el mundo. Si fuera absolutamente odiado por su pueblo, no duraría ni medio segundo. El caso es que eso no está tan claro, hay muchísimos matices. Mira, la cosa que más me molesta de la Cuba de Fidel es que allí los matices no existen, y aquí sí. Hablando contigo sí. Es decir, allí o eres castrista o eres un agente de la CIA. Y yo me niego a ser ninguna de las dos cosas. Yo tengo muchísimos matices y ojalá pudieran salir, casi todos, en este libro. Eso, de verdad, es algo de

47. El 25 de diciembre de 1989 el presidente de Rumanía, Nicolae Ceaucescu, fue derrocado y condenado a la pena máxima junto con su mujer por un tribunal militar que los declaró culpables de la muerte de sesenta mil personas, de haber arruinado la economía del país y de haber depositado en el extranjero divisas por valor de mil millones de dólares. Las imágenes de la ejecución, de una gran crudeza, dieron la vuelta al mundo. Desaparecía así, con la revolución rumana, el último Régimen estalinista de la Europa del Este.

Cuba que me molesta muchísimo. La derecha española y la de Miami nos han insultado durante muchos años a los abajofirmantes porque los abajofirmantes nunca abajofirmábamos nada contra Fidel. Pero los abajofirmantes abajofirmamos hace unos meses, cuando metieron en chirona a Raúl Rivero...

J. M. F.: Y a setenta y cuatro «disidentes» más...

J. S.: ... y a setenta y cuatro más, sí. Y cuando fusilaron...

J. M. F.: ... a tres secuestradores...

J. S.: Eso es. Cuando eso ocurrió, a los abajofirmantes, por lo menos al abajofirmante aquí presente, se le desgarró el corazón. Ya se me había desgarrado cuando fusilaron a Arnaldo Ochoa. Pero cuando fusilaron a esos tres chicos y metieron al gordo Rivero en la cárcel, creí, como creyó el Nobel lusitano san Saramago y como creyó mucha otra gente, que hasta ahí podíamos llegar. Entonces, con el corazón completamente desgarrado, abajofirmé.

»Quiero que sepas de todos modos que a mí Cuba no me parece el paraíso en la Tierra, ni mucho menos, pero conozco todos los países de alrededor y conozco lo que opina la gente desamparada de América Latina, y desde luego si Fidel se presentara mañana en Rosario, hablo de Argentina... Lo que quiero decir es que él sigue siendo un héroe para determinada gente. Yo no comprendo muy bien por qué Fidel, en su mejor momento, que casi puede ser ahora, no llama a unas elecciones, porque estoy absolutamente convencido de que las ganaría. ¿Tú crees que en una isla de mierda, a cien millas de Estados Unidos, con el Muro de Berlín en el olvido, Fidel podría aguantar? Acuérdate, repito, del vídeo de Rumanía.

J. M. F.: Quizá, seguramente, porque es superior el odio al enemigo gringo que el odio al opresor autóctono, y ahí son maniqueos.

J. S.: Y por más cosas. Te contaré un chiste que me contó Tomás Gutiérrez Alea, *Titón* para los amigos, el que hizo *Memorias del subdesarrollo*, *Guantanamera* y *Fresa y chocolate*. Llega un balsero a Miami y entonces aparecen las cámaras de televisión y le preguntan: «¿Usted viene huyendo de la tiranía, compañero?», y él responde: «No, yo vengo huyendo de Cuba.» «No, pero la tiranía...», sigue el otro, y el balsero: «No, no, pero en Cuba hay una extraordinaria educación y una extraordinaria sanidad.» Y el otro le pregunta: «Pero entonces ¿usted de qué viene huyendo?» «Compañero —concluye el balsero—, es que uno no está todo el día enfermo o estudiando.»

J. M. F.: Bueno, menos mal. Porque casi parecía que, de pronto, el balsero iba a lanzarse de nuevo al agua y regresar a Cuba a nado devorado por la morriña.

J. S.: Hay bastantes casos de ésos. Y ahora haré una broma sangrante, una maldad contra Fidel. Creo que la Revolución cubana se acabará el día en que Elián, el niño Elián, se vaya otra vez en balsa. ¡Ése sería el final de la Revolución!

J. M. F.: Lo que desde luego resulta sorprendente es que, a pesar de las penurias y la carestía, los cubanos sigan conservando el sentido del humor.

J. S.: Es que es lo único que les queda. Y ya que me das pie, te contaré otro par de chistes cubanos porque retratan muy bien la manera de ser de ese pueblo. En Santiago de Cuba hay una tradición, parecida a los carnavales de Cádiz, a las comparsas, de improvisar versos. Entonces siempre que llega un huésped ilustre, Fidel lo lleva a Santiago de Cuba y van al aeropuerto doscientos santiagueros vestidos como las comparsas de Cádiz y le improvisan unos versos. Hubo unos años negros en los que Cuba estaba muy aislada internacionalmente y no iban los grandes líderes mundiales. Iban sólo el presidente del Congo, de Nigeria y de sitios así. El caso es que fue Julius Nyerere, presidente de Tanzania. Y Fidel, como siempre, lo llevó a Santiago de Cuba. Como los santiagueros ya estaban hasta la punta de la polla de que les llevara a unos negros de países que no estaban en el mapa, y aprovechándose además de que los negros no entendían ni papa de español, le dedicaron estos versos: «¡Nyerere, Nyerere, Santiago te saluda pero no sabe quién eres...!»

»El otro chiste que te voy a contar me encanta. Un día Fidel decide hacer una gran campaña cultural. Te hablo de los años 81-82. Dice: "Ah, tenemos la Orquesta Sinfónica de La Habana y no hace giras. Vamos a mandarla a todas las provincias." Entonces llama por teléfono al alcalde de Matanzas. "Sí, mi comandante", le responde el alcalde con voz de pánico. Y Fidel le dice: "Compañero, hay que llevar la cultura hasta el último confín del país. Te mando a la Sinfónica de La Habana." El alcalde se aterroriza y se dice: "Hostia, esto tiene que ser un éxito porque si no estoy jodido." Entonces llena la ciudad de los siguientes carteles —para mí, los más hermosos que se han hecho nunca en la isla—: "Compañero, venga a gosar y a guarachear con la Sinfónica de La Habana." ¡Nunca una orquesta sinfónica tuvo mejor publicidad!

»Vamos a ver, resumiendo mucho. Porque aquí mi compadre y sin embargo enemigo, o sea, tú, me mete los dedos en los cojones. No es la primera vez que lo digo, pero quisiera decirlo aquí solemnemente. Me gustaría que las cosas fueran de tal modo que yo pudiera decir a gritos que se acabe de una puta vez la dictadura en Cuba. No lo diré a gritos porque los hijos de puta que tienen alrededor, desde Bush hasta el último mono, son muchísimo peores que Fidel y eso me impide decirlo a gritos. Si el mundo fuera como yo quisiera, gritaría contra Fidel.

J. M. F.: Como antes has reconocido, firmaste esa carta en protesta por el encarcelamiento de Raúl Rivero y de setenta y cuatro cubanos insurrectos más. ¿Te mantienes ahí?

J. S.: Más aún. Cuando estuve la última vez en Cuba, amigos cubanos, cuyos nombres no diré, me pidieron que le dijera a Silvio Rodríguez, porque yo iba a comer con Silvio y él como sabes es muy amigo de Fidel, que intercediera por Raúl Rivero. Lo hice. Y Silvio me dijo: «Ya lo he hecho.»

J. M. F.: Dos últimas cuestiones más y damos por zanjado el tema Cuba / Fidel Castro. Primera: ¿no será que te deslumbra tanto la figura de Fidel que le perdonas cosas del todo imperdonables? Posiblemente porque piensas de él que es, si no el más dotado, uno de los más grandes políticos de todos los tiempos.

J. S.: Firmo eso que dices. Pero hablemos de *Astérix*. Porque es eso, es que es eso. ¡Indómitos galos! Es que es ésa la fascinación. Es una isla de mierda. Por cierto, me gusta mucho Cabrera Infante, me lo he leído enterito. Me gusta mucho Reynaldo Arenas. Me gusta mucho Jesús Díaz. No me gusta nada Zoé Valdés. Y no he ido nunca a cantar a Miami y conozco a muchos cubanos de dentro de Cuba antifidelistas que eso es lo segundo que son en su vida. Lo primero es anti-Miami. Es decir, si los de Miami creen que los cubanos están esperándolos con los brazos abiertos, están absoluta y profundamente equivocados. No sólo los castristas, sino los anticastristas también. Eso une a toda Cuba.

J. M. F.: Te hablaba de dos cuestiones. La segunda, y con la que quisiera tocarte la fibra sensible, es que tú eres escritor y poeta. Eres un ilustrado, un liberal y, además, crees en el espíritu de la Ilustración. Partiendo de ahí, desde el momento en el que hay un intelectual, un periodista, un escritor, es decir, un homólogo tuyo, en una cárcel cubana por el simple hecho de mostrar su disidencia con el Gobierno, ¿no es suficiente motivo para retirarle el saludo a Fidel? Piensa que, de vivir allí, ese preso podrías ser tú.

J. S.: Lo de escritor y poeta lo dices tú. Ilustrado y liberal sí lo soy. Y en la Ilustración es en lo que más creo, sí. Lo que has dicho después es motivo suficiente para que el abajofirmante firme, por primera vez en su vida, una carta contra el Gobierno cubano.

J. M. F.: Insisto: él, Raúl Rivero, y los otros setenta y cuatro, es, son, lo mismo que tú: hombres que dedican su vida al romántico e ingrato oficio de juntar palabras. Sin embargo, ellos están en la cárcel por expresar sus ideas —Rivero ya no, pero la mayor parte de esos setenta y cuatro sí, y también otros— y tú, que llegaste a afirmar que Felipe González era el *Señor X,* estás en tu maravillosa y confortable casa como un hombre libre, disfrutando de tus libros y discos, y aún sigues amando a Fidel...

J. S.: Firmé. Este mundo, querido Javier, es de una asombrosa complejidad y también de una groserísima simplicidad a lo Bush. Yo prefiero apuntarme a la complejidad. No obstante, creo que el caso de Cuba nos podría llevar no sólo este libro que estamos haciendo, sino una enciclopedia. Sólo estoy tratando de poner mis vísceras, algunos matices, una lágrima, una gota de sangre y un beso por esa isla a la que tanto amo. Yo, que lo sepas, Menéndez *Flowers*, no soy partidario de Fidel y me gustaría poderlo decir a gritos. Son los de alrededor, como antes te decía, quienes no me dejan, porque son infinitamente peores. ¿O la mortalidad infantil no importa nada? ¿O la campaña de escolarización no importa nada? ¿O que Fidel le esté dando quince mil maestros y quince mil médicos a Hugo Chávez a cambio de petróleo no importa nada? Claro que no importa nada. Eso, ya lo hemos dicho antes, nunca será primera página de un periódico. Pero a mí sí me importa. ¿O que las putas sean licenciadas universitarias no importa nada? Esto último lo discutía mucho con una novia mía y ella decía: «Lo terrible es que sean putas», y yo argumentaba: «Vamos a ver. Hay putas en todo el mundo, ¿no? Pero es mejor que sean licenciadas universitarias a que sean analfabetas.» ¿O no te parece a ti?

»Y ahora te contaré una historia acerca de una puta cubana. Un día estaba con el hijo, y amiguísimo mío, de Manuel Vicent, Mauricio, corresponsal de *El País* en La Habana que lleva allí veinte años. Mi amigo del alma. El mejor conocedor de Cuba que puedas encontrar. Yo le hago bromas a Manuel Vicent cuando le veo, le digo que para mí sólo es el padre de Mauricio. Mauricio acababa de escribir una crónica preciosa en el dominical de *El País*. Había hecho un viaje por el interior de Cuba y en un tren había encontrado a una jinetera, una puta, que iba haciendo un largo recorrido para ver a su hijo, a quien tenía entregado a una familia porque ella trabajaba en La Habana. Mauricio entabló conversación con ella y lo reflejó en *El País*. Yo llegué a Cuba un martes y *El País* había salido el domingo anterior. Le dije a Mauricio que me había encantado el artículo que había hecho, que era fantástica la historia de la jinetera. Entonces estábamos dando un paseo por fuera del hotel Nacional, por el Malecón, y de pronto Mauricio vio a la citada jinetera —porque aunque la gente no lo crea, esas cosas suceden en Cuba— y propuso que la invitáramos a tomar una copa. Dicho y hecho. Fuimos a la discoteca del hotel y ella nos dijo que su problema se arreglaba con cien dólares. Saqué entonces cien dólares: "Mira. Yo tengo cien dólares y la verdad es que me gustaría regalártelos, no me cuesta nada." Y ella me dijo: "No, compañero, yo soy una profesional. Si subimos a hacer el amor yo te cobro los cien dólares, pero si no es así no puedo aceptarlos." La verdad es que no me apetecía un carajo y le pedí que los tomara sin más, pero no quiso de ninguna de las maneras. Entonces fuimos los tres a una discoteca que estaba al lado del hotel Cohiba. Yo seguía tratando de que cogiera los cien dólares, que sabía le importaban mucho, y ella se negaba a no ser que echáramos un polvo. Te estoy hablando de cosas que sólo pasan en Cuba. Entonces vino una camarera guapísima, le pedimos unas copas y, cuando fui a pagar, para darle una lección a la jinetera saqué cien dólares, se los enseñé y se los di de propina a la camarera. Ésta se fue y, a los dos minutos, regresó y me dijo: "Lo siento, compañero, pero no puedo aceptar esto. Es mucho dinero." ¡Eso sólo pasa en Cuba! Es preciosa la historia, ¿no? ¡Es fantástica! ¡Eso me ha pasado a mí, no me lo han contado, lo he visto!

J. M. F.: Bien, Joaquín. Cambiemos de latitudes y de personajes. Antes, al referirte a Zapatero y a Anguita has hablado de «nobleza» y «probidad». ¿Esas cualidades las tiene también el juez Baltasar Garzón, cuya candidatura al Premio Nobel de la Paz apoyaste?

J. S.: La verdad es que tengo el corazón muy dividido. Lo he seguido de cerca y es de mi provincia. He leído el libro que Pilar Urbano escribió sobre él y claro que es exhibicionista y que parece Superman. Ahora, su probidad, su honradez, su martillo de delincuentes, mientras no me demuestren lo contrario, es impecable. Por cierto, su caso está tan ahí que si tuviera una sola mancha en su biografía, por pequeña que fuera, ya estaría en las primeras planas de todos los periódicos. Pero cometió un error: en la lista por Madrid fue el segundo, después de Felipe

González.[48] Éste lo engañó, pero él se dio cuenta a los seis meses. Y cuando se dio cuenta lo mandó a la mierda. En mi opinión sigue cometiendo un tremendo error y me muero por decírselo en cuanto le vea: en un país en el que hay tantísimos problemas de inmigración, de pateras, de delincuencia, de mafias, no se puede tener a compañías enteras de la Guardia Civil decomisando hachís. No, mire usted. Y tampoco me gusta verle jugando al fútbol contra la droga, porque eso de «contra la droga» es una falacia absoluta de la que ya hemos hablado en este libro. [Véase capítulo seis: «Con lo que ha sido esta nariz... (Las drogas)».] Ahora, lo que no se puede es hacer *puenting*, bailar sevillanas, torear, ir a todos los conciertos... Es Superman.

J. M. F.: Más bien Clark Kent.

J. S.: ¡Sí, es Clark Kent! Aunque él se cree Superman, es Clark Kent.

J. M. F.: Por cierto, y con esto volvemos al principio del capítulo: no deja de ser una macabra ironía el que Superman se quedara tetrapléjico y, finalmente, muriese [en alusión al malogrado actor Christopher Reeve]. El

48. En las elecciones generales de 1993 el juez Baltasar Garzón figuraba como número dos en la lista del Congreso por Madrid, tras Felipe González. Cuando el PSOE logró la victoria, el juez-estrella no fue elegido ministro sino secretario de Estado contra la Droga. Garzón acabaría abandonando el escaño sin disimular su enfado y decepción y, a partir de ahí, sus otrora excelentes relaciones con González se rompieron definitivamente. Con posterioridad a la exitosa biografía que le escribió Pilar Urbano y a la que Joaquín alude, *Garzón: el hombre que veía amanecer* (Plaza & Janés, 2000), publicó el libro de memorias *Un mundo sin miedo* (Plaza & Janés, 2005) y *La lucha contra el terrorismo y sus límites* (Adhara Publicaciones, 2006), un manual sobre las cuestiones más relevantes en torno al terrorismo.

símbolo del poder por excelencia *made in USA*, la metáfora del país indestructible e inexpugnable, parece que, primero, con la guerra de Vietnam y, después, con el terrible escenario de los últimos años —atentado de las Torres Gemelas, guerra de Irak...— se ha resquebrajado en mil pedazos.

J. S.: Sí, pero no olvidemos a Scorsese. Es decir, *Gangs of New York*. Estados Unidos es un país que hasta hace muy poco tiempo tenía esclavos, que tuvo una terrorífica guerra civil y que desde *Gangs of New York*, que retrata los enfrentamientos entre las bandas de nativos americanos y de inmigrantes italianos, hasta Al Capone y después Gotti,[49] o como se llame el último de los grandes mafiosos o hijos de puta, ha tenido una historia de violencia tremenda. Lo que no habían tenido nunca es un ataque exterior. Ellos habían atacado a todo el mundo, pero jamás les habían atacado a ellos. Ojo, con esto no estoy aplaudiendo a Al Qaeda, ni muchísimo menos. Pero, ¡carajo!, parecía una venganza bíblica. La imagen del superpaís, enlazando con lo que decías de Superman, yo creo que murió, como tú bien has señalado, a partir de la guerra de Vietnam. Una guerra que no declararon nunca y que perdieron. Tampoco declararon nunca que la habían perdido. Esa guerra les creó unos traumas tremendos, y mientras tuvo lugar, hubo un presidente al que echaron por ladrón y por chorizo que se llamaba Nixon.

J. M. F.: Y que ha resultado ser una carmelita al lado de Bush.

49. Considerado como el último de los mafiosos clásicos, John Gotti, jefe máximo del clan de los Gambino, murió en Missouri (Estados Unidos) a los sesenta y un años a consecuencia de un cáncer. En el momento de su muerte se hallaba cumpliendo cadena perpetua.

J. S.: Pues sí, una auténtica carmelita. Superman, en fin, murió en Vietnam, no ahora.

J. M. F.: En cualquier caso, la sensación de indefensión que existe ahora mismo en todo el mundo es incontestable y pone los pelos de punta.

J. S.: La sensación de indefensión, como tuvimos ocasión de ver en la película del gordo Moore, está absolutamente alimentada por los Bush. Había un capítulo maravilloso en *Fahrenheit 9/11* donde unos tipos de un pueblo perdido decían: «¡Los terroristas pueden venir por cualquier sitio...!» La única estrategia que han tenido Bush y su equipo es la de alimentar el miedo echando leña al fuego. ¿Estamos indefensos? Pues sí, lo estamos. Pero ¿acaso no estábamos así en la guerra fría, con bombas nucleares?

J. M. F.: Sí, es cierto. Pero entonces la sensación de peligro e indefensión no era tan palpable como lo es ahora. No estaba tan presente ni era tan real como ahora.

J. S.: Es que creo, y déjame que insista, que el peligro está ahora muy alimentado por Bush. No sólo la sensación de peligro, sino el peligro en sí mismo. Creo que la política de Bush ha sembrado talibanes por doquier.

J. M. F.: ¿El mundo necesita, quizá, una nueva perestroika?

J. S.: Yo no estoy tan a favor de Gorbachov, pero te he entendido. Lo que pasa es que hay una cosa que le reprocho muchísimo a Gorbachov, y es que se rindiera. Se rindió sabiendo que era lo que había que hacer, sí, no estoy tan en contra de eso...

J. M. F.: También le reprochas, imagino, que sea tan amigo de Felipe González.

J. S.: Le reprocho varias cosas. La más importante es que cuando firmó la rendición, ¿qué le habría costado exigir que le quitasen el bloqueo a Cuba? Poner una sola condición, no entregarse como se entregó. De hecho,

¿qué pasó? Era muy popular en el mundo del enemigo, en todo Occidente, pero no en Rusia. Ah. Y acabó anunciando unos quesos en la televisión rusa y escribiendo un artículo para *El País* en el que decía que Karol Wojtyla[50] había sido un tipo enorme. Y yo de Karol Wojtyla opino exactamente lo mismo que Krahe: «Es que me crispo con el obispo ese de Roma. / ¡Por quién se toma!»

J. M. F.: Hablábamos antes del juez Baltasar Garzón...

J. S.: En realidad, yo de quien soy *fan* es de Melchor y Gaspar. ¡Pero a esos nadie los conoce!

J. M. F.: ¿Baltasar Garzón te ha hecho cambiar el concepto —la muy alta estima— que tenías del subcomandante Marcos?[51]

50. Karol Wojtyla, Juan Pablo II para la historia, falleció el 2 de abril de 2005. El suyo fue, con veintiséis años de duración, el tercer pontificado más largo, tras el de san Pedro (entre treinta y cuatro y treinta y siete años) y el de Pío IX (treinta y un años). Su papado se caracterizó por un fuerte conservadurismo en materia familiar y sexual, rechazando de plano el aborto, el divorcio, los métodos anticonceptivos y las relaciones homosexuales, así como la eutanasia y la experimentación con embriones. Fue sucedido por el alemán Joseph Ratzinger, que adoptó el nombre de Benedicto XVI, y que al igual que su predecesor continúa dando la espalda a las nuevas necesidades sociales.
51. A finales de noviembre de 2002, el subcomandante Marcos, jefe del Ejército Zapatista de Liberación Nacional, rompió casi dos años de silencio con la publicación de una carta en el diario mexicano *La Jornada* en la que arremetía duramente contra la democracia española, la monarquía, la persona del entonces presidente del Gobierno español, José María Aznar, la de su antecesor en el cargo, Felipe González, y la del juez Baltasar Garzón. Es decir, que no dejaba títere con cabeza. Marcos llamaba a Garzón «payaso grotesco», le acusaba de llevar adelante un «verdadero terrorismo de Estado» y aseguraba que «después de hacer el ridículo con ese cuento engañabobos de agarrar a Pinochet [...], demuestra su verdadera vocación fascista al negarle al pueblo

J. S.: No, me lo hizo cambiar el propio Marcos cuando metió la pata hasta el fondo. Llamó a Garzón fascista, y estoy en radical y brutal desacuerdo con eso. Garzón podrá ser muchas cosas pero, desde luego, un fascista de ninguna de las maneras. Marcos coqueteó con ETA, lo que puedo entender, por un lado, por desinformación, y, por otro, por el poso que han dejado los etarras exiliados en México, Cuba, Uruguay, etcétera. Poso que, por desgracia, no se ha borrado aún. Siguen como los progres que fuimos en los años setenta, creyendo todavía que aquí hay una especie de Franco. Marcos metió la pata hasta el fondo.

J. M. F.: A muchos de los lectores de este libro les apetecerá que te explayes acerca del citado Marcos, pues piensan que ese romántico revolucionario tiene muchos puntos en común contigo y que sois poco menos que uña y car-

---

vasco el derecho de luchar políticamente por una causa que es legítima», en alusión a la ilegalización de Herri Batasuna. Su defensa de ETA y de los batasunos dejó perplejos incluso a muchos de sus seguidores y cómplices intelectuales, quienes vieron en la salida de tono del zapatista un caso de notoria desinformación. El juez Garzón acusó recibo y le contestó en otra carta, retándole a debatir con él sin el pasamontañas «cuando usted quiera y donde usted quiera». En dicha misiva añadía que prefería ver su nombre abiertamente asociado a la democracia como un «payaso» que «esconderlo tras la falsa rebeldía, la violencia, la mentira, el desconocimiento, la falta de ética y la falta de escrúpulos», y en lo tocante a ETA replicó que «los verdaderos héroes que existen en el País Vasco, y los verdaderos rebeldes, no son los terroristas que usted defiende, sino sus víctimas, los hombres y mujeres que tratan de defender una opción democrática o consolidar las instituciones o desarrollar una libre cátedra». Marcos aceptó el desafío y, rizando el rizo, propuso un disparatado encuentro en la española isla de Lanzarote para dirimir sobre la cuestión vasca, asegurando que si sus condiciones eran aceptadas pediría a ETA una tregua de ciento setenta y siete días. En fin.

ne. Sin embargo, has llegado a declarar respecto a vuestra supuesta amistad que, en realidad, nunca ha sido tal. Que no sois tan amigos, vamos.

J. S.: Lo de que no somos tan amigos no sólo lo digo yo, sino que él lo ha dicho y lo ha publicado. Cuando estuvimos en Chiapas tocando, él aprovechó para hacer un comunicado de esos que hace, y era muy gracioso. Decía: «Todo el mundo me dice que Sabina y yo somos íntimos pero están equivocados. Lo único que nos une a los dos es que ambos somos amigos de Panchito Varona.»

»Él sabe que la música de *Como un dolor de muelas*, la canción que lleva su letra y la mía y que se grabó en *Dímelo en la calle*, es de Panchito. Lo sabe porque yo le fui mandando esa canción por etapas y así se fue publicando en México. Él, además, sabe latín. Lo único que no sabía era euskera y además no creía que Garzón fuera Clark Kent.

J. M. F.: ¿Cómo surgió tu primer contacto con Marcos? ¿Es cierto aquello del emisario que te abordó en un ascensor de un hotel de México para darte la letra de Marcos que pretendía que convirtieses en canción?

J. S.: Es rigurosamente cierto. Se me acercó un tipo y me dio un sobre «de parte del subcomandante Marcos». Subí a mi habitación, abrí el sobre y dentro estaba la famosa carta que diste a conocer en *Perdonen la tristeza.* Otra vez que fui a México tuve un nuevo contacto con él porque me había invitado a verlo a la selva. Había quedado con el emisario a las siete de la tarde en mi hotel, así que a las siete en punto llamaron a la puerta, abrí, vi al contacto y le di un fuerte abrazo. Le puse un tequila y acto seguido empecé a hablarle en unos términos tales como «¿qué tal está nuestro amigo lacandón?», y yo veía que el tipo estaba raro. Al cabo de unos veinte minutos llamaron a la puerta, y nada más abrir me encuentro con otro tipo que me dice: «Vengo de parte del subcomandante Marcos.» Me volví rápidamente y le pregunté al tipo que había llegado primero: «Y tú, ¿quién carajos eres?» Resulta que era un *fan* que había subido para que le firmara un autógrafo y que no estaba entendiendo nada...

»Y ahora te voy a contar otro episodio que no he contado nunca. Con aquel emisario arreglamos lo de cómo ir a ver a Marcos, aunque luego no fui. Pero el caso es que le pregunté: "Y ¿qué le llevo?" Me dijo: "Ya sabes que en las comunidades zapatistas está prohibido el alcohol." Yo no tenía ni idea de eso, y le pregunté que por qué razón. Él contestó: "Porque los indios se mueren de borracheras y es terrible. Te lo digo porque Marcos tiene una botella guardada para bebérsela contigo." Eso me gustó mucho. Volví a preguntar que qué le podía llevar y me respondió que pornografía. Unas revistas porno.

»Lo último es que fui invitado con Vázquez Montalbán y con el Nobel lusitano Saramago al balcón del ayuntamiento del Zócalo para ver entrar a los *terroristas*. Había dos millones de personas y ni un solo policía. Dieron un ejemplo al mundo absolutamente acojonante porque no se robó ni una cartera. Era impresionante ver a esos indios, tan pequeñitos, encima de esa especie de tractor.

J. M. F.: Y ¿qué ha quedado de todo eso, qué ha sido de Marcos y sus correligionarios? Fue una estrella mediática durante un tiempo y ahora, salvo cagadas puntuales como la de Garzón, parece que se lo haya tragado la tierra.

J. S.: Eso es. Él mismo renunció y ha estado en silencio durante años, pero ahí sigue. También el Gobierno de Fox fue un espejismo, porque por un lado era la derecha liberal, ¿no?, por otro lado se acababa con la «dictadura perfecta», como llamó Vargas Llosa al PRI, pero al final ha defraudado a todo el mundo como era de esperar. No obstante, creo que nos estamos metiendo en callejones sin salida de políticas nacionales. Aunque yo encantado.

J. M. F.: Durante un tiempo sentiste una enorme admiración por Marcos, una figura que te sedujo sobremanera. De hecho, llegaste a decir que lo que más te gustaba de él era precisamente lo que lo separaba del Che: su inseguridad. El Che era una persona muy segura de sí misma y Marcos, sin embargo, duda constantemente. Y Dios nos libre de aquellos que no dudan nunca.

J. S.: Eso es cierto, pero además tiene otra cosa que me gusta mucho: humor, ironía. Todos los días leemos que Nueva York es la ciudad más grande del mundo, y no es así. Tampoco Bombay. La ciudad más grande del mundo es México D. F. Es un peón del país con una potencialidad pasada, presente y futura increíbles. Es un laboratorio del siglo XXI, porque no hay un solo México, sino mil quinientos. Entre otros, la sierra Lacandona y Marcos, que han hecho, hicieron, una revolución prácticamente incruenta. Le echaron un pulso al PRI y a Vicente Fox y hasta ahora no lo han perdido, aunque tampoco lo han ganado. Pero hubo tres o cuatro momentos de esos enmascarados que fue para comérselos. Entre otros, la entrada en México sin que nadie les detuviera. Sin embargo, hubo un movimiento, a raíz del libro de Maite Rico [y Bertrand de la Grange] *Marcos, la genial impostura*, en el que todos los progres de familias bien empezaron a sospechar que Marcos era un estafador. Creo que eso pasa siempre. Pasó con Anguita, salvando todas las distancias. Y claro que lo van a criticar e incluso ridiculizar. Pero a mí me gustó mucho Marcos.

J. M. F.: Y a fecha de hoy ¿qué relación emocional o sentimental mantienes con él?

J. S.: Uno de los poemas que le dedicaré en el futuro libro de correspondencia *A vuelta de correo* lleva por título *Un elefante cruza la frontera*, y ahí explico mi admiración, con peros, por él.

J. M. F.: Antes has citado al ya fallecido Manuel Vázquez Montalbán, quien para *Perdonen la tristeza*, y a petición mía, escribió el texto «Sabina contra el imperio del crimen (Introducción a un posible bolero)», en el que recreaba tu relación con Marcos. Eso fue poco después de que mantuviera, en la selva Lacandona, una larga entrevista con el subcomandante, que se materializó en el libro *Marcos: El señor de los espejos*...

J. S.: Voy a contar dos cosas de Vázquez Montalbán, a quien quise y admiré mucho. Estaba conmigo en el balcón de la plaza del Zócalo y, además, estaba muy orgulloso de que su único hijo hubiese hecho el camino entero de Santiago Apóstol con los zapatistas. Eso nos pasó juntos. Y hay una cosa que nos pasó separados y que a mí siempre me ha envanecido. Y lo digo una vez que el pobre Manolo está muerto. Manolo, cuando escribió el libro sobre Fidel [*Y Dios entró en La Habana*, El País-Aguilar, 1998], se fue a Cuba un mes. Manolo era uno de los escritores procomunistas más importantes del mundo mundial y no consiguió que Fidel lo recibiera. Bueno, pues a mí Fidel me recibió a los dos minutos. Y eso, ya digo, me envanece un poco. Pobre Manolo. Bendito sea.

14

UN REPUBLICANO ÁULICO
(LA ZARZUELA EN TIRSO DE MOLINA)

Que es mucha familia
y, oye, la hemofilia
los ha respetao.

Como te digo una co te digo la o
(19 días y 500 noches)

«A mí la monarquía no me ha hecho nada ni yo a ella, pero creo que un país se considera a sí mismo menor de edad si cree que necesita a unos señores puestos ahí por la herencia. A mí Juan Carlos me parece un tipo simpático y Sofía, una señora estupenda. Yo les diría: "Dimitid, que sois gente estupenda" y después les invitaría a unas cañas.» «Tengo esperanzas de que Eva Sannum nos traiga la República. ¿Por qué tengo que pagar yo las correrías eróticas de los reyes?» «Entre los Borbones / y los nubarrones / andas siempre Letizia, / con tu rojo Caprile, / decorando el desfile, / retrasando primizias. / ¿Cómo no imaginarte, / cómo no recordarte / con Urdaci en la tele? / Antes del terremoto / zarzuelero y el voto, / maldita sea la foto / de los trenes que duelen.»

¿Excentricidad de estrella de rock o fascinación por la pompa y el boato propia del niño de pueblo que fue?

Éste es el dilema que muchos, entre quienes me incluyo, se plantean cuando asisten al exótico espectáculo que supone la relación entre Joaquín Sabina, republicano más que confeso, y los Príncipes, monárquicos por derecho divino.

Él lo explica con aquello de que una cosa son las personas y otra bien distinta, las instituciones. O sea, que una cosa es una cosa y otra cosa es otra cosa. Bien. Tal vez.

Pero uno no puede evitar preguntarse si desde el momento en el que esas personas se convierten en gente con la que mantienes un cierto grado de amistad, con la que de vez en cuando alternas, es de bien nacidos seguir sosteniendo públicamente que lo que representan te produce unas irreprimibles arcadas pero que ellos, en cambio, en el ámbito de las risas, la ausencia de protocolo y el «bailemos un vals, querida» son unos tíos estupendos.

¿Lo es?

En fin. Que cada palo aguante su vela y cada cabeza sus regias contradicciones.

¿Quién dijo que del Rey abajo, ninguno?

Y sin embargo un rato cada día, / ya ves, me subiría / a la Zarzuela, / me perdería en la Zarzuela...

J. M. F.: Siempre te has declarado republicano y en numerosas ocasiones has criticado con bastante dureza la institución monárquica. No obstante, en la actualidad mantienes una muy buena relación con la sobrina del Rey, Simoneta Gómez-Acebo, quien propició una cena con el príncipe Felipe y Letizia, los herederos de la Corona, en tu casa.[52] De nuevo, Joaquín, las contradicciones. Aunque,

52. La primera vez que el príncipe Felipe y Letizia cenaron con Joaquín, aún no eran marido y mujer. Después de su boda han ido

en este caso, más que de contradicción habría que hablar, creo, de cierta falta de coherencia.

J. S.: Quisiera lavarles un poco el culo a algunas palabras. Por ejemplo, a la palabra prejuicio, que está tan de moda y que se usa a diario pero que nadie piensa que significa juicio previo. Es decir, yo soy amigo, antes lo he dicho, de Simoneta Gómez-Acebo, prima hermana del principito; soy conocido del principito y de la principita; soy muy amigo de Guti y de Arantxa de Benito, que son merengazos [del Real Madrid], y en el caso de Guti, bien fachón; también soy colchonero [del Atlético de Madrid], rojo y amigo de mis amigos. Y sé muy bien en qué lado de las trincheras de la Guerra Civil habría estado.

»Quiero aprovechar este momento para ahondar un poco más en aquello que decía antes de que vivimos tiempos de enorme confusión. "Dios nos asista", que diría Pere Gimferrer. Unos tiempos en los que se está dando un guerracivilismo fundamentalmente columnista, y vuelvo a hablar de Jiménez Losantos, de Albiac y del narigón nieto de un tipo que escribió no sé qué de don Mendo. Creo que ese guerracivilismo verbal es peligroso, puesto que lo verbal da paso luego a las patrullas del amanecer y a los fusilamientos de madrugada. Te decía que sé muy bien en qué lado de la trinchera habría estado; por una vez en mi vida habría estado del lado de la legalidad, de la legalidad republicana. Yo no creo en la legalidad, no creo en los jueces y no creo en las leyes. Es más, tengo serios prejuicios contra los jueces porque me parece atroz que un tipo pueda decidir sobre la libertad o la no libertad de

---

a cenar a calle Melancolía, donde el anfitrión les esperaba ondeando la bandera tricolor y con la música en carne y hueso de algunos de sus más célebres amigos, como Serrat y el matrimonio compuesto por Ana Belén y Víctor Manuel.

alguien. Desde luego, a mí no me gustaría tomarme una caña de cerveza con un juez. Una vez dicho esto, no tengo que dar la menor explicación sobre quiénes son mis amigos. Aunque a veces sí tengo que darles explicaciones a mis mejores amigos, porque la verdad es que el maniqueísmo español y el guerracivilismo español, el "nosotros" y "los otros", el "éstos son los míos", el "cuando vengan los míos" y el "si se da la vuelta a la tortilla", todo eso, al menos verbalmente, y espero que sólo sea verbalmente, sigue vigente.

J. M. F.: ¿Acaso tú nunca has incurrido en ese pecado tan humano?

J. S.: Claro que sí, por ideología. Es decir, me alineé con lo que se llamaban los rojos y claro que dije «éste es un fascista», y a veces lo dije con información no contrastada.

J. M. F.: Bueno. Eso es un mea culpa en toda regla y eso siempre denota valentía.

J. S.: Además, mi mea culpa va un poquito más lejos. Le *exijo* a la gente que ha cumplido los cuarenta, y yo les llevo quince años, que no sea maniquea. Porque si no se crece en ese sentido, ¿cómo se crece entonces? ¿Bajo tierra, hacia dentro? A partir de los cuarenta uno no puede ser maniqueo ni guerracivilista, ni fusilar al mensajero ni exagerar las noticias que te favorecen y ningunear las que te perjudican.

J. M. F.: ¿Vivimos entonces en un país extraterrestre?

J. S.: ¿Extraterrestre? Yo más bien diría que demasiado terrestre. Entendiéndose ese «terrestre» por tierra, barro y fango.

J. M. F.: Y ¿los Reyes, Joaquín? ¿Tienen que abdicar?

J. S.: ¿Cómo abdicar? Pero ¿abdicar de qué? Vamos a ver. Un británico, como tienen una monarquía, no es un ciudadano, es un súbdito, y un español también. En España, la Constitución está definida por la Corona. Mire usted, claro que soy antipatriota. ¡Es que no puedo, no puedo! Es decir, ¿boda del siglo? De acuerdo, pero del siglo XIV. Antes hemos hablado del déficit democrático y no hay mayor déficit democrático que el considerar que una familia por derecho divino, de sangre, de herencia, de hemofilia o de ladillas tiene unos privilegios que la sitúan por encima del resto de los mortales. Eso atenta directamente, como una carga de titadine y goma 2, contra los pilares de la democracia. Y los ciudadanos que están felices con eso, que son casi todos, se consideran a sí mismos menores de edad. Un ciudadano serio ¡no puede, no puede, no puede! Pero eso no quiere decir que con todo el desprecio que siento por esa institución, desprecio que me viene de la Revolución Francesa —tengo [ríe] una cierta admiración por Monsieur Guillotine—, no haya individuos con los que me pueda tomar una caña. ¡Claro que me la tomo! Eso sí, con una condición no expresa, y es que vamos a hablar de tú a tú. No te voy a hacer la más mínima reverencia ni te voy a tener mayor respeto del que tengo por cualquiera que me encuentre en un bar. Es decir, todo el respeto.

»Resumiendo. Ni el más mínimo respeto por la institución y todo el respeto por las personas. Pero por las personas no porque se llamen tal o cual, sino el que tengo por cualquier persona que me encuentro. Unos me parecen imbéciles y otros, muy listos. Borbones o borrachos de bar.

»Lo de los juancarlistas [aquellos que simpatizan con la figura del rey Juan Carlos o mejor dicho con su persona, fruto de su campechanía y *savoir faire*, y no necesariamente con la Corona] es la misma historia. Yo no soy monárquico ni juancarlista. Estos últimos se creen menores de edad también y creen que este Rey se ha ganado el sueldo. Pero a mí no me gusta pagarle el sueldo a nadie. Mira, si hablamos de reyes me retrotraigo a la Edad Media y no me gusta. En pleno siglo XXI es muy siniestro seguir hablando de reyes. Es muy lamentable, muy anacrónico y muy antiguo.

J. M. F.: ¿Un hombre ilustrado debe considerar la monarquía como una aberración?

J. S.: El siglo XX fue el siglo de la religión laica de la humanidad, que fue el comunismo. Ocupó muchos años y eso se acabó. La mínima estatura del ser humano es volver a la Revolución Francesa. Es decir, una conciencia laica, republicana: libertad, igualdad y fraternidad. Estamos hablando de hace dos siglos. Es decir, ahora mismo, si dices que eres republicano parece que eres Mateo Morral y que estás poniéndole una bomba a Alfonso XIII en la carroza. Pues bien, sí, soy Mateo Morral y le estoy poniendo una bomba a Alfonso XIII en la carroza, y me parece que eso es basura de la historia, que es una escoria que no tendría por qué seguir soportando nadie.

J. M. F.: Muy bien, Joaquín. Creo que tu opinión sobre la monarquía ha quedado rematadamente clara. Ahora, por favor, cuéntamelo todo de aquella famosa cena con los Príncipes.

J. S.: Todo no te lo voy a contar.

J. M. F.: Pues todo lo que puedas contarme. Y un poco más.

J. S.: Lo mejor no te lo voy a contar, aunque sabes lo que es.

»Hace muchos años, vía Chavela Vargas, conocí a Simoneta y a su marido *deSastrón* [José Miguel Fernández Sastrón]. Chavela a los palacios subió y a las cabañas bajó, como ella dice de mí en su libro de memorias. Chavela es una persona absolutamente adorada por la alta sociedad madrileña, y cuando digo la alta sociedad madrileña me refiero a Soledad Becerril, a Isabel Preysler, a Elena Benarroch o a Almodóvar. El caso es que me invitaron a una de esas comidas que organizan. Era en casa del marido de Soledad Becerril, que es un marqués o un conde o no sé qué. Fui con Isabel Oliart, la madre de mis hijas. Jimena no era todavía mi novia, y si lo era, yo aún no lo había contado. Era una fiesta en honor a Chavela. Comimos y, a las seis de la tarde, llegaron *deSastrón* y Simoneta. *DeSastrón* llevaba un montón de aparatos para poner unos micros y un teclado. Entonces cantó Chavela, canté yo y lo pasamos muy bien. Y *deSastrón* y Simoneta, que en mi opinión —una opinión previamente apoyada en mis prejuicios— tenían una imagen pública bastante repelente, me parecieron encantadores. ¡Es que eran más normales que yo! Dicho esto por un *sans-culotte* refiriéndose a la nobleza. Bueno, pues años después, en una cosa de María Dolores Pradera, me los encontré. Les propuse que vinieran a mi casa a tomar una copa y aceptaron encantados. Recuerdo que la parroquia era bastante irregular: estaban Valderramita [Juan Antonio Valderrama, cantante e hijo del ya fallecido Juanito Valderrama], ellos, yo y tal vez algún camello que otro. Y lo pasamos muy bien. Al poco volvieron otra vez, y entonces Simoneta empezó a decirme que Leti quería conocerme. Yo también había leído algunas revistas mexicanas en las que antiguas amigas de Leti decían una cosa que a mí me gusta mucho: que yo era su cantante "de cabecera". El caso es que los simonetos me llamaron dos veces para que nos viésemos en su casa con los principitos, y por prejuicios, porque sé lo que le conviene a mi carrera y porque hay fotos en las que no quiero salir, no fui. La tercera vez que me llamó [Simoneta], gritó: "¡Si no vienes te mando a la Guardia Civil, cabrón!" Era una cena absolutamente privada en casa de Simoneta. Entonces le dije a Simoneta que parecía que no querían mezclarse con la plebe, conocerla, y que si no era así que aceptaran venir ellos a mi casa. Pero ella me dijo que no, porque *deSastrón* les había compuesto un vals de boda a los principitos y se lo quería poner. Me pareció un argumento estupendo, así que fuimos nosotros. Estuvimos solos los seis hasta las tres o las cuatro de la mañana, que empezaron a llegar cachorros de la aristocracia con modelos. Es decir, Laura Ponte, el hermano de Simoneta que luego se casó con ella y cuatro o cinco más. Todos de esa índole, muy simpáticos y con cara de haber estado montando a caballo por la tarde. ¿Qué anécdotas te puedo contar de aquel encuentro? Cuando *deSastrón* puso el vals, que era un vals dedicado, yo, con un poquito de maldad, en lugar de que fueran los principitos los primeros que bailaran su vals, saqué a Leti a bailar.

J. M. F.: Y ¿qué cara puso el Príncipe?

J. S.: El Príncipe tiene una atractiva cara de palo [risas]. El caso es que estoy bailando con Leti y le digo al Príncipe a gritos: «¡Oye, Felipe! ¡Saca a bailar a mi novia que le está dando un tremendo ataque de cuernos!», y mientras decía eso, mi novia, por detrás, me hacía gestos de no, no, no. Pero el Príncipe la sacó porque es un caballero —no por príncipe, sino por caballero— y bailamos el vals nupcial Leti y yo y el Príncipe y mi novia. Luego me contó mi novia que, cuando acabó el vals, el Príncipe le dijo una sola frase: «Bailas de cojones.» Y eso es casi todo lo que voy a relatar de esa noche. La Leti me contó, casi de entrada, un chiste de Lepe sobre ella muy divertido: «¿En qué se parece Estefanía de Mónaco a Letizia? En que Estefanía de Mónaco folla con un funambulista y Letizia es una fulana muy lista» [risas]. Ése es el límite al que puedo llegar sobre esa noche.

»Leti es una chica lista e inquieta. En fin. Yo la apoyo porque creo que, con un poquito de suerte, puede traernos la Tercera República. Y ya no diré nada más.

J. M. F.: Sé que en la cena que posteriormente ofreciste en tu casa les leíste tu *Ripiado de Palacio*. ¿Qué les pareció?

J. S.: La Leti reaccionó muy bien. El Príncipe, que está más investido de su responsabilidad, soltó una carcajada sólo una vez. Cuando dije: «Rostropovich mola mazo.» Porque el Príncipe debe de estar de Rostropovich hasta la polla. Leti estaba encantada con todo y la conversación fue realmente estupenda. Cantamos, bailamos y tocamos. El principito toca el cajón, lo toca bien, y además baila merengue, salsita, no exento de gracia.

»Ah, y quiero decir que *deSastrón* me parece un músico estupendo. Hasta el punto de que me ha hecho la música para dos sonetos que incluiré en un disco que estoy planeando, uno que se titulará *Catorce de catorce* [sonetos inéditos que serán musicados por gente, en palabras de Joaquín, "muy rara, muy extraña"].

»Déjame de todos modos que cierre con una medio verónica y con un brindis al sol. En mi casa, que tú conoces muy bien, hay muchas fotos. Pues la otra noche puse dos fotos en la estantería principal. Puse la que tengo con los principitos y, al lado, la que tengo con Fidel Castro. Juntitas.

J. M. F.: A propósito de Fidel: me contabas que le dijiste entre bromas que no se hiciera ilusiones porque no pensabas darle el número de teléfono de la que a la sazón era tu novia, y que él te siguió el juego con un: «No te preocupes, me lo va a dar ella.» ¿También lo obtendría de Letizia?

J. S.: Si yo tuviera una multinacional, le nombraría sin duda relaciones públicas porque es el mejor del mundo en la distancia corta. Ni sus más atroces enemigos niegan eso. Antes de darle la libertad a Heberto Padilla,[53] se presen-

53. Poeta y novelista de gran prestigio, Heberto Padilla (Pinar del Río, Cuba, 1932-Alabama, Estados Unidos, 2000) ostentó algunos de

tó en su celda y estuvo discutiendo con él durante cuatro horas. Fidel es un peligro, es goma 2. Si te lo pones cerca estás perdido. ¿Qué pasa en las Cumbres Iberoamericanas? Que absolutamente todas las fotos son para él. En Europa ya no es ninguna bandera, pero en el Caribe y en la mayor parte de Latinoamérica ¡cómo que si lo es!

»Yo no soy un politólogo ni un filósofo ni un analista de la realidad, pero creo que muchos de esos que solucionan la vida con tres frases deberían saber que Fidel no es cualquiera y que Cuba no es *cualquierista.*

---

los más importantes cargos de las principales instituciones culturales de Cuba: fundó la Unión de Escritores y Artistas, fue director internacional del Consejo Nacional de Cultura y miembro del Consejo de Dirección del Ministerio de Comercio Exterior. En 1971, tras recitar en los salones de la Unión de Escritores poemas de su libro *Provocaciones*, fue detenido junto con su mujer, la también escritora y poeta Belkis Cuza Malé, acusados de «actividades subversivas» contra el Gobierno revolucionario de Cuba. Debido a la enorme presión internacional y, sobre todo, a la mediación de intelectuales de primer orden que hasta entonces se habían mostrado claramente favorables a la política de Castro, como Mario Vargas Llosa, Susan Sontag, Simone de Beauvoir, Alberto Moravia, Octavio Paz y Carlos Fuentes, fueron finalmente liberados. En 1980 fue autorizado a abandonar Cuba y se instaló en Estados Unidos, donde residió hasta su muerte.

15

TELEBASURA VERSUS CENSURA
(JESÚS HERMIDA Y ADOSADAS. JAVIER SARDÁ MANDA UN SOS A SU VERDUGO. SALARIO MÍNIMO CULTURAL)

Las hogueras a primera vista, cuché
de revista, se apagan bien pronto.

No permita la Virgen
(Dímelo en la calle)

«El opio del pueblo es ahora mismo la televisión tal y como se está dando, con los modelos que propone. Yo amo a las putas y a los maricones, pero las putas y los maricones decentemente en sus casas, en sus oficios, en la calle. Amigos míos, novias mías, lo que usted quiera. Pero propuestos como modelos y no como los trabajos que desempeñan, no como lo que escriben ni como lo que hacen ni como lo que cantan sino como putas y maricones de la peor calaña, me parece un escándalo.» «¿Javier Sardá? No se puede ser tan vil, tan amarillo, tan sapo, tan repugnante, tan cínico, tan basura.»

Desde hace unos años, y a pesar de reconocer que la consume en elevadas dosis, Joaquín le ha declarado la guerra sin cuartel a la llamada *telebasura*.

De hecho protagonizó estruendosos enfrentamientos dialécticos con Javier Sardá, quien durante cerca de una década fue el gran hechicero de la tribu.

El periodista catalán le lanzaba dardos con curare al cantante andaluz desde su exitoso, y al mismo tiempo vilipendiado, *Crónicas Marcianas*, ya difunto, y Sabina se los devolvía con idéntica carga de ántrax desde su tribuna de *Interviú* o en sus ocasionales intervenciones televisivas en programas como *La Noche Abierta*, de Pedro Ruiz; *Ratones Coloraos*, de Jesús Quintero, alias El Loco de la Colina, o *Negro sobre Blanco*, de Fernando Sánchez Dragó.

¿Nos hallamos de nuevo ante una crasa contradicción como la de ser más republicano que Azaña e invitar a cenar a su casa al futuro Rey de España y su abrileña consorte?

Bueno, lo cierto es que Joaquín ya lo dejó ferozmente claro en el primer capítulo de este libro: «Algunas veces he recurrido a la Constitución y al Código del Derecho Civil para recabar para mí, reivindicar para mí, el derecho a contradecirme todo lo que me dé la gana.»

El que avisa, por tanto, no es felón.

Pues eso.

J. M. F.: Sonados han sido tus constantes ataques a la llamada *telebasura* en general y a Javier Sardá y su *Crónicas Marcianas*[54] en particular. Ahora tienes ocasión de explayarte sobre éste y sobre aquélla.

54. El 21 de julio de 2005, tras ocho años en antena y más de mil doscientas emisiones, *Crónicas Marcianas*, el *late night* más exitoso de la historia de nuestra televisión, se despedía de la audiencia para siempre. Nacido como un magacín con voluntad transgresora, al

J. S.: Éste es un tema casi tan complicado como el de Fidel pero, venga, metámosle mano. Vamos a ver. Ahora mismo hay un debate en este país que ya ha pasado al Gobierno y empieza a pasar a los ejecutivos de Tele 5 y otras cadenas de televisión. El debate se llama *telebasura*. Hasta el defensor del Pueblo, Enrique Múgica, ha tomado cartas en el asunto. ¿Qué opino yo de eso? Opino que no sé qué opinar. Opino que tienen razón los que dicen que si el Gobierno se ocupa de esas cosas y empieza a legislar, eso lleva directamente a la censura. También opino que no puede ser que sigamos educando a nuestros hijos con eso, que es algo que se ve, y que debería haber algún modo de legislar que no incurriese en la censura. Porque dicen que la televisión pública es una cosa y la privada, otra. Pues no, mire usted. Porque las privadas son licencias que también concede el Gobierno, y éste debería saber que ya no hay primero, segundo, tercero, cuarto ni quinto poder. Porque en el siglo XIX el cuarto poder era la prensa, pero en este momento el primer poder es la televisión. Lo que no sale en la tele, directamente no existe. Ahora, insisto en que si me piden que vote por un código, creo que, como opina la derecha, eso lleva a la censura. Resumiendo: lo que quiero decir es que no tengo ninguna respuesta milagrosa para esta cuestión.

»No obstante, aprovecho la ocasión que me brindas para decirte que me están haciendo unas ofertas de la te-

---

que el propio Joaquín Sabina había acudido como invitado en plena promoción de alguno de sus trabajos, como *Enemigos íntimos* (en compañía de un «cantante argentino ex marido de Cecilia Roth»), en los últimos tiempos degeneró hasta el punto de convertirse en una plataforma para el lucimiento y posterior linchamiento de los personajes más abyectos del mal llamado *corazón*. Cuando esta conversación se estaba produciendo, el citado programa todavía existía y arrasaba.

levisión pública en horario de *prime time* y que no me emocionan nada. Voy a hacer un piloto que me han ofrecido con Almudena Grandes, que me parece la pareja perfecta. Entre otras cosas, porque Almudena no me va a dar la menor oportunidad para que yo cuele una frase [risas]. Aunque a lo mejor podré lucirme de pronto con una frase como: "No me gusta que me hables mientras te interrumpo." ¿Adónde me lleva este discurso? Pues a que he vomitado, he echado sapos y culebras por la boca hablando de la *telebasura* y he puesto la cara para que me la partan, porque los de la *telebasura* tienen un espléndido argumento que aún no he encontrado el modo de rebatir: "Mucho peor que la *telebasura* es la censura." Porque si el Gobierno se entromete en eso, ¿quién es el que dice hasta aquí es *telebasura* y hasta aquí no? Yo entiendo todo eso y no sólo lo entiendo, sino que no tengo nada que objetar al respecto, y mira que me gustaría poder hacerlo. Sólo sé, y no me cansaré de repetirlo, que el grado de abyección al que se ha llegado no debería seguir, porque creo que los niños se están educando en un clima pantanoso, maloliente y fétido.

»*The New York Times* sabe que España está en Europa, pero lo sabe sólo relativamente, porque cuando Zapatero ganó las elecciones generales y cuando nos echamos masivamente a la calle en protesta por la guerra de Irak, ese diario no dedicó ningún editorial al respecto. Lo ha hecho ahora —y lo sabemos por Elvira Lindo— hablando sobre nuestra *telebasura*, diciendo que el nivel de agresividad de nuestros *paparazzi* es tremendo y que casi las veinticuatro horas Tele 5 y Antena 3 están dale que te pego con lo mismo. Eso es rigurosamente cierto, pero aun así me parece que es una noticia muy macabra, porque que *The New York Times* no hiciera un editorial sobre el 11-M y sobre lo que pasó después, o hablando de que el noventa por ciento de los españoles se declararon contrarios a la guerra de Irak y, como ya hemos dicho, lo expresaron en la calle, y lo haga por la *telebasura* es muy injusto. No saca nuestras virtudes, sino tan sólo nuestros defectos. No obstante, no deja de resultar interesante que lo que les asombra de nuestro país a los de *The New York Times* —que es un icono— sea ese estado absolutamente infame de la televisión. Pero ¿quién tiene una fórmula en verdad mágica para atajar eso? ¿Carmen Caffarel? No. ¿Yo? No. ¿Zapatero? Tampoco.

»Esta mañana he estado un ratito viendo y oyendo opinar sobre este tema a los que opinan en el programa de María Teresa Campos, y nadie tiene una fórmula infalible al respecto. Las mujeres, en esos debates, están muy enfadadas y parece ser que les gustaría que existiera algo que remediara el problema. Sin embargo, los hombres se muestran muy escépticos. Hablo de Raúl del Pozo, de Pepe Oneto y de Arturo González. Dicen que el Gobierno no tiene nada que opinar sobre este tema. Francamente, mi opinión es un mar de dudas. Pero a pesar de mi militancia absoluta contra la *telebasura*, vuelvo a decir que no-debe-haber-una-ley. ¿Sabes qué es lo que creo? Creo que los jueces tienen que empezar a funcionar, porque no puede ser que sigamos sufriendo por más tiempo el espectáculo deplorable que ofrecen todas esas putas —y cuando digo putas estoy diciendo putas como insulto, no como las putas a las que yo amo— que dicen que echaron un polvo con el primo del sobrino de la novia de Tarzán y su puta madre. Entiendo muy bien que no hay juzgados ni jueces para juzgar a toda esa gente, pero creo que el Estado español va a perder menos dinero de nuestros sagrados impuestos poniendo tres juzgados sólo para hablar de cubanos que le comen el clítoris a Marujita Díaz que creando nuevas leyes. Creo sinceramente que tres o cuatro juzgados en toda España perjudicarían menos el bolsillo del contribuyente que la cruzada que está haciendo el Gobierno. Más por decir lo que queremos oír que porque crea que pueden encontrar una solución para atajar ese problema. Zapatero no es tonto y sabe que es muy difícil hacer una ley sobre eso, pues esa ley conculcaría la libertad de expresión. Resumiendo: cuatro juzgados especializados en el derecho a la intimidad y a la no blasfemia y a la no injuria y a la no calumnia. El derecho a que los que digan eso en un aparato público, tan público que acaba con el honor de alguien para toda la vida porque lo ven unos cuantos millones de personas, sean condenados a una pena que sea comparable a la ofensa que producen. ¿Qué pasa, que yo me siento un genio? Francamente, sí [risas]. Porque no he leído en ningún periódico que se esté contemplando eso. Y abundo una vez más en que la cruzada zapateril contra eso, *a)* si Zapatero no nos explica cómo puede regular esas leyes, es demagogia pura y dura, y *b)* si nos explica cómo puede regularlas, nos vamos a asustar mucho. Porque tenemos, este país tiene, y te lo digo después de viajar por un par de continentes, la libertad de expresión más alta del mundo. Por eso tenemos los excesos, como decía el *The New York Times*, más altos del mundo. Pero quizá sea ése el precio que haya que pagar a cambio de esa libertad de expresión sin parangón en todo el planeta.

J. M. F.: ¿Alguna vez has sufrido el oprobio de la censura en tus carnes?

J. S.: Sí, una vez, y te lo voy a contar. Como sabes, hice muchos programas con Tola y he hecho mil y un programas con todo el mundo. Con Hermida podía ir todas las semanas o dos días al año. Si hubiese tenido alguna afición por el dinero, porque pagaba muy bien, habría ido todas las semanas, pero sólo fui un par de días al año. El segundo día pasó una cosa muy fea, y lo que más me molesta es que me quedé sin argumentos. Porque en pleno felipismo y en pleno aznarismo yo he dicho siempre lo que me ha dado la gana. Por ejemplo, como ya hemos dicho antes, ponerle el nombre a la *X* de Garzón sin que me fusilaran al amanecer, o al menos sin que me silenciaran. De hecho, fue en el programa de Hermida donde dije lo de la *X* y donde reté a *Míster X* a que me denunciara y se querellara como había prometido. Bien. Yo sabía que no me iban a fusilar al amanecer, pero sí pensaba que me iban a silenciar. Hasta ahora estoy hablando a favor de Hermida. Hasta el punto de que Hermida no sólo no me silenció, sino que me volvió a invitar a su programa al día siguiente. Lástima que ese segundo día pasara lo que pasó. Estábamos Pilar Miró, Isabel San Sebastián y yo. Pilar sentada a mi derecha e Isabel a mi izquierda [ríe por la aparente contradicción]. Y luego había alumnos de institutos porque el coloquio versaba sobre alcoholismo y drogadicción, y yo sostuve lo que sostengo siempre, lo que ya he sostenido en este libro, que las drogas no son ni buenas ni malas. Isabel San Sebastián estaba en franco desacuerdo conmigo y Pilar Miró estaba bastante de acuerdo. Lo que no estaba previsto para nada es que los estudiantes que se encontraban en el plató también estuvieran de acuerdo. Es decir, que a mitad de programa, en uno de esos parones que se hacen para mear y poner anuncios, o al revés, estaba muy claro que lo que iba a decir el público era que le encantaba tomarse una copa y fumarse un canuto. Entonces yo salí a mear y vino una señorita detrás de mí, una señorita que creo que ahora es la mujer de Hermida, aunque eso no puedo jurarlo. El caso es que era su factótum y yo la conocía. Me dijo: «Joaquín, no puedes hacer esto», y yo contesté: «¿Qué?» «Estás haciendo apología de la droga», me acusó, y yo le dije: «No, vamos a ver —todo esto meando—. A mí me habéis llamado para opinar, no he sido yo quien ha dicho que quería venir. Luego ¿qué me estás contando?», y me contestó, literal: «No puede ser. Hemos hecho este programa para que la juventud sepa...» No le dejé acabar. Zanjé el asunto diciéndole algo así como «anda a cagar» y entré en el plató justo cuando estaban dando el último anuncio. Me acerqué a Jesús Hermida sin cámaras delante y le conté lo que me había pasado. «¿Quién te lo ha dicho?», me preguntó él, se lo dije y se quedó muy serio. Y después de unos segundos dijo: «Joaquín, ¿te fías de mí?» Asentí. Y añadió: «Te pido un favor. No digas en público lo que te acaba de pasar», y yo le aseguré que no lo haría. El estrambote viene ahora, y quiero aprovecharlo para hacerle un homenaje póstumo y muy corazonado a Pilar Miró. Según me senté se lo conté a Pilar y me dijo: «Y ¿te extraña?» No te olvides que fue directora general de Televisión Española y la arrastraron por la calle por un traje, con la que cayó después[55] [el

55. En enero de 1989, tras ser acusada de «malversación de fondos públicos», Pilar Miró (Madrid, 1940-ibíd., 1997) presentó su dimisión al frente de la Dirección General del ente público RTVE, cargo que venía desempeñando desde noviembre de 1986. En 1992, tres años después de su marcha, fue absuelta del delito que se le imputaba. Durante sus poco más de dos años de mandato, la televisión pública vivió su mejor momento, pero el fuego cruzado entre *guerristas* y *felipistas* la pilló fatalmente en medio: cuando en el Consejo de Administración de RTVE el partido de la oposición pidió su cabeza, los *guerristas*, que tenían a otro candidato para ocupar su puesto (la cineasta nunca fue santo de la devoción de Alfonso Guerra), se lavaron las manos. Tras aquella dura experiencia Pilar Miró volvió a centrarse en la dirección cinematográfica, entre cuyos títulos destacan *Gary Cooper que estás en los cielos*, *El crimen de Cuenca*, *Beltenebros* (basada en la novela homónima de Antonio Muñoz Molina), *Tu nombre envenena mis sueños* (basada en la novela homónima de Joaquín Leguina) y *El perro del hortelano.*

«con la que cayó después» tradúzcase por Roldán, los chanchullos del hermanísimo de Alfonso Guerra, Mariano Rubio, etcétera, etcétera, etcétera].

»Por cierto, mi querido biógrafo. Antes hemos hablado de Zapatero, pero te recuerdo que Aznar también bramó lo suyo contra la *telebasura*.

J. M. F.: Sí, y ya que lo dices ¿no te parece contradictorio que en los ocho años de Gobierno de la derecha la *telebasura* alcanzase sus cotas más altas y, sin embargo, cuando está gobernando un partido de «talante liberal», un partido de izquierdas, se ponga tanto empeño en terminar con ella?

J. S.: Te diré que algo tengo que ver con eso. Zapatero, en los últimos cuatro meses, ha hablado con quinientas personas y yo fui una de ellas. Decidí ser monotemático y hablarle sólo de la *telebasura*. Desde entonces estoy loco por ver de nuevo a Zapatero para contarle que, después de darle muchas vueltas a esta cuestión, estoy de acuerdo con la derecha, como he dicho y repetiré hasta la saciedad, en que esas posibles leyes acabarían siendo censura. Juzgados con el Código Civil en la mano. Es decir, yo no creo que haya que reformar el Código Civil, pero en los últimos tres años se ha hecho una cosa que se llama juicios rápidos. Bien. Pues algo parecido. No me parece un despropósito.

J. M. F.: ¿Y no será que cuando Aznar bramaba contra la *telebasura* lo hacía de mentirijillas, ya que en el fondo lo que al Partido Popular le interesaba era darle al pueblo pan y circo?

J. S.: Eso es lo que sostenía Sardá, pero no es lo que opino yo. Aunque la verdad es que Sardá tenía un poco de razón, sí. Porque los telediarios de Tele 5, post mórtem de Couso,[56] fueron incendiarios, y Aznar se vio ahí muy

56. El 8 de abril de 2003, el cámara de televisión José Couso fallecía en Bagdad, donde se encontraba cubriendo la guerra de Irak para

achuchado. Hablaron mal de él no sólo los telediarios, sino también Sardá. Es decir, héroes mediáticos. Aprovecho para contarte algo que pasó hace un año y que te va a gustar mucho. Sonó el teléfono de casa y me dijo Lena, mi secretaria y sin embargo amiga: «Oye, Joaquín, es Sardá.» El caso es que estuvimos hablando por lo menos veinte minutos. No, estuvimos no, estuvo. Porque lo cierto es que yo apenas dije nada. Su discurso fue, más o menos, el siguiente: «Hola, Joaquín, soy Javier. Sé que te extrañará mucho que te llame, pero lo primero que quiero que sepas es que no te llamo para que cambies tu opinión sobre nosotros porque, entre otras cosas, tú eres un clásico de *Crónicas Marcianas* y estamos muy orgullosos de tener un enemigo como tú.» Ése era el tono de su discurso. «Lo que quiero es darte cierta información —prosiguió Sardá—. Que sepas que hay un gran clima de terror en los pasillos de Tele 5: padres de familia, cámaras y obreros que creen que van a perder su trabajo porque hay una ofensiva del Gobierno contra *Crónicas*.» Que conste que estamos hablando del Gobierno de Aznar, ojo. Y era verdad que, como antes he dicho, los telediarios de Tele 5, desde que mataron a Couso, fueron realmente maravillosos. Bueno, pues la tesis de Sardá —una

---

la cadena Tele 5, al disparar un tanque estadounidense contra el hotel en el que se hallaba junto a otros periodistas de distintas nacionalidades. Taras Protsyuk, camarógrafo ucraniano de la agencia Reuters, perdió también la vida por la aún inexplicada acción del ejército de Bush. La muerte del reportero español le dio grandes quebraderos de cabeza al Gobierno de Aznar, que decidió enviar tropas españolas a Irak pese a la masiva oposición de la ciudadanía española, que salió a la calle a manifestar su protesta en una de las movilizaciones más numerosas que se recuerdan en la historia reciente de nuestro país. Ésta fue, sin duda, una de las principales causas que precipitaron la derrota del Partido Popular en las urnas apenas un año después.

tesis, en mi opinión, absolutamente torticera— era la de que no me querían callar la boca pero sí que tuviera en cuenta los datos que me estaba dando. Esos datos eran que los del Gobierno no estaban contra la *telebasura*, entre otras cosas porque la *telebasura* da muchísimo dinero, sino contra los informativos, y que yo, con mi actitud, les estaba haciendo el juego. Fue lo mismo que me dijeron Felipe González y García Márquez sobre la pinza con Anguita de la que ya hemos hablado. Yo le pregunté a Sardá: «Y ¿qué esperas de mí?» Él me respondió que no esperaba nada, que simplemente quería que tuviese en cuenta lo que me había contado. La verdad es que algo en cuenta lo he tenido porque desde entonces, que debe de hacer más de un año, hasta ahora, no lo he contado. Pero ahora que se entere la gente. ¿Y sabes qué fue lo que pensé yo? Pensé: «Dios mío. Este tipo, que lleva siete años haciendo un programa diario, que tiene miles y miles de millones,[57] al que yo no necesito insultar, sino que simplemente le enseño la lista de sus colaboradores habituales y si no vomita es que no tiene sangre en las venas, ha estado esta mañana en una reunión con ejecutivos de alto copete, de muy alto copete, y alguien ha dicho: "Llama a Sabina."» Entonces, en lugar de sentirme muy importante, pensé en vomitar. Pensé que están para un roto y para un descosido, que quieren cubrir todos los flancos y amedrentar al enemigo, o al menos neutralizarlo. Son chantajistas. Ah...

57. En agosto de 2005 la revista *Interviú* publicó una información sobre el estado de las finanzas de Javier Sardá, a quien se le estimaba un patrimonio personal de unos cuarenta millones de euros. Tras dejar *Crónicas Marcianas* el periodista catalán vive retirado temporalmente del mundanal ruido en una colosal finca situada en Canet de Mar (Barcelona) con su mujer, Ana Gutiérrez, quien fuera peluquera de su programa.

J. M. F.: La historia pone, sí, los pelos de punta, pero de todos modos parece que hayas olvidado a Urdaci. Porque me estás hablando de Sardá como si fuese el malo más malo del mundo. Todos sabemos lo que representa Sardá, claro que sí. Pero ¿y Urdaci?

J. S.: ¿Sabes qué es lo fantástico de Urdaci? Pues que tu pregunta incluye dos respuestas: es verdad que me he olvidado de Urdaci, ¡pero es que todo el mundo se ha olvidado de él! Nadie se acuerda ya de que existió. Sí, a mí me llegó a cabrear mucho Urdaci, como a ti, como a todos, pero no vamos a hablar de Urdaci en este libro, ¿no te parece? Por cierto, como todos los de la televisión pública, está cobrando un pastón por no ir.[58]

»Y hablando de la televisión pública, habría que decir, así de entrada, que no basta con reconocer que se tienen cuarenta mil millones de deuda y que quieren emular a la BBC. No, no basta con eso. Hay que tener un proyecto y hacerlo bien porque los cuarenta mil millones de deuda los pagamos tú y yo. Me parece que el proyecto tendría que ser intentar demostrar que con contenidos educativos enriquecedores para el espíritu, con la suficiente dosis de frivolidad y con otra dosis más que suficiente de sabiduría, talento e inquietud, se pueden hacer programas

58. Alfredo Urdaci fue el director de Informativos de TVE en la última legislatura de Aznar (2000-2004) y una de las personas más criticadas durante ese tiempo no sólo por el partido de la oposición, el PSOE, sino por cualquier observador mínimamente enterado, ganándose una merecida fama de lacayo del Partido Popular. En 2005 publicó el libro *Días de ruido y furia. La televisión que me tocó vivir* (Plaza & Janés), en el que recogía sus experiencias como director de Informativos y que se convirtió en un éxito editorial. En 2006 publicó en la misma editorial un segundo libro, *Cómo salir del infierno. Crónica de un naufragio*, en cuya portada el susodicho posaba en plan Ruiz Mateos.

que atraigan a la audiencia en general y no sólo a la de los lectores de poesía. A la audiencia de televisión. Me parece que si no se busca por ahí, estamos tirando balones fuera. Y sobre esto que estoy diciendo no he visto jamás un solo artículo en un periódico. ¡Ni uno! Y es que si en lugar del terrible complejo que tenemos los Rioyo[59] y compañía de que la cultura es una cosa profunda y absolutamente minoritaria, y si tenemos un dos por ciento de audiencia nos damos con un canto en los dientes, se dijera que la cultura hecha como Dios manda es la cosa más divertida del mundo, la cosa, estoy convencido, cambiaría mucho. Esto que te digo me interesa muchísimo porque nunca he conseguido formularlo así. ¿No será ya el momento de plantearlo? Si les hubiesen dicho a los niños que el *Quijote* es un libro de chistes de Lepe, en lugar de lo que les han dicho, ¿no crees que se leería más? Igual que si le hubiesen explicado a la gente que la mayor inversión que puede hacer para su vejez, cuando tienen catorce años, es interesarse por los libros. Yo me he pasado muchas veces tres días y tres noches en un aeropuerto, cuando hay unos rayos o cuando hay una guerra, con muchos músicos y *managers* alrededor. Mis músicos y mis *managers,* no todos, pero sí en general, al segundo día ya estaban muy nerviosos; yo no porque tenía un libro. Lo que quiero decir es que si de verdad se quiere enseñar a la gente, no a educarla o a que sea más culta, sino a que sea más feliz, lo que hay que inculcarle es eso. Los viejos que leen son infinitamente más felices que los que no leen. La gente que lee es infinitamente más rica que los ricos que no leen.

59. Javier Rioyo, periodista. Presenta en La 2 el programa de libros *Estravagario* —para el que Joaquín escribió la canción del mismo título, que sirve de sintonía— y es colaborador del diario *El País* y del programa radiofónico de la cadena SER *Hoy por hoy.*

Estamos hablando de la única revolución de la que espero algo y la única que queda después de un siglo XX con tantas hermosas y siniestras revoluciones, con tantos Stalin. Estoy hablando de la única revolución que yo espero con todo mi corazón: la educación. Lo que no empieza en las escuelas, no será. Pero más importante que las escuelas es la televisión, por eso estamos soñando estas cosas.

J. M. F.: Joaquín, ¿qué es la cultura?

J. S.: [Largo silencio.] Se me ocurren dos o tres respuestas. Primero, es el grado más alto de la evolución de esos animales carnívoros que eran nuestros antepasados de hace millones de años. Segundo, es un modo de hablar con gente de otros siglos. Es decir, yo soy amigo de Dylan, pero también de Quevedo. Ellos no lo saben, pero lo soy. Es el grado más alto de la evolución del primate. Me quedo con estas dos respuestas. Por cierto, querido Javier: no seas tan petulante porque nadie ha contestado bien a esa pregunta y yo no voy a ser una excepción. Aunque tengo una tercera respuesta: mientras no haya un salario mínimo cultural por abajo, es decir, mientras no haya alfabetización global y cuatro libros en la casa del más pobre, este planeta será el infierno de Dante.

»Cuatro libros en la casa del más pobre, salario cultural mínimo. No creo que sea mucho pedir. Por cierto, de esos cuatro libros, uno debería ser de Homero, la *Odisea.* Otro debería ser cualquiera de Shakespeare. Otro debería ser el *Quijote* y el cuarto, perdonen la colombianez, debería ser *Cien años de soledad.* ¡Dos españoles! Para mí, ése sería el salario mínimo cultural. Ah. No los cuatro libros, sino gente educada para poder leerlos. Los niños, los padres y los abuelos de esa casa tienen que tener el salario mínimo educacional para poder leerlos y entenderlos. Llevamos dos mil años de historia del cristianismo y muchos más de historia, y en ese sentido estamos aún en el Paleolítico inferior. Si esto no se ha conseguido en España, en Estados Unidos o en Suecia es que estamos en el Paleolítico inferior. Somos los "hombres de las cavernas" de Platón. Por cierto, cabronazo, me estás obligando a verbalizar cosas que nunca, nadie, me obligó a verbalizar.

J. M. F.: Cuando a Umbral, en 1996, le concedieron el premio Príncipe de Asturias, dijo que la cultura es lo único que nos queda.

J. S.: Bueno. Yo añadiré una cosa de alguien políticamente muy incorrecto, que es Borges. Mucho antes de estar ciego, mucho antes de ser un eunuco, como fue espiritualmente toda su vida, dijo que él concebía el paraíso como una biblioteca.

J. M. F.: Sí, y tú lo has interpretado al pie de la letra y te estás construyendo ese paraíso en casa [posee una biblioteca de más de diez mil títulos].

J. S.: Así es. Me gustaría, no obstante, que este capítulo se cerrara por abajo. Vuelvo a decir: salario mínimo cultural es, para mí, cuatro libros y tres generaciones, abuelos, padres e hijos, que tengan el andamiaje, las armas mínimas para poder disfrutarlos.

J. M. F.: Y algo también muy importante: las suficientes calorías diarias para mantener el cociente intelectual necesario para entenderlos, no la mísera hoja de coca peruana.

J. S.: Exactamente, sí. Pero sin menospreciarla, ¿eh? [Risas.] Te diré una cosa terrible que me gustaría que estuviera en nuestro libro. Ni tú, que tienes veinte años menos que yo, ni yo, que tengo veinte años más que tú, ninguno de los dos veremos ni una lejana aproximación a lo que estamos diciendo. Lo cual es una tragedia tal, que sólo deberíamos hablar de eso. ¿Me explico?

J. M. F.: Te explicas. Pero desgraciadamente mi papel aquí es el que es, y eso me exige tener que bajar ahora mismo del cielo de los ojalás, las utopías y la sabiduría al suelo de la realidad, los enemigos y la ignorancia extrema. Entonces vuelvo a llevar la conversación por aguas procelosas, esas que tanto le gustan al lector —y a ti y a mí— y te digo sin más Javier Sardá.

J. S.: Voy a decir algo que a todo el mundo le va a parecer muy antiguo, muy rancio y lleno de ladillas: Javier Sardá es un corruptor de la juventud. Sócrates *dixit*. No, Sócrates fue acusado de eso...

J. M. F.: De corruptor de menores, sí. Sólo que Sócrates injustamente.

J. S.: Y Javier Sardá muy justamente.

J. M. F.: ¿Comete estupro televisivo?

J. S.: Sí. Para meter en el infierno de Dante y llenar de mierda y basura a Sardá no hay que filosofar ni hacer grandes frases, sólo hay que hacer una lista de sus invitados: Malena Gracia, Antonio David Flores, Aída... Es una lista de cincuenta invitados, y ahí queda perfectamente definido. No hay que decir nada más. Y eso que dicen ellos de que no tenemos humor, de que somos unos talibanes, de que somos unos puritanos, de que la *telebasura* en realidad son los telediarios... ¿Que no tenemos humor? ¡Me voy a cagar en la puta madre que te parió, Javier Sardá! ¡Pero si tú eres un fraile benedictino que te haces pajas con condón porque hay mucho sida, querido imbécil!

J. M. F.: Sin embargo, a pesar de decir todo lo que estás diciendo, siempre has reconocido que pierdes muchas de las maravillosas horas que nos brinda la existencia viendo ese tipo de programas; que le quitas tiempo a César Vallejo y a jugar a los médicos con tu novia para consumir ese guiso que no tienes reparos en definir como inmundo, vil y abyecto. Quienes diseñan esos programas ¿juegan con ventaja, en el sentido de que saben que el caca-culo-pedo-pis y la bazofia a granel son un espectáculo que, instintivamente, nos atrae, que atrae, incluso, hasta a los más ilustrados?

J. S.: Claro, desde luego que sí. Yo no he dicho, como bien señalas, que no vea la *telebasura*, muy al contrario. Siempre he dicho que soy adicto a ella.

J. M. F.: Sí, pero después de ese alegato contra ese tipo de televisión y contra Sardá, no deja de sorprender que sigas consumiendo algo que te produce unas enormes ganas de vomitar.

J. S.: Tengo una anécdota que creo ilustrará el callejón sin salida en el que nos estamos metiendo, querido Menéndez. La anécdota es de mi maestro Krahe. Él dice que claro que puede ir a una sala de fiestas a ver a Andrés Pajares o a Fernando Esteso o a quien sea, y claro que en algún momento se va a reír de sus chistes. Lo que pasa es que luego va a salir a la calle avergonzándose de haberse reído de sus chistes. Sin embargo, si va a ver a Woody Allen o a Lenny Bruce,[60] no sólo se ríe sino que se mete en la cama orgulloso de que le hayan tratado como a un tipo inteligente. Y Sardá, en cambio, se dirige a la chusma, a la plebe, en el peor sentido de la palabra, y no se tiene respeto a sí mismo.

»Y esto me lleva a lo de antes, al salario mínimo cul-

60. Nacido en Nueva York, Lenny Bruce, cuyo verdadero nombre era Leonard Alfred Schneider, fue un singular cómico cuyas genialidades y capacidad para la sátira le crearon numerosos problemas con la ley, llegando a ser procesado en distintas ocasiones por sus desafíos «obscenos» e «irreverentes». Los temas que jalonaron su procaz repertorio fueron la política, la religión, el racismo, el Ku Klux Klan y el aborto. En su autobiografía *How to talk dirty and influence people* [*Cómo decir guarradas e influir en la gente*], escrita con la ayuda de Paul Krassner, se pueden leer perlas del tipo: «Los niños deberían ver películas porno: son mucho más saludables que el sexo que pueden aprender de[l cine de] Hollywood.» Se suicidó a los cuarenta años con una sobredosis de morfina en su casa de Hollywood.

tural. Estamos partiendo de la utopía, claro. Porque la utopía en estos tiempos está a ras del suelo. En 1968 la utopía era: "Sé realista, pide lo imposible." O: "Debajo de los adoquines está el mar." Eso en el 68. En 2004, casi cuarenta años más tarde, la utopía está absolutamente *underground*, completamente bajo suelo. Si alguien nos hubiese dicho a Lenin, al Che, a Cohn-Bendit[61] o a mí mismo en 1969 que la utopía en 2004 iba a ser el salario mínimo cultural, cuatro libros por casa y conocimientos mínimos para leerlos, no nos lo habríamos creído. ¿A ti eso te parece una utopía? A mí me parece una puta mierda. A ese nivel estamos. ¿Por qué? Pues porque las grandes utopías del siglo XX —siempre me río cuando digo "el siglo pasado"— fueron el comunismo y el fascismo, y las dos se saldaron con millones de muertos. Así que ahora no queremos saber de utopías, pero yo sí quiero ese salario mínimo cultural.

J. M. F.: ¿Cómo le explicarías al malpensado que hacer apología de la cultura, que no es otra cosa que amar la sabiduría, no es despreciar al analfabeto?

61. Daniel Cohn-Bendit, actual copresidente del grupo de Los Verdes en el Parlamento Europeo, fue el máximo líder de las revueltas estudiantiles del Mayo del 68, en las que se ganó, a fuer de su verbo incendiario —dicen que es, hoy, el más brillante orador del Parlamento de Bruselas—, el alias de *Dani el Rojo.* Icono de la izquierda junto al Che Guevara y Fidel Castro en la década de los sesenta, en una reciente entrevista publicada en el diario *El País* (3-7-2005) hacía la siguiente valoración del Régimen castrista: «Europa debería tener una política mucho más coherente contra la dictadura castrista y ante el embargo americano. El embargo es el arma objetiva que sostiene a Castro, al que hay que decirle que su dictadura no sólo *justifica* a los americanos, sino que es una catástrofe para el pueblo cubano. Europa tiene razón en oponerse al embargo americano, pero debe poner fin a su connivencia con la dictadura castrista.»

J. S.: Noooo, ni muchísimo menos. Siento desprecio por Bush y por los analfabetos que se han graduado en la Universidad de Yale, y un enorme amor por los sabios analfabetos que saben, poniendo un dedo así, por dónde viene el viento. Aunque la verdad es que ya no quedan muchos de ésos.

J. M. F.: Por los que han querido ir a la universidad y no han podido.

J. S.: Exactamente. Mi abuelo, mi abuelito Ramón, que era carpintero y que se ponía... Ay, carajo. Me acabo de meter en un tema espinoso.

J. M. F.: Nunca habíamos hablado de tu familia. Desde luego, no de tu abuelo, de ese abuelo Ramón.

J. S.: Pues ahora sí que me vas a dejar hablar media hora solo. Porque es ahora o nunca.

16

¿FAMILIA NO HAY MÁS QUE UNA?
(DON JERÓNIMO, DOÑA ADELA Y ABEL. GRANADA. LA UNIVERSIDAD. ÚBEDA. LONDRES)

Deja, por compasión,
que entone la canción
del chaval que escapa de la infancia
en la estación de Francia.

Seis tequilas
(Alivio de luto)

¿Qué harías tú si Adelita se fuera
con un comisario?

La canción más hermosa del mundo
(Dímelo en la calle)

Mi primer apellido se llamaba Martínez...

Me pido primer
(Alivio de luto)

«Yo pertenezco a una de esas familias honestas, avaras y cristianas hasta la médula que no son ni chicha ni limoná, y que se quitan el dinero de la comida para que el hijo vaya a un colegio decente. Y esa tristeza de la infancia la tengo metida en el alma y es un frío del que huyo desde siempre buscando calor.»

La familia. Bendita. Maldita. La familia de Joaquín. El padre, don Jerónimo Martínez Gallego. Comisario de policía sin la menor vocación. Secreto versificador al que Antonio Muñoz Molina retrató, con el apócrifo nombre de Florencio Pérez, en su monumental novela *El jinete polaco*. La madre, doña Adela Sabina del Campo. Ama de casa. Hija de un diputado y con ínfulas de señora bien. Una mujer «bastante inculta», según el ferozmente franco hijo pequeño. El hermano mayor, también, como el padre, policía. El opuesto a Caín de los dos descendientes, el haz de la moneda. Poco más se sabe de ellos. Poco más ha contado el díscolo hijo y desnaturalizado hermano. En una ocasión, en una de las pocas en que hemos hablado de los de su sangre, le pregunté: «Tus padres murieron antes de que te convirtieras en la estrella que hoy eres. Te pido que me respondas en serio y sin *boutades*: ¿te habría gustado que hubiesen podido ver lo lejos que ha llegado el calavera de su hijo?» Y él: «Me habría muerto de placer si eso hubiera pasado. Cuando yo empecé a salir en televisión, en el programa de Tola, mis padres eran demasiado viejos y no esperaban nada de mí. Algunas de las veces en las que les llamé y les pregunté: "¿Me visteis anoche en televisión?", los pobres se habían quedado dormidos viendo el programa. Qué más quieres que te diga.»

«¿Con trescientas canciones escritas es menos huérfano el huérfano, o está igualmente desasistido?», quise saber. Y él, después de una larga pausa, contestó: «Está igualmente desasistido. Lo que sucede es que hay una cosa que sí funciona —que no es la posteridad, que sigue sin funcionar, porque cuando ella esté yo ya no estaré— y es que, como tengo hijas y estoy chocheando y muy mayor, sí es verdad que en algunos ratos de lágrima fácil pienso que algo dejé. Y una vez dicho esto, Menéndez *Flowers*, usted no ha oído nada.»

No. Yo no he oído nada.

J. S.: Mi abuelo Ramón era un viejecito con el pelo blanco cuya mujer, mi abuela, que se llamaba Rosa, murió muy joven. Mi abuelo vivió muchos años, hasta los ochenta y tantos.

J. M. F.: Hablamos de tu abuelo paterno.

J. S.: *Oui.* Él nunca conoció otra mujer. Era un tipo absolutamente intachable, queridísimo y respetadísimo en el pueblo. Era carpintero y todo el mundo le llamaba «tío Ramón». En mi casa, en Madrid, en Tirso de Molina, no hay una sola foto de mis padres, pero si te fijas, el próximo día que vayas, verás una de mi abuelo. Su cara es exacta a la mía y es hasta la de mi hija Carmela. Bueno. Era un carpintero. Un carpintero que se ponía una camiseta de esas blancas de tirantes que ahora llevan los metrosexuales pero que en esa época sólo las llevaban los pobres, y se sentaba a la puerta de casa a leer a García Lorca en años en los que García Lorca era un rojo maricón. ¿Me explico? Bien. Mi abuelo y mi madre solían estar enfrentados porque mi madre era una señorita de Huelva venida a menos. Su padre había sido diputado o algo parecido, y a su hermano, que era un requeté absurdo [cuerpo de voluntarios que combatieron en la Guerra Civil en defensa de la tradición monárquica y religiosa], porque ser un requeté de Huelva cuando los requetés eran de Pamplona tú me contarás, lo mataron en la guerra. No lo fusilaron, murió en una batalla. Mi madre era muy facha y mi padre también. Aunque luego hablaré muy bien de mi padre. El caso es que mi abuelo y mi madre nunca se llevaron bien. El abuelo Ramón tal vez es el miembro de mi familia al que más amo, y sin tal vez. Por cierto, él fue mi iniciador en la música. ¿Cuál era la música que había en mi pueblo cuando yo tenía doce años? La zarzuela, que venía en las ferias de septiembre, en la feria de San Miguel. Mis padres se ponían de tiros largos y se iban, como hacía la burguesía local y las fuerzas vivas, a la zarzuela, y a mí me dejaban en casa. Entonces mi abuelo y yo nos íbamos al gallinero a ver el espectáculo —estoy viendo ahora mismo ese gallinero con absoluta claridad— y antes de que acabara la zarzuela volvíamos a casa para que no nos regañaran. Y a mi madre, que se creía una señora, le molestaba mucho que los domingos a la hora de misa de doce, que es el sanctasanctórum de la burguesía provinciana de mi pueblo —teniendo en cuenta además que la iglesia más importante de mi pueblo estaba exactamente enfrente de mi casa, en la plaza del Mercado, hoy llamada plaza de san Juan de la Cruz—, mi abuelo subiera en camiseta comiendo uvas. Ah, está bien por hoy. No quiero llorar... Bueno, acabaré la historia. Con ochenta y un años, sostuvo mi madre que pilló a mi abuelo mariconeando con un viejecito que se llamaba *Pesetilla,* enjuto como era, y formó un escándalo que te cagas. Mi padre siguió leyendo el periódico, mi hermano no dijo nada y yo quería matar a mi madre. Yo oía a mi madre decir en las comidas, mientras mi padre se atrincheraba tras el periódico: «Yo a los maricones los ataba a una rueda de molino y los tiraba al mar», y mi pobre abuelico ahí, calladito. Mi padre siempre fingió que no se había enterado. Ésa fue su actitud general en la vida. Mi padre no se enteró de Franco ni de los muertos ni de las detenciones, no se enteró de nada. Tampoco se enteró de mí. Era un buen hombre. En fin.

»Acabaré con lo de mi abuelo. Cuando CBS, mi antigua casa de discos, sacó el *single* de *Juana la Loca*, de eso debe de hacer lo menos veinte años [*Juana la Loca* era una de las canciones que integraban *Ruleta rusa*, álbum de 1984], me citaron un día en la compañía. No diré el nombre del ejecutivo con el que hablé, que es tonto y encima desfila el Día del Orgullo Gay, pero ese tonto, ese tontorrín gay, me llamó y me dijo: "¿Sabes qué? Estamos teniendo muchos problemas para colocar el *single* en la radio." Y cuando le pregunté que por qué razón, me contestó: "Porque la mayoría de los programadores de radio de las radiofórmulas son gays —me dijo el gay—, y están tomándose esta canción como si fuese homófoba." Así que en aquel momento tuve que decirle a ese pedazo de imbécil: "Oye, querido gilipollas. ¿Sabes que esa canción está dedicada a la persona a la que más he querido en mi vida, que es mi abuelo?" Malditos sean.

J. M. F.: ¿Cómo se conocieron tus padres?

J. S.: Mi padre estaba en el seminario de Jaén, iba para cura, y cuando llegó la Guerra Civil, la República sacó a los seminaristas y los mandó al frente. Y mi padre, inmediatamente, se pasó al lado de Franco. Él estaba solo en el frente y no conocía mujer, ni siquiera en sueños. Mi madre calculo yo que debía de andar por los treinta y uno o treinta y dos años... ¡Carajo! Me están viniendo a la memoria, entre los escombros, antiquísimos versos que nunca he escrito: «Ella había llegado a la crítica edad / en que tantas mujeres se quedan por casar. / Él venía del frente decidido a buscar / la mujer que fuera la reina de su hogar. / En las fotos antiguas aún se les puede ver / agarrados del brazo, ya marido y mujer.» Bueno. ¿Sabes lo que eran las madrinas de guerra?

J. M. F.: ¿Una especie de novias epistolares?

J. S.: Exacto. Había instituciones para que los pobres

gilipollas como mi padre, «más solos que la luna», no se sintieran tan solos. Porque mi padre, para que lo entiendas, ni siquiera se hacía pajas. Así que a los solitarios como él les buscaban a alguien que les mandara cartas, y ahí entra mi madre en acción. Ella se apuntó a esa institución y le escribía cartas al pobre seminarista que estaba en el frente, consolándole un poco por la soledad de la guerra. Y con esas cartas le enviaba un chorizo, una longaniza o una mortadela. Era la primera vez que mi padre conocía a una mujer sin conocerla. Así que cuando acabó la guerra, mi padre fue a Huelva a conocer a la única mujer que le había escrito en su vida y a agradecerle sus cuidados de madrina de guerra. Era su madrina de guerra. Era mi madre. Mi madre, que durante toda su vida se sintió una señorita venida a menos.

J. M. F.: ¿Crees que hubo amor en ese matrimonio?

J. S.: Pues yo supongo que sí. Eran el primer hombre y la primera mujer, y los únicos, el uno para el otro.

J. M. F.: Hablemos ahora de tu hermano. ¿Cómo fue tu relación con él cuando erais niños, cómo es esa relación ahora?

J. S.: Quiere usted, señor Flores, que hable de mi hermano, pues hablaré anecdóticamente. Cuando teníamos doce o trece años yo admiraba mucho a mi hermano, y a mí, como a todo niño tres años menor que su hermano mayor, los que me gustaban eran los amigos de mi hermano, no los míos. A los amigos de mi hermano yo les gustaba mucho, pero mi hermano me inflaba a hostias. De todos modos, las broncas con mi hermano fueron *antes de*. Me refiero a la época de la adolescencia y a Granada. En la actualidad, y creo que ya hemos hablado de esto, mi relación con él es muy buena.

J. M. F.: Vamos, Joaquín. Cuéntame algo más de él.

J. S.: Bien, te contaré algo más de mi hermano. Un día

fui a Úbeda con Lucía. Mi padre y mi madre eran muy cariñosos y siempre que yo aparecía en su casa, generalmente sin avisar, ellos me daban unos abrazos tremendos. Sin embargo, ese día avancé con Lucía por el pasillo, desemboqué en el saloncito y, al entrar, no se levantaron, lo cual me extrañó mucho. De pronto, vi que tenían un televisor nuevo, en color, y mi padre, a modo de saludo, se quejó: «¿Qué, cómo se ve?», y le dije que se veía muy bien. Entonces mi padre soltó: «Pues tu hermano dice que no» [risas sonoras]. ¡Es impresionante! Es muy gracioso. O sea, que mi hermano llegaba a casa de mis padres y les decía que su maravilloso y flamante televisor en color, su televisor nuevo, se veía regular. Creo que a mi hermano le va a divertir mucho esta historia.

»Por cierto. Lo que más me divierte del artículo que Antonio Muñoz Molina escribió para tu *Perdonen la tristeza* es que al final dice: "Cuenta la leyenda que lo detuvo su padre, pero yo no me lo creo." Eso me parece muy divertido porque si alguien sabe si eso es o no verdad, es él. Eso se ha contado muchas veces pero yo voy a contar ahora exactamente cómo pasó. A ver si Marichalar me deja, porque lo tengo ahí agarrado. 1968, estado de excepción. Hay un grupo de personas, adláteres del PCE, a los que el PCE no apadrina pero a quienes anima a emprender acciones que ellos no pueden firmar. Por ejemplo, lanzar un cóctel molotov a un banco de Granada. Por cierto, nadie nos dijo: si os cogen, no vais a tener abogados nuestros y nosotros no firmamos eso. El caso es que lo hicimos y al día siguiente empezaron las detenciones. Detenciones que iban muy bien encaminadas. Yo pensé que el lugar en el que más seguro iba a estar era mi pueblo, y allí que me fui. A la mañana siguiente de mi llegada, llamaron a la comisaría de mi pueblo y mi padre cogió el teléfono: "Hay ahí un tipo subversivo. Se llama Joaquín Martínez y tenéis que traerlo." En aquel entonces la comisaría de Úbeda dependía de la de Granada, por lo que mi padre vio enseguida que no había otra opción que ir. Llegó a casa con una dignidad impresionante y me dijo: "Hijo mío, levántate y vístete. Tengo que llevarte a Granada porque estás detenido." En el viaje, mi padre fue lo más alejado de un prócer, de un líder, de un san Martín o de un Bolívar. Incluso de un Mussolini. Su ideal de vida era áurea mediocritas y no dijo una sola palabra. Cuando llegamos a la comisaría de Granada me interrogaron dos policías, uno era el bueno y el otro el malo. Y el bueno, al que yo conocía porque estaba infiltrado en la Facultad de Filosofía y Letras y todos lo habíamos visto, ese hijo de puta, me preguntaba: "¿Tú de quién eres, de Aristóteles o de Platón? ¿O crees que aquí no sabemos?" Y yo le contestaba: "*¿Jool?*" [Risas.] Y el otro, el malo, me decía: "¿Sabes por qué no te estamos partiendo la cara a hostias? Porque tu padre, que es un tío cojonudo, está ahí fuera, en el pasillo." Así era la cosa entonces. Pero lo más feroz de todo fue el final. Creo que ya he dicho que la comisaría de Úbeda dependía, jerárquica y administrativamente, de la de Granada. El caso es que no tuvieron suficiente con humillar a mi padre y, desde luego, con echarme a mí a los pies de los caballos, sino que a eso de las nueve de la noche el jefe provincial ordenó: "Que vengan don Jerónimo Martínez Gallego y su niño." Entramos en un despacho, nos sentamos y ese hijo de la gran puta, de cuyo nombre no quiero acordarme, humilló a mi padre delante de mí diciéndole que había estado hacía un mes en la comisaría de Úbeda y que todo funcionaba muy mal. Y te juro que oyéndole hablar juré: "Éste no se va a morir en la cama. Lo voy a matar yo." No se puede ser tan vil, tan cabrón, tan canalla, tan perverso y tan hijo de puta. ¡Qué le hubiera costado a ese malnacido echarle la bronca a mi padre a solas...!

J. M. F.: ¿Cómo murió tu padre?

J. S.: Mi padre estaba muriéndose, con Alzheimer, en un hospital de Jaén. Yo estaba haciendo una gira por Andalucía y mi hermano vivía en Jaén, era policía allí. Entonces nos turnábamos para estar con mi padre una noche cada uno. El caso es que el día en que murió mi pobre y fantástico padre, yo estaba allí con él. A las cinco de la mañana, dos horas antes de morirse, mi padre se incorporó y yo, que estaba adormilado porque esa misma noche había tocado en Córdoba, me desperté muy soliviantado. Lo miré fijamente y le oí pronunciar la que sería la última frase de su vida: «¿De dónde sacarán tanto dinero las diputaciones?» Es impresionante. Mi padre, mi pobre padre, era bastante ilustrado, muy buena persona y muy poco dotado para su oficio de policía. Bendito sea.

J. M. F.: Antes has hablado del estado de excepción de 1968. Para todos aquellos que no lo vivimos, ¿cómo era un estado de excepción? ¿A qué olía? ¿Qué sensación se tenía?

J. S.: Olía a caspa. Todos los que hemos vivido veinte años bajo el fanatismo, como es mi caso, recordamos que nevaba mucho, que llovía mucho y que hacía mucho frío. El franquismo entero era un estado de excepción, pero no lo sabíamos porque no teníamos elementos comparativos. Yo empecé a tenerlos cuando llegué a Granada y conocí a Pablo del Águila, a Bernabé, a Juan de Loxa y a Carlos Cano. Pero Úbeda se limitaba al colegio de los Salesianos, a la misa de doce los domingos, al diario *ABC*, al abuelo maricón... Es verdad que yo empezaba a leer, pero ¿qué leía? Pues lo que había en la biblioteca de mi pueblo. Es decir, yo no leí a Neruda ni a Sartre ni a nada que oliera a antifranquismo. Esos libros estaban completamente prohibidos. Entonces llego a Granada y me encuentro con un tipo muy guapo, Pablo del Águila, que iba con una bufanda roja que le llegaba al suelo y que me dice: «Tienes que leerte esto», y me da *Residencia en la tierra* y *Los versos del Capitán*, de Neruda, y comenta: «Vengo de Madrid y he estado con Félix Grande y me ha enseñado estas cosas de César Vallejo.» Así es como se salía del pueblo y se empezaban a ampliar horizontes. Ese mismo año, además, pasó lo de París. Tengo que decir una cosa del Mayo del 68: muchos españoles dicen que lo vivieron, pero eso no es verdad. Y además es que en España no hubo nada parecido porque teníamos un enemigo mucho más primario y feroz: el franquismo. En Granada poníamos el despertador a las seis o siete de la mañana para comprar las primeras ediciones de la prensa y enterarnos de qué es lo que estaba pasando en París, pues Pablo del Águila me había convencido de que aquello nos concernía íntimamente.

J. M. F.: De todos modos, ¿qué podía contar de aquello un diario franquista? La información sería del todo sesgada.

J. S.: Absolutamente. Estamos hablando del *Ideal* de Granada. Pero también estamos hablando de que en mi pequeña habitación de pensión, que era la mitad de esta en la que nos encontramos, estaba toda la pared —porque sabes que siempre he sido muy barroco como decorador de interiores, que mi hórror vacui me ha perseguido hasta ahora— llena de fotos de la revista *Triunfo* del Mayo del 68 y de la matanza de la plaza de las Tres Culturas, en Tlatelolco (México).[62]

62. Desde finales de junio de 1968 se venían produciendo grandes algaradas estudiantiles en México D. F. por —a diferencia de las célebres revueltas europeas de ese mismo año, cuyo punto de mira eran el profesorado y la enseñanza— la corrupción del partido gobernante, el PRI (Partido Revolucionario Institucional). El 18 de septiembre, el ejército irrumpió en la universidad pública y

J. M. F.: ¿Te sentías subversivo?

J. S.: ¡Es que todo era tan nuevo para mí...! Por ejemplo, Lesley. ¿Qué era Lesley? Una minifalda. La primera que habíamos visto jamás. La chica más deseada de Granada. Primero, Granada era mi mundo mundial. Y luego, además, era la más deseada del mundo mundial fuera de Granada, como comprobé luego en Edimburgo y en Londres.

J. M. F.: ¿Llegaste a tener carnet del PCE?

J. S.: Sólo durante cinco minutos. Es decir, debieron de ser dos meses. Pero nunca tuve un carnet. A lo que tú le llamas carnet nunca lo tuve. Pero el PCE de Granada durante un mes y el PCE de Londres durante otro sí que me consideraron miembro del partido.

J. M. F.: ¿Existirá rastro de eso en algún fichero polvoriento?

J. S.: No. Lo que sí existe es lo que tú publicaste en tu libro sobre mí, aquellos recortes de prensa de cuando me exilié a Londres. Aquello de «un separatista vasco de Jaén» en el diario *Jaén*. Eso me lo regaló Bernabé, ex marido de Fanny Rubio [escritora y periodista]. El segundo tipo de Granada más querido por mí, tras Pablo del Águila.

J. M. F.: Hablemos de Mariano Zugasti y su famoso

---

acabó con la vida de treinta manifestantes. El 2 de octubre, a tan sólo diez días del inicio de los Juegos Olímpicos en Ciudad de México —los cuales, por cierto, se inauguraron con inexplicable normalidad—, tuvo lugar la matanza de la plaza de las Tres Culturas en Tlatelolco. Gustavo Díaz Ordaz, presidente de la República, ordenó cercenar de raíz la pacífica manifestación estudiantil con un resultado de, según qué fuentes, entre trescientos y quinientos muertos y más de seis mil detenidos. Más tarde se supo que aquella masacre, perpetrada desde los cuatro puntos cardinales de la plaza, había sido perfectamente planificada.

pasaporte. El pasaporte —bendito, providencial— con el que pudiste viajar al Reino Unido.

J. S.: Sí, Mariano Zugasti apareció en mi vida de forma providencial. Unos días antes de que yo me fuera a Londres llegaron a mi pueblo un par de macizas amigas de Lesley y estuvimos recorriendo todos los bares de Úbeda y Baeza durante cuarenta y ocho horas, con un escándalo brutal porque se lo contaron a mi padre. Bueno, pues esas macizas iban con Mariano Zugasti. El caso es que, en plena borrachera, dije: «Yo no quiero ir a la mili. Además, estoy perseguido porque ha caído la célula de tontos útiles del PCE de Granada y tengo que presentarme en la mili dentro de cinco días. Y por si esto fuera poco tengo una novia, Lesley, que es vuestra amiga, y me encantaría reunirme con ella.» Todo esto dicho en los efluvios etílicos y sin la menor intención de hacerlo. Entonces Mariano Zugasti me dio su pasaporte, eso es absolutamente cierto, y yo lo único que tuve que hacer fue quitar su foto y poner la mía de un modo completamente artesanal y reproducir el sello. Cosa que luego me tocó hacer varias veces. Después vino Lesley, fuimos a Madrid y desde allí en tren a Francia; y de ahí a Inglaterra en avión. El primer avión que tomé en mi vida fue de París a Londres y el segundo, de Londres a Edimburgo. Con Lesley.

»Por cierto, a Lesley llevo veinte años buscándola. Cada vez que he tocado en Las Ventas he tratado de localizarla. Cuando he ido a Londres un par de veces, he buscado su casa y no la he encontrado. Le he dicho a la Jime que la buscara en Internet, pero nada, ni rastro. Bueno, algún día aparecerá. ¿Sabes que la llamé una vez? No quiero contar cómo nos dejamos, pero sí contaré mi mala suerte. Tres años después de dejarnos, una Nochevieja, yo tocaba en un bar de Richmond y pensé: "Coño, es Nochevieja, hace dos años que no nos vemos, voy a llamar a

Lesley." Y la llamé. Se puso ella al teléfono y le dije: "Hola, soy Joaquín. Te llamo para que nos veamos", y ella suspiró, lacónicamente: "Qué mala suerte tenemos. Mi madre ha muerto esta misma mañana."

»Nunca más he vuelto a hablar con ella. Te estoy hablando del año 73.

J. M. F.: «Murió mi eternidad y estoy velándola.»

J. S.: [Sonríe, triste, y añade]: «César Vallejo ha muerto, le pegaban / todos sin que él les haga nada...»

J. M. F.: Cuéntame más cosas de Granada. De ese salto del pueblo a la universidad, al conocimiento, al mundo.

J. S.: Con muchísimo gusto te hablaré de Granada. Hace poco, una revista peruana que está muy bien, *Etiqueta Negra*, para la que una vez entrevisté a Alfredo Bryce Echenique, me preguntó cuál era el objeto fetiche que, aparte de Úbeda, más me interesaba. Estuve unos días pensando cuál era y al fin decidí que era una llave. La llave de mi libertad. Es decir, la primera noche que llegué a Granada, salí a la calle llevando encima la llave de la pensión en la que me alojaba. Era libre y tenía plena libertad de movimientos: podía volver a la hora que quisiera, podía hacer lo que quisiera y no tenía que darle explicaciones a nadie. Mi huida de la familia, del municipio, del sindicato, de la provincia, de los Salesianos, de la comisaría de Úbeda y de todo lo que cuenta Antonio Muñoz Molina en varias novelas era una cosa pensada y saboreada. Mis ganas de ser adulto, de ser mayor y de no dar explicaciones a nadie se habían cumplido de pronto. Granada no sólo no me defraudó, sino que fue un subidón. Porque allí, insisto, conocí a Pablo del Águila y la poesía de César Vallejo, y leí a Lenin y a Marx. En fin, toda una educación sentimental. Y vuelvo, lo siento, a Lesley, la minifalda más bella del mundo. Y mi primer canuto. Y mi primer polvo. En su casa, en su chalecito. Ella era exactamente

La tesis de Nancy.[63] Escribió una tesis sobre literatura española que me enseñaba y leíamos juntos a diario, y cambiaba el tono cada día en la medida en que me consideraba un tío fantástico o un hijo de puta.

J. M. F.: ¿Qué crees que pudo ver aquella inglesa con inquietudes en aquel paleto de Úbeda que estaba naciendo al mundo?

J. S.: [Largo silencio.] Pues no tengo ni idea, la verdad. Algunas personas me dicen: «Claro, así cualquiera. Teniendo un nombrecito y vendiendo unos discos, aunque tengas esa nariz y seas un flaco crepuscular, así cualquiera.» Lesley, como ya te he dicho, era el objeto de deseo sexual, o erótico, de toda la universidad, y *Chispa,* la hija del notario, era el modelo erótico de toda la provincia de Jaén. Y luego está mi relación de amistad con Pablo del Águila, que me descubre, y lo he dicho ya cien veces, a Vallejo y a Neruda, algo que cambia mi visión del mundo y mi vida. Además cantaba y lo hacía muy bien. De hecho, una hermana suya me reprochó hace poco, y con razón, que me quedé con una guitarra suya. Supongo que la guitarra que yo tocaba en Granada era la de Pablo. Él murió y yo me la quedé. Pero ni siquiera sé dónde está esa guitarra, lo juro. Pablo se suicidó en Nochebuena, apenas rebasados los veinte, con toda la familia en la habitación de al lado.

63. En *La tesis de Nancy*, publicada por vez primera en México en 1962, Ramón J. Sender (Chalamera, Huesca, 1901-San Diego, California, 1982) hacía una mordaz crítica social de la España en blanco y negro de aquella época. El exhaustivo análisis de las costumbres carpetovetónicas, trazado con gran ironía y sentido del humor a través de la mirada de Nancy, una estudiante estadounidense de Románicas en Sevilla, arrojaba luz sobre un país que trataba de abrirse paso al mundo desarrollado pero al que aún le pesaban como una losa los muchos años de inmovilismo.

J. M. F.: Es curioso que aun siendo de tu edad fuera tu pigmalión.

J. S.: Lo fue absolutamente. Por alguna razón —y con esto quizá conteste, sin hacerlo, a tu anterior pregunta—, del mismo modo que me acostaba con Lesley, Pablo, entre tanta otra gente infinitamente más lista y más preparada que yo —y no lo digo por decir, puedo darte cuatro o cinco nombres—, decidió que me iba a adoptar y a proteger. Eso me pasó también en Madrid, cuando La Mandrágora. Los Autes y los Serrat me adoptaron de un modo que no te puedes ni imaginar. Benditos sean. No es el caso de Krahe, a quien casi adopté yo porque él estaba dotadísimo pero no tenía ningún currículum, y yo sabía moverme un poquito mejor y tenía algún contacto más. Con Pablo, con Serrat y con Aute sí tuve una especie de enamoramiento. Luego con Pablo Milanés y con Silvio Rodríguez. Claro que sí.

J. M. F.: ¿Había rasgos comunes de carácter entre tus *tutores*, Pablo del Águila, Serrat y Aute?

J. S.: No. Pablo era completamente singular. Y sabes de sobra que Aute es completamente singular y Serrat también. De hecho, se parecen bien poco.

J. M. F.: Y ¿qué compartías con, por ejemplo, Manolo Tena, a quien durante una época frecuentaste mucho?

J. S.: Manolo y yo compartíamos el lado roquerito, de garaje, sórdido, malditista. Y luego Manolo se entendía muy bien conmigo porque los músicos, y los músicos de rock de esa época sobre todo, tenían un mundo muy limitado. Un mundo que se reducía, fundamentalmente, a las seis cuerdas de la guitarra. Y Manolo y yo hablábamos de Vallejo. Eso siempre me lo ha dicho y recordado Manolo.

J. M. F.: Por lo que cuentas, Pablo del Águila sí tenía algo que ver con Manolo Tena.

J. S.: Pablo era un dandi absoluto. Medía casi dos metros, era rubio y muy guapo, y llevaba siempre una bufanda umbraliana, roja, que le llegaba al suelo. No, era otro modelo. Era Dorian Gray. Bueno, sí, Manolo también es Dorian Gray. Pero es que Pablo no tuvo tiempo de serlo. Pablo era capaz de citar a Rilke en alemán, que era algo que para un cateto de provincias como yo, con ganas de ver mundo y de comérselo todo, era la hostia. Fue un maestro impresionante. Por cierto, jamás mariconeó conmigo ni con nadie. Se sabía, pero yo no le conocí nunca nada parecido a un novio. Desde luego, ni salió del armario ni hizo nunca el menor comentario. Supongo que sería un caso parecido al de Lorca, que llevaba eso muy oculto. Pero Lorca parece ser que tenía mucha pluma, y Pablo no.

J. M. F.: Y tú, Joaquín, que al que se considera feliz le espetas aquello de Rimbaud: «Cómo has podido caer tan bajo», ¿lo fuiste en aquellos años?

J. S.: Insoportablemente feliz. Todo lo que he sido luego, todo lo que he hecho luego, todo lo que me ha interesado luego, todo lo que he escrito luego, todo lo que he follado luego, todo lo que he bebido luego, todo lo que he soñado luego, todo lo que he imaginado y todo lo que no he podido ser luego, el germen de todo eso cristalizó en los cuatro años que pasé en Granada. En aquellos cuatro cursos que hice de Filosofía y Letras en la Universidad de Granada.

J. M. F.: ¿En qué momento perdiste la inocencia de forma consciente y absoluta?

J. S.: No la he perdido [risas sonoras]. Sí la he perdido, sí. Yo creo que, y esto ya te lo digo completamente en serio, esa pérdida seria de la inocencia se dio a raíz del *marichalazo*, con la falta de «ganas de». Porque hasta el *marichalazo* mi pasión por vivir era tremenda. El proceso de creación de *19 días y 500 noches* fueron cuatro o cinco meses escribiendo veinte horas diarias, metiéndome de todo, y eso hasta ahora no ha vuelto a suceder. Después de eso he tenido mucho tiempo para reflexionar o no reflexionar, o para hacerme el dormido, pero ahora estoy empezando a hacer cosas, a interesarme por las cosas de nuevo. A eso lo llamo yo la pérdida de la inocencia. A decir: «Pues no merece tanto la pena levantarse de la cama.»

J. M. F.: Y ¿cómo fue tu vida antes de Granada, la de aquel chico de Úbeda que soñaba con Nueva York?

J. S.: Sobre mi infancia, y creo que ya hemos hablado de ello, me falta un chip. Es decir, yo tuve una infancia supongo que feliz. Nadie me maltrató, fui un alumno bien, tuve mis novias, mis amigos y un proceso de crecimiento adolescente bastante normal. Me sentía un poquito bicho raro, pero eso no me impedía tener amigos y salir a divertirme e ir a los guateques a bailar y a tratar de meterles mano a las chicas, y nunca me faltaron ni un amigo ni un pezón. Sin embargo, por alguna extraña razón, el mundo de la infancia no es el paraíso soñado y perdido que es para todos los escritores que conozco y de los cuales he disfrutado. Fíjate, por ejemplo, en García Márquez, que dice que desde que se murió su abuela no le ha pasado nada importante. Pero eso es algo absolutamente común. De hecho, me siento un poco rara avis. No he encontrado un igual, un cómplice que tenga tan poco interés por su propia infancia como el que yo tengo por la mía. Nunca eché de menos nada de eso, nunca volví a mi pueblo con esa nostalgia terrible que tiene todo el mundo. De hecho, apenas voy. No tengo heridas, no tengo cicatrices, no tengo traumas de la infancia.

J. M. F.: ¿Qué recuerdo guardas del colegio, de tus años de estudiante en los Salesianos?

J. S.: Es peor el recuerdo literario. Es decir, siempre he blasfemado contra los Salesianos, pero es mucho peor lo que yo cuento que lo que pasó. Sí recuerdo muy bien, con doce o trece años, que siempre pensé que yo lo que quería era ser mayor, ser adulto. Aunque ahí había también una contradicción. Porque ¿quiénes eran los adultos? Pues mis padres y mis tíos, y lo cierto es que me parecían unos niños de pecho. Además yo quería la Llave, con mayúscula, y Granada fue una absoluta revelación en ese sentido. Fíjate: de Granada, como antes te decía, pasé a Londres sin pasaporte, con un pasaporte falso, vamos, y con cinco duros encima. Y como todas las decisiones importantes que uno toma en la vida, con una enorme inconsciencia. Recuerdo que la noche que llegamos a Londres, apenas aterrizamos, le dije a Lesley: «Llévame a Picadilly Circus.» Me llevó y me pasó lo mismo que le pasó a García Lorca cuando vio Picadilly Circus camino de Nueva York: me pareció una mierda. Porque ves Picadilly Circus y te preguntas: «Y ¿esto era el extranjero?»

J. M. F.: En Londres escribiste tu primer libro, *Memoria del exilio*, cuya edición costeaste tú mismo. ¿Podrías hacer ahora esa memoria del exilio? ¿Cómo fueron aquellos años londinenses y qué supusieron para ti?

J. S.: Aquellos años suponen una maravilla. Esa etapa es un paréntesis, porque yo viví un exilio que no era el exilio de la posguerra, claro. Los que se exiliaron en la posguerra iban derrotados y hechos mierda y, en cambio, los estudiantes como yo sabíamos que a Franco no le quedaban tantos años de vida y la ola democrática y antifranquista la habíamos vivido y casi protagonizado en las universidades. Quiero decir que no fue una cosa muy dramática. En realidad, no fue nada dramática. A cambio, me dio unas oportunidades que no hubiera tenido nunca. Por ejemplo, vivir como un pajarito: sin construir nada, sin almacenar nada, sin coleccionar nada, sin sentar las raíces de nada y sin saber nunca dónde y con quién iba a dormir. Luego, en las casas de *squatters*, antes de que se llamaran okupas, había un gueto maravilloso. Estando yo allí llegaron muchas oleadas: los chilenos, que venían huyendo de Pinochet; los argentinos, que venían huyendo de López Rega.[64] Todas esas oleadas las viví y las disfruté. Aunque era, como te digo, un gueto. Es decir, yo me relacioné poco, por no decir casi nada, con ingleses. Pero era muy divertido.

J. M. F.: Aprenderías poco inglés.

J. S.: Aprendí. Lo leo con facilidad y conozco muy bien la lengua, pero es verdad que lo he practicado poco. Sí puedo tener una larga conversación parecida a ésta con un inglés, pronunciando muy torpemente pero la puedo tener, así como leer en inglés de corrido, igual que en francés. El italiano es diferente: lo hablo mejor que lo leo. En fin. Londres fue para mí un paraíso. Además, siempre viví en los aledaños de Portobello Road. Como ahora, en Madrid, en los aledaños del Rastro. Sentía que mientras estuviera viviendo ese paréntesis, no cumpliría años. De hecho, siempre digo que tengo siete años menos, que son los que viví en Londres. Porque como no se construía nada y siempre estaba uno esperando volver a España, pues no se acumulaba nada, ni siquiera tiempo, años. Se vivía flotando. Era fantástico. Le recomiendo a todo el mundo que se exilie un ratito.

64. José López Rega, alias el Brujo, fue el astrólogo de Eva Perón y el secretario personal de ella y de su marido, Juan Domingo Perón, quien llegó a nombrarle ministro de Bienestar Social. Fue también jefe de la temible Alianza Anticomunista Argentina (Triple A), un grupo armado de ultraderecha que llevó a cabo asesinatos selectivos. En 1975 se exilió a España y estuvo prófugo de la justicia durante diez años. Murió mientras esperaba a ser juzgado por numerosos cargos que iban del asesinato al secuestro.

J. M. F.: Sin embargo, y a pesar de lo que dices, Londres no sale en tus canciones. Ni la más mínima mención. ¿Por qué?

J. S.: Eso es completamente cierto y no tengo la menor respuesta para eso. Sí es verdad que sólo he vuelto dos veces y las dos fueron tan terribles como cuando cuenta García Márquez que volvió a Aracataca con su madre, que la calle era mucho más pequeñita y polvorienta y todo más sucio y más feo. Pues eso me pasó a mí con Londres. También me pasó una cosa que no es literaria sino real y demoledora: fui, emocionadamente, a ver y a enseñarle a mi novia del momento mi casa de *squatter*, mi casa de okupa, en la que había vivido dos años muy felices. Bueno, pues no sólo no estaba la casa, que eso podría haberlo imaginado, es que no estaban ni la calle ni el barrio. Fueron esos años feroces en los que la Thatcher arrasó con todo. No estaban, te lo juro, ni el barrio ni la calle. ¡No existían!

J. M. F.: Y ¿qué es lo que había en su lugar?

J. S.: Bloques de hormigón. Nada. No había nada. Habían remodelado la zona absoluta y brutalmente. Una zona de chalecitos maravillosos.

J. M. F.: Luego la llamada Dama de Hierro, al margen de otras consideraciones, no figura en tu santoral.

J. S.: Ah, no, no, no. Y más después de todo lo que he leído. Javier Marías escribía el otro día, porque él es de gustos absolutamente anglosajones...

J. M. F.: Ha sido traductor de Sterne [*Tristram Shandy*] y creo que fue profesor en Oxford.

J. S.: Pues el otro día contaba, en esos artículos de *El País* que hemos dicho que no pensamos leer [risas], que no hay lugar que en su opinión haya retrocedido más hacia el Paleolítico que Londres, su amada Londres. Estoy bastante de acuerdo con él. Creo que el paso de la Thatcher por el Gobierno británico fue demoledor. Londres es un caso terrorífico de cómo determinadas políticas pueden acabar con la memoria y con un sabor. Londres era un sitio muy especial, y la Thatcher metió la piqueta de una manera atroz. Y este tonto del haba de Tony Blair está acabando de hacer el trabajo.

J. M. F.: Me gustaría que cerráramos este capítulo por el principio. Es decir, con tus padres. Y esta mirada a Londres me viene francamente bien porque tengo entendido que fueron a verte al menos una vez durante el tiempo que viviste allí.

J. S.: Sí, Menéndez Flores, así es. Está usted muy bien informado. Tengo que decir que eso les supuso una auténtica gesta, porque irse a Londres, para mis padres, de Úbeda, no era irse a Londres, sino irse al mismísimo infierno. Es decir, Guadalajara estaba a una cantidad de kilómetros imposible de pensar, conque figúrate Londres. Además, yo tuve una tremenda crueldad: estuve dos años sin escribir y sin dar, algo que me gusta mucho como título para un disco o un libro, «señales de vida».

J. M. F.: O sea, que durante el tiempo que estuviste en Londres don Jerónimo y doña Adela, tus padres, no tuvieron quien les escribiera.

J. S.: Fue terrible. Por timidez y amurallamiento, don Jerónimo estaba más dotado para aguantar los aguaceros y los ciclones. Además, todos los días tenía que ir a la comisaría y trabajar, pero doña Adela no estaba dotada en absoluto para eso y además estaba en casa. Doña Adela siempre se sintió exiliada en Úbeda porque ella había nacido en una capital de provincias muy cutre, pero su padre había sido diputado. Y a pesar de que mi padre hizo una carrera razonable y acabó de comisario, y de que mi madre nunca tuvo problemas, ella se sintió siempre un poco señorita desclasada. Creía que era una señora y era una señora, te voy a decir yo, bastante analfabeta y sin comparación, desde el grado de la educación y de las opciones estéticas y éticas, con mi padre. Sin embargo, a ella mi padre le parecía un *sans-culotte*.

»Me preguntabas si les escribí estando en Londres. Verás. Te contaré una historia muy bonita que jamás he contado. Estuve dos años sin escribir una sola carta a mis padres y sin que ellos, por lo tanto, supieran nada de mí. Mi madre se vistió de luto y hasta el día de su muerte les retiró el saludo a tres o cuatro personas que no fueron a darle el pésame. El caso es que cuando yo llevaba allí tres años y las cosas se apaciguaron un poquito, mis padres fueron a verme en barco. Fui a esperarlos al puerto y los engañé, porque yo vivía de okupa y no podía enseñarles mi casa. Les llevé entonces a casa de Publio Mondéjar, que fue, como ya he contado, mi Krahe en mis años de Londres. Durante aquellos quince días Publio estuvo hecho un señor, haciéndoles creer a mis padres que yo tenía una casa tan decente como ésa, y no era el caso. Les presenté a mi novia de entonces. Pero lo que te quería contar es que mis padres me llevaron un saquito de lentejas, que era mi comida favorita, y que se habían quedado en la mesa, sin tocar, el día que escapé de Úbeda, para romper el maleficio de aquellos años sin cartas. Y nos comimos en Londres, fíjate, unas lentejas a la ubetense. Benditos sean.

17

CARGUEN, APUNTEN, FUEGO
(LA MILI: UNA BODA PARA SEGUIR VIVIENDO)

Queda el pobre consuelo de andar, de cuando
[en cuando,
a aumentar la clientela de una casa de putas
y pagar media hora de amor apresurado
a esa gorda que hace rebaja a los reclutas.

Carguen, apunten, fuego
(Malas compañías)

«Lo más reseñable de mi servicio militar en Palma de Mallorca es que me casé por una causa noble: poder dormir fuera del cuartel, que ya me parece una razón de peso, casi la única, para casarse.»

Cuesta imaginar, siquiera por un segundo, a un Sabina obediente, dócil por cojones; que sirve a la patria sin oponer la menor resistencia, cuando ése es un concepto que le revuelve el estómago, y que jura bandera cuando los únicos símbolos en los que de veras cree son los del conocimiento y la libertad. Es decir, un libro y un billete de avión a cualquier parte. Un Sabina que tiene que olvidar sus años de anarquía e irresponsabilidad en Londres y acatar la voz atiplada y perentoria del despertador. Y la nada atiplada y sí intimatoria e intimidatoria voz del sargento. Al que no le queda otro remedio que soportar un universo de grosería y falsa camaradería e ignorancia que a él, que nació para marqués y en verdad tiene un algo de lord, le hiere la sensibilidad tanto como la daga hiere la carne.

Pero las estrellas de rock, por fortuna, también tienen un pasado de seres anónimos, de simples números, de personas. Alguna vez les tocó hacer cola, viajar en metro y autobús, ir al súper, lavar la ropa y padecer otras tantas servidumbres, tan poco sublimes, de la vida moderna.

De hecho, a la imposible aspiración de ser sublime sin interrupción jugó mucho tiempo después.

Pero antes, mucho antes de que eso llegara, en las cavernas de su existencia, también, por ejemplo, hizo la mili.

J. M. F.: No has contado gran cosa de tu servicio militar.

J. S.: No, es cierto. Pero sí hay algunas cosas.

J. M. F.: Soy todo oídos.

J. S.: Yo llegué a la mili con veintiocho, casi veintinueve años; después de mi estancia en Londres. Por un lado, era cojonudo volver a España, pero por otro me resultó bastante duro eso de *cumplir con la patria*.

»Al igual que me pasó con el *marichalazo*, yo tengo una enzima de inconsciencia en la cabeza que hace que no sepa muy bien, o al menos así era entonces, hacer análisis ni paréntesis ni nada por el estilo, sino vivir el segundo. Eso me ha salvado de muchas depresiones, aunque últimamente no me ha salvado ni eso. Respecto a la mili, tengo que decir que el campamento se me hizo realmente insoportable. Tan insoportable que el día que nos soltaron y salimos a comernos una ensaimada, lo primero que hice fue buscar una cabina, llamar a Lucía y decirle:

"O te casas conmigo o me caso con la primera que encuentre." Date cuenta de que como ya te he dicho tenía cerca de treinta años y había vivido en Londres en *squatters*, había visto a los Stones y había hecho lo que me había dado la gana. En fin. Fue terrible. Aun así encontré dos o tres socios con los que las penas fueron menos penas.

J. M. F.: ¿Llegaste a vivir alguna experiencia inolvidable, por buena o por mala?

J. S.: Nada como para escribir una novela, te lo aseguro. Pero sí me pasó algo que entonces me pareció horrible. Me lo sigue pareciendo. Resulta que en la mili había clases para analfabetos e inmediatamente me apunté para enseñar a leer y a escribir a esa gente. Bueno, pues sólo fui dos días. Al tercero, me paró un cabo: les había llegado un informe mío, de exiliado político, y esos hijos de puta no me dejaron darles clase a los pobres analfabetos. Malditos sean.

J. M. F.: ¿Cómo fue el día de tu boda, en plena mili?

J. S.: Pues mira, a mí me casó por la Iglesia un cura del cuartel. A la boda asistieron mis padres y los de Lucía, todo muy normal.

J. M. F.: ¿Lo pasaste bien ese día? ¿Fue, aunque con menos recursos, como la boda de Michael Corleone (Al Pacino) en *El Padrino*?

J. S.: [Ríe.] Si te digo la verdad, no tengo ninguna memoria de eso. Lucía no se quería casar y yo tampoco. De hecho, una vez instalados en Madrid ella trabajaba en una oficina y a sus amigos y compañeros nunca les dijo que estaba casada. Yo tampoco a los míos.

J. M. F.: La oficina de *Caballo de cartón*.[65]

65. *Caballo de cartón* está incluida en el disco *Ruleta rusa* (1984) y dedicada a su entonces mujer, Lucía Inés Correa Martínez. El estribillo, que sonó mucho por aquellas fechas, decía: «Tirso de Molina, Sol, Gran Vía, Tribunal, / ¿dónde queda tu oficina para

J. S.: Sí, exactamente. Como sabes, en esa canción incluía las estaciones de metro que Lucía tenía que recorrer para llegar hasta su oficina. Pero respecto a la boda, ninguno de los dos nos la creímos mucho. Aunque claro que la celebramos e invitamos a unas copas a los amigos. Pocas, ya que tampoco estaba el horno para bollos. Luego, una vez acabado el campamento —que como te he dicho fue el infierno de Dante— y una vez que conseguí trabajo como reportero en el diario mallorquín *Última Hora*, ella se fue a Madrid y yo alquilé una casa en Palma de Mallorca con otros tres soldados a los que alguna vez me he encontrado. Uno de ellos es el hermano de De Grandes.[66] ¿Te suena? Uno que fue portavoz del PP. Pues su hermano fue compañero mío de la mili. Alguna vez que he ido a comprar el periódico a la rotonda del hotel Palace me lo he encontrado. Ése y otro que tiene una discoteca en Barcelona vivieron conmigo en una casita maravillosa del barrio gótico de Palma de Mallorca.

»A partir del campamento la mili no fue ninguna tortura porque yo iba por la mañana al cuartel, salía a la hora de comer y no volvía hasta la mañana siguiente. Trabajaba en el periódico y empecé a tener costumbres ciudadanas. Es decir, que a pesar de hacer la mili allí, Palma de Mallorca nunca me resultó ni mucho menos un sitio hostil. Más bien al contrario.

»Y como dice Forrest Gump: "Y no tengo nada más que decir."

---

irte a buscar? / Cuando la ciudad pinte sus labios de neón / subirás en mi caballo de cartón. / Me podrán robar tus días, tus noches no.»

66. Luis de Grandes Pascual fue portavoz del Grupo Popular en el Congreso de los Diputados durante la VI y VII Legislaturas. En la actualidad reside en Estrasburgo, donde es miembro del Parlamento Europeo. Concretamente, del Grupo del Partido Popular Europeo (Demócrata-Cristianos) y de los Demócratas Europeos (PPE-DE).

18

YO ACUSO
(SABINA PERIODISTA)

Porque sabía
que la verdad desnuda
guarda oculta detrás de la corteza
el hueso de cereza
de una duda.

El capitán de su calle
(Yo, mí, me, contigo)

«Siempre quise tener un lugar desde el cual poder opinar, y siempre en prosa. Y resulta que, por un lado, la prosa me cuesta muchísimo trabajo y, por otro, se ha perdido la tradición que había, tan hermosa, de escribir versos satíricos en prensa y que cultivaron casi todos los grandes. Me parecía un momento estupendo, con la que está cayendo, para hacer en sonetos, coplas, o lo que sea, una especie de crónica. Sin perder rigor literario pero bajando lo más a ras del suelo posible.»

A nadie nos extrañó que Joaquín —al menos, a nadie de los que hemos seguido con interés y afición su trayectoria artística— comenzara a colaborar en la revista *Interviú*, donde cada semana analiza en verso la actualidad desde su sección «Esta boca es mía».[67]

Y es que desde sus primeras canciones hasta los sonetos que conforman su, al margen de gustos, inclasificable libro *Ciento volando de catorce*, además del poeta se asoma, furiosa y alevosamente, el periodista.

En el caso de las canciones, ya señalé en la introducción del undécimo capítulo de este libro («De cine») que, para crearlas, Joaquín se sirvió durante mucho tiempo tanto de la clásica fórmula novelística / cinematográfica de planteamiento, nudo y desenlace, como de la crónica estrictamente periodística.

De esta última beben, y mucho —pues todas, o casi todas, están basadas en hechos reales—, canciones como *Qué demasiao* (que llevaba como subtítulo *Una canción para El Jaro*, un delincuente juvenil del madrileño barrio de Tetuán que acabó cosido a balazos); *Ciudadano cero* (el retrato, tantas veces llevado al cine, de ese ciudadano que devorado por la grisura de su existencia decide apostarse en una ventana con un rifle de mira telescópica y cepillarse a unos cuantos congéneres, a ver si de ese modo su nombre sale en las primeras páginas de los periódicos); *Kung-fu* (de nuevo, un paseo por la biografía del delincuente suburbial al límite. En este caso, el líder de una pandilla especializada en actividades tan poco saludables para el que las sufre como la violación y los atracos a mano armada. Un camino que Joaquín emprendió con incontestable acier-

67. Sus primeras cincuenta y seis entregas fueron recogidas en un libro de idéntico título que publicó Ediciones B, con las ilustraciones originales de Gustavo Otero que las acompañaron en su día y un excelente prólogo, «Los quevedos de Sabina», de Ángel Antonio Herrera.

to siguiendo la estela del clásico de Rubén Blades *Pedro Navaja*); *Balada de Tolito* (los avatares de un mago cirrótico que, en compañía de un arrobado sobrino que soñaba con sucederle —¿lo habrá conseguido?—, recorría los pueblos del norte de España); *Pobre Cristina* (sobre la malograda Cristina Onassis, hija del famoso naviero griego Aristóteles Onassis, a la que, confirmando aquello de que los ricos también lloran, su inmensa fortuna no le sirvió para procurarle ni un buen marido ni una estilizada figura); *El Muro de Berlín* (en la que Joaquín se lamentaba de la desaparición de las ideologías a raíz de la caída del Muro, símbolo de la división y la guerra fría, y aprovechaba para darles un buen repaso a todos aquellos viejos revolucionarios que con la llegada del capitalismo enterraron para siempre al joven romántico que siglos atrás fueron); *Con un par* (basada en la vida de Dionisio Rodríguez, más conocido como El Dioni. Un vigilante jurado que tomó prestados trescientos y pico millones de pesetas de un furgón blindado de la empresa de seguridad para la cual trabajaba y se fugó a Brasil, donde lo primero que hizo fue colocarse un peluquín y someterse a una operación de cirugía estética. Le trincaron al confundirle con un traficante, pues gastaba en putas y copas lo que no estaba escrito. Tras un breve paso por el talego, de nuevo a la gélida e inmisericorde calle); *Todos menos tú* (donde Joaquín radiografiaba, con fino ojo de entomólogo, a una fauna que iba desde el chulo-piscinas carbonizado por los rayos UVA hasta el astrólogo televisivo, sin olvidar al concejal corrupto o a la putita de lujo. Todos ellos, en un prodigioso alarde de ausencia de prejuicios clasistas, compartiendo mesa y mantel en los garitos de moda de la noche madrileña); *La casa por la ventana* (brillante friso de las penurias por las que pasan los inmigrantes en nuestro país, quienes, desde la miseria de sus lugares de origen, tal vez lo imaginaban como El Dorado); *¿Hasta cuándo?* (ETA. Insistió Fito, pues Joaquín se resistía a darla a conocer al parecerle en exceso demagógica. ¿Lo es?); *De purísima y oro* (una visión del Madrid de la posguerra que no superaría *Informe Semanal*, y una de sus piezas de mayor avilantez literaria) e incluso *Como te digo una co te digo la o*, donde, a través de la voz de una maruja, asistimos a un lúcido, cínico y esperpéntico repaso de nuestra santa aldea global. Joaquín ha dejado muy claro en estas mismas páginas que esa canción es «una novela» y que él no habla a través de esa señora, sino que ésta tiene, como la *doña Rogelia* de la ventrílocua Mari Carmen, vida propia.

Entre el autor que está detrás de esas canciones y el colaborador de *Interviú* que disecciona su entorno a golpe de sonetos y otras fórmulas que tienen el verso como protagonista, sólo varía el género: si aquél hacía crónica pura y dura y narraba historias que les habían sucedido a otros, éste, en cambio, hace opinión. Cuenta, por lo tanto, en primera persona las miserias del pan nuestro de cada día. Pero los dos, innegablemente, tienen como punto de unión el periodismo.

Creo por ello —y no es broma— que cuando a partir de ahora se aluda a él, si se quiere hacer con rigor, habrá que añadir a la ya consabida coletilla de «cantante y poeta» la de periodista.

J. M. F.: ¿Crees, Joaquín, que habrías sido un buen periodista?

J. S.: Sí, lo creo. De todos modos, mi experiencia periodística se reduce a algunos artículos que me pidió alguna vez Pedro J. Ramírez para *El Mundo* y a una serie de sonetos para *Interviú*. Y creo que en esta última he fracasado como periodista, pero no como escritor.

J. M. F.: Ya hemos hablado de que mientras cumplías

el servicio militar fuiste reportero del diario *Última Hora*, en Palma de Mallorca. Pero posteriormente, ya establecido en Madrid, también hiciste labores de entrevistador para la revista *Carta de España*.

J. S.: Sí, así es. Pero el momento clave fue *Última Hora*. Resulta que me caso para poder dormir fuera del cuartel y en vez de dormir me pasaba casi todas las noches en el periódico. Salía a las tres o las cuatro de la mañana de la redacción, dormía una hora u hora y media y me iba al cuartel. Salía del cuartel a las tres de la tarde, me echaba una cabezadita y de vuelta al periódico.

J. M. F.: ¿Te gustaba, te atraía el mundo del periodismo?

J. S.: Sí, me gustaba el olor a tinta y me gustaba la redacción. Además, yo no tenía oficio ni beneficio y con veintiocho años no iba a pedirle dinero a mi padre.

J. M. F.: Siempre has sido un voraz lector de periódicos.

J. S.: Sí, eso me viene desde mi época de estudiante universitario en Granada. En Úbeda leía el *ABC*, aprovechando que mi padre se echaba la siesta, y en Granada leía el *Ideal*, *Triunfo* y *Madrid*, el que dinamitó Fraga.

J. M. F.: ¿Y el diario *Pueblo*?

J. S.: No. En *Pueblo* lo que sí salió fue la primera crítica favorable que me hicieron cuando yo no tenía ni disco. La firmaba mi amigo Raúl del Pozo.

J. M. F.: ¿Crees que de haber seguido en el periodismo habrías acabado siendo un columnista de prestigio?

J. S.: Creo que habría acabado siendo un escritor, que ahí habría tenido un modo de ganarme el pan. De hecho, tú sabes lo que pasó cuando acabé la mili, que me quisieron contratar en *Última Hora* y lo rechacé. Habría sido ya en buenas condiciones, porque mientras colaboré allí me pagaron una mierda. Y es que estando en la mili teóricamente no podía trabajar.

J. M. F.: Lo de rechazar esa oferta fue, visto con los ojos de entonces, una insensatez, pero desde luego en esa inconsciencia se evidenciaba una decantación y una elección de vida.

J. S.: Sí, pero a cambio del vacío, porque era venirse a Madrid a cantar y mis amigos más íntimos de entonces me habían dicho: «A los cantautores los están jubilando y mandándolos a casa», y era verdad. Porque estaba naciendo la Nueva Ola y los cantautores eran una cosa con una peste a caspa como no te puedes ni imaginar. En ese momento es cuando yo decido, por primera vez en mi vida, jugármela a cantar. Contra la opinión de todos mis amigos y además teniendo la primera oferta seria de trabajo que tuve en mi vida. Un trabajo que para colmo me gustaba mucho y que me hubiese reportado un buen sueldo. Y encima en una ciudad, Palma de Mallorca, cojonuda.

J. M. F.: Y era, además, un trabajo atípico. Puesto que el periodismo siempre ha tenido ese marchamo de profesión privilegiada. Otra cosa es que lo sea.

J. S.: Sí, es cierto. Además, ya te digo, en una ciudad maravillosa. En lugar de eso me vengo a Madrid sin una sola peseta en el bolsillo a cantar por los bares.

»Pero ya te digo que Palma siempre me gustó mucho. La mejor manera que he encontrado de hablar desde el escenario es demagógicamente. Porque el escenario es ya de por sí pura demagogia, pues te ponen en un nivel superior y con un foco encima. Así que siempre que he cantado en Palma he dicho: "Fíjense ustedes si me gusta esta ciudad, que hasta tengo un buen recuerdo de mi mili." Y hasta cierto punto es verdad. Vivía en una casa maravillosa, creo que por cinco mil pelas al mes, en el barrio gótico. El caso es que aún no sé por qué carajo rechacé la oferta del *Última Hora*. Ni siquiera me tambaleé. Creo que lo pensé sólo diez minutos.

J. M. F.: Supongo que esa decisión tuvo que ver con la grabación de *Inventario* en Madrid.

J. S.: Coincidió en el tiempo, sí, pero a mí ese disco, ya lo hemos hablado, no me interesaba.

J. M. F.: Pero ese disco que ahora aborreces, ¿no te gustó entonces ni siquiera cinco minutos? Es que me cuesta mucho creerlo por la simple razón de que grabar un disco no era algo que cualquiera pudiera conseguir.

J. S.: Ni cinco minutos ni dos ni uno, créeme. Lo grabé, como sabes, de cualquier manera. No exigí nada. Me parecía tan asombroso que recién vuelto de Londres y haciendo la mili me llamaran para grabar, que me pareció una cosa estupenda. Lo hice como un juego, sin emplearme a fondo lo más mínimo. No me gustó el proceso y tampoco el resultado. De hecho, tardé dos o tres años en hacer *Malas compañías*, en el que, como antes te dije, seguí sin saber cómo se grababa, aunque por lo menos en ese disco sí usé guitarras y no esa cosa de orquesta que hay en *Inventario* y que es horrible. No, no disfruté para nada del proceso, ni pensé que podía hacer una carrera musical ni que podía hacer más discos. No le di demasiada importancia.

J. M. F.: Volviendo al periodismo, ¿qué fue en realidad lo que te animó a escribir en *Interviú* y a contraer ese compromiso semanal? Y, pese a lo que has afirmado de que en dicha publicación has fracasado como periodista pero no como escritor, ¿estás contento con lo que estás haciendo?

J. S.: Excepto dos semanas en las que me vi de pronto escribiendo por oficio y por obligación, estoy razonablemente contento con lo que estoy escribiendo. Pero creo que aún no he encontrado lo que yo quería, que era escribir con el mismo rigor que en el libro de sonetos pero mucho más pie a tierra, mucho más pendiente de la actualidad. Es decir, hacer más periodismo.

J. M. F.: ¿Qué te han dicho tus amigos periodistas y tus amigos escritores?, ¿les gusta lo que haces en *Interviú*?

J. S.: Te diré que de los sonetos y de las coplas de *Interviú*, por alguna razón, nadie me ha dicho nada. Debe de ser que no les gusta. No he tenido una conversación seria con mis amigos escritores sobre mi colaboración en *Interviú* y a lo mejor lo he echado de menos. De todos modos, antes me preguntabas qué fue lo que me animó a escribir en *Interviú*. Pues bien, yo quería tener una tribuna, un hueco. Pensé mucho en que si me comprometía a algo diario iba a quedar mal, porque no me encontraba con fuerzas para eso. Entonces pensé en una revista. Tuve la primera oferta para *Interviú*, que me la hiciste tú,[68] hará cosa de dos o tres años, no me acuerdo, pero esa misma semana habían contratado a Lecquio —de eso sí me acuerdo— y entonces pensé que no quería entrar en un paquete con ése.

J. M. F.: Bueno, para compensarlo estaba también tu admirado Vázquez Montalbán.

J. S.: Sí, pero aun así lo de Lequio pesaba mucho. El caso es que la segunda vez que me lo dijiste llegó en un buen momento. Y además me pedían versos. Porque la verdad es que cuando yo decía que me gustaría tener un sitio desde el que opinar pensaba en prosa, no en verso. Lo de la prosa ni me lo ofrecieron ni creo que hubiese estado a la altura, porque en la medida en que he ido escribiendo en verso, ya la prosa me sale también en verso. Es verdad, es un chip. Como le pasa muchas veces a Umbral, que le salen endecasílabos todo el tiempo. En fin. Estoy muy contento con lo que escribo en *Interviú*, aunque

68. Aquella oferta se la hizo un servidor, sí, y también el periodista Jesús Maraña, a la sazón director de *Interviú*, quien en la actualidad dirige el semanario *Tiempo*, también del Grupo Zeta.

quisiera, insisto, acercarme más al periodismo y a la más palpitante actualidad en verso. Quisiera aguantar un poco más a ver si lo consigo, y me considero, por parte de *Interviú*, maravillosamente tratado, muy respetado, muy bien pagado y, en fin, sólo puedo decir cosas buenas de esa revista.

J. M. F.: Por cierto, ¿has quedado contento con el libro *Esta boca es mía*?

J. S.: Sí, creo que es importante que aquello que se escribe en prensa, que es por definición efímero, sobreviva. Y eso sólo se consigue con un libro. Y estoy muy contento con el prólogo que escribió nuestro querido Ángel Antonio, mortal y rosa. Espléndido poeta.

19

RESIDENCIA EN LAS LETRAS

(LOS VERSOS DEL COMISARIO. *CIENTO VOLANDO DE CATORCE.* TANTO VENDES, TANTO VALES)

Naufragué
en las rayas amarillas de los papeles...

Con lo que eso duele
(Alivio de luto)

«La mayoría de los letristas españoles ha olvidado que esto es un oficio que hay que aprender. Se ponen a escribir sin haber leído en su puta vida un libro de poesía o sin saber gramática, sujeto, verbo y predicado, lo cual me parece un intrusismo impresionante. Creo que para escribir letras hay que tenerle un gran respeto a la lengua.» «Si me diagnosticaran un cáncer terminal, creo que me pondría a escribir. Borracho.» «Pienso que he ido siendo cada vez más literario y menos populista.»

Joaquín siempre, desde niño, quiso, por encima de cualquier otra cosa, ser escritor. De hecho, lo de cantante fue algo en lo que intervino más el azar que la premeditación. Más fruto de las circunstancias que de una espoleada y en verdad arraigada vocación.

Diré también que cuando decidí escribir, cinco años atrás, *Perdonen la tristeza*, no era tan consciente de estar analizando la vida de un cantante como de estar hablando de un escritor. De un escritor en el sentido absoluto de la palabra. Si bien de un escritor que, en este caso, cultivaba, cultiva, el nada desdeñable género de la canción.

Precisamente en ese libro recogí unas declaraciones de Sabina en las que éste explicaba de manera inmejorable lo que estoy diciendo: «Yo soy quien soy por puro accidente. Iba para profesor de Literatura en un instituto de provincias, a lo Machado. Y es bastante probable que hubiese escrito libros de poesía que no habría leído nadie. Mi proyecto no era ser Dylan, sino Antonio Muñoz Molina.»

Por ese motivo, cuando oigo que alguien se refiere a él con una frase del tipo: «Oye, ¿sabes que ese Sabina es un poeta, que no escribe nada mal?», se despierta en el acto mi yo asesino y tengo que contar hasta diez para serenarme.

Puesto que en el alma de ese «poeta», al que muchos le están descubriendo esa faz ahora —aunque más vale tarde...—, hay un mayor poso del perfume y la rabia y la magia de *Residencia en la tierra*, de Neruda, y de los *Poemas humanos*, de César Vallejo, que del perfume y la rabia y la magia de, pongamos por caso, *Sticky fingers*, de sus satánicas majestades los Rolling Stones. Lo cual no significa que del perfume y la rabia y la magia de ese disco y de ese grupo no haya en Joaquín altas dosis. Porque, para escándalo de puristas y *auténticos*, esa otra herencia también está muy presente en él.

Lo que sucede es que su naturaleza inquieta, aventurera, peliculera, en vez de confinarle en una biblioteca para que se aplicara de forma silente y afanosa al sagrado cultivo de la gaya ciencia lo condujo peligrosamente a la calle, a los bares, al lío. A ese lado salvaje de la vida que Lou Reed elevó a categoría y sin cuya existencia una buena parte de la obra que Joaquín ha edificado en los últimos veinticinco años tal vez no hubiese existido jamás.

Esto también lo explicaba él, con ejemplar agudeza, en un fragmento que incluí en su biografía: «Soy como el *Pijoaparte* de Marsé, que siempre está en un sitio que no le corresponde. El colega cree que hablo su lenguaje, y yo pienso: "Querido, cojo el lenguaje de la calle para devolvértelo literariamente dignificado." En cuanto a los cultillos... Bueno, ésos me obligan a admitir que me he tirado más tiempo en la calle que con los libros, que tampoco soy de los suyos. Siempre me he sentido fronterizo en todo, y eso no hay modo de superarlo.»

Fronterizo o no, lo cierto es que el virus de la literatura invadió su organismo con el doble de voracidad que el de los «cultillos», pues en él obra y vida siempre fueron de la mano. Y cuando hablo de vida no me refiero tan sólo a lo ya dicho y por todos sabido, al lado salvaje y tabernario que tanto frecuentó y que tanto atrae, como es natural, a sus *fans* más jóvenes, sino a los referentes vitales, que son aquello que convierte a alguien en escritor aun mucho antes de que ese alguien sepa que quiere serlo; a una manera, un modo de mirar el mundo traspasándolo.

Si se entiende eso, se entenderá también que la marcada fijación de Joaquín por los objetos y las fórmulas arcaizantes, en desuso, demodés, es decir, de aquellos rasgos de identidad que corporeizan el imaginario sentimental que ha hecho de él una marca propia e inimitable, un universo que, siendo vetusto, atrae, sin embargo, por novedoso, no es otra cosa que una superlativa vindicación de la memoria. He ahí el bombín de Charlot, la levita de Edgar Allan Poe, el bastón / látigo de Valle-Inclán, la Hispano-Olivetti de Umbral, de Cohen; la poesía varada en la rima cuando el verso imperante es *blanco* o *libre* o *suelto*, y la disidencia, ya sea de viva voz o en negro sobre blanco, como método frente a la propensión hodierna a lo acomodaticio.

Sabina, que ha reiterado hasta la náusea el hondo desprecio que le inspiran la infancia, las raíces y hasta los lazos de sangre, no ha hecho sino recuperar los elementos que conformaban el mobiliario vital de sus mayores y actualizarlos diseminando en ellos la indeleble semilla de su biografía libérrima, extrema e ilustrada. Devolver al presente los daguerrotipos en sepia con una pátina de violentísimo color como si se tratasen de un prodigio de autenticidad —y de algún modo lo son— y no una larga cadena continuada, ex profeso, por el hijo pródigo al que durante tantos años se le llenó la boca con aquel axioma freudiano de matar al padre.

Ah, ese ubetense díscolo que soñaba con los infinitos y brunos guantes de la bella y triste *Gilda*: media vida huyendo del pueblo y la parentela y la mesa camilla con mantel de hule para volver de nuevo a casa (no la geográfica pero sí la emocional), baqueteado en mil batallas, y elevar las voces pretéritas a la condición de tótem, de fetiche, de faro que alumbra y recuerda, en medio de la febril noche, dónde empezó todo, y de qué forma.

De ese caldo se alimentan sus letras y versos, su literatura.

¿Matar al padre, decía? Joaquín es ya su padre.

J. M. F.: Muchos no han entendido muy bien el salto que has dado de la escritura de canciones pura y dura a la creación poética a secas, a la literatura.

J. S.: Y tú ¿qué piensas?

J. M. F.: Tú ya sabes lo que pienso porque hemos hablado alguna vez de esto. Pienso que, en rigor, eres uno de los pocos mortales capaces de hacer literatura de alto calibre escribiendo canciones. Unas canciones, como es el caso de *Cerrado por derribo*, *De purísima y oro*, *No permita la Virgen*, *Peces de ciudad*, *Rubia de la cuarta fila* o *La canción más hermosa del mundo*, entre otras muchas, que son deudoras de la buena literatura en general y de la mejor poesía en particular.

J. S.: Bueno, te agradezco muchísimo los piropos, pero ¿no puedo ser algo que no soñé nunca y que últimamente me da la gana decir? Esto es, pienso en Aute, en Silvio, en Chico Buarque, en Gilberto Gil... ¿No puedo ser eso que los cursis llaman «multidisciplinar»? Es decir, yo pinto cuadros sin saber pintar, pero con muy buen gusto, con muy buen estilo. Lo único, con la suerte que tengo de que nadie los va a ver.[69] Y escribo canciones con muy mala voz y con muy buena letra.

J. M. F.: Te lo preguntaré sin rodeos: ¿te consideras un poeta o un versificador dotado?

J. S.: La pregunta me gusta. Verás. En mi casa siempre hubo libros. Cuando digo libros, hablo de Gabriel y Galán, de Campoamor o de Emilio Carrere. Es decir, lo que yo alguna vez he definido como mis maravillosos y románticos poetas malos. Luego ocurrió que mi padre se jubiló. Y él, como me pasa también a mí, era un poco culo de mal asiento. Y además tenía sus «ínfulas extrañas».

69. Eso no es exactamente así: el 7 de junio de 2005 se inauguraba en Madrid la muestra itinerante *Los colores de la música*, comisariada por el pintor Pablo Sycet, en la que se daban a conocer las obras pictóricas de cerca de una treintena de músicos españoles de primer orden. Sabina era uno de ellos. Junto a su arte en el manejo del pincel se podía apreciar el de, entre otros, Alejandro Sanz, Miguel Bosé, Luz Casal y Manolo Tena. Esta muestra era una continuación de otra que había tenido lugar dos años antes en el intercambiador de Nuevos Ministerios, también en Madrid.

Empezó a aparecer en la comisaría por las tardes, a las cinco, para ver si le dejaban hacer algo sin cobrar. Pero a los dos meses descubrió que el resto de los policías prefería que no fuera. Entonces se levantaba a las tres de la mañana y tenía planeada una cosa digna de Balzac. Una era la transcripción de mis cartas y las suyas Londres-Úbeda...

J. M. F.: Luego tu idea del libro epistolar *A vuelta de correo* es, en parte, una idea de tu padre.

J. S.: Sí. De hecho, el primer capítulo de ese libro será su sobre «El buen cartero». Bien. Luego compiló los versos que había escrito de joven y después, a falta de temas, siguió escribiendo sobre cualquier cosa de un modo muy nerudiano: *Al caldillo de congrio*, *Al canario*, *A la caquita del canario*, *A las rejas del canario*, *Al sofá*... A cualquier cosa. Mi padre hacía odas elementales. Y hay dos que son maravillosas. Una es *Hemos pedido el teléfono*: escribía un romance de trescientos versos porque habían pedido que les instalaran el teléfono. Y un mes después escribía: *No nos traen el teléfono* [risas]. Y, finalmente, pasado otro mes: *Por fin tenemos teléfono*.

»Luego empezó a escribir sus memorias. Pero como le habían pasado tan pocas cosas en la vida, a los dos meses llegó al día que estaba viviendo. ¿No te parece impresionante? Y ¿qué crees que hizo entonces, detenerse? No, siguió escribiendo. Escribió memorias del futuro. Un día llego a Úbeda con Osvaldo Rodríguez,[70] que ya ha muerto, porque íbamos a cantar en un tugurio, y nada más

70. Osvaldo Rodríguez (Valparaíso, Chile, 1943-Bordolino, Italia, 1996), alias *Gitano*, fue uno de los fundadores de la Nueva Canción Chilena. Su vals *Valparaíso* alcanzó una gran popularidad. Además de su faceta de cantante, cultivó la poesía y el dibujo, y publicó numerosos poemarios y libros de cuentos.

verme mi padre me enseña, sin avergonzarse en lo más mínimo —había empezado su Alzheimer, conque imagínate—, la crónica del festival que aún no habíamos hecho, en la que contaba hasta el detalle cómo íbamos vestidos y el gran aplauso que nos dio el público. Eso es fantástico. Hizo, por lo tanto, unas memorias del futuro, pero creo que vivió un par de años más en la ficción que en su vida real.

»Cuando yo estaba en la mili mi padre me escribía —algo que en aquella época no era tan raro, pero que ahora es rarísimo— no cartas en verso, sino sobres en verso. Es decir, escribía un soneto en el sobre y el cartero tenía que adivinar para quién era. Y yo no contestaba. Claro, el problema no era para él, era para mí. Porque el barracón de la mili era terrible. El cabo se subía a un taburete y empezaba: "Felipe Fernández, Luis Antonio no sé qué...", y cuando por fin llegaba mi sobre, que no era un nombre y un apellido sino un soneto, yo me metía debajo de la cama para que no me tomaran por maricón. Ahora no me acuerdo de lo que decía el soneto de mi padre, pero lo tengo guardado y estará incluido, como te he dicho, en el capítulo "El buen cartero" del futuro libro epistolar *A vuelta de correo.* Sí que recuerdo, en cambio, lo que yo le contesté: "El buen cartero que esta carta viera / sabrá que va a un poeta dirigida. / Jerónimo se llama quien la espera / y Martínez Gallego se apellida."

J. M. F.: ¿Guardas todo lo que escribió tu padre?

J. S.: Guardo unas pocas cosas. Él era un encuadernador *amateur*. Bueno, digamos que era *amateur* en general. Incluso creo que era un policía *amateur* [ríe]. Mi padre dejó escrito en su testamento que había hecho dos copias de todos sus escritos, una para mí y otra para un sobrino, un primo mío. Y sí, yo tengo seis o siete libros de mi padre, en fieltro verde y con una letra muy cuidada. El primer libro es lo que él encontró de mi viaje a Londres, que yo había dejado olvidado por ahí. Imagínate las erratas que puede haber en esos textos. Tiene una cosa muy bonita que dice: *Papeles reconstruidos apasionadamente a la memoria de mi hijo Joaquín.*

J. M. F.: La pregunta que antes te hice, la de si te considerabas poeta o versificador dotado, ha quedado sin contestar [ríe], pero bueno. Pasaremos, pues, a la siguiente: ¿cuáles son las diferencias más notables que has apreciado entre la grey de las letras y la de la música?

J. S.: Como sabes, he conocido muy bien esos dos mundos, el de la canción y el de la palabra escrita. Y te diré, contestando a tu pregunta, que las luchas fratricidas y cainitas que se dan en el mundo de los libros y de la palabra escrita son la cosa más feroz que he visto en mi vida. También he visto por ahí fuera las relaciones amor / odio entre Pablo Milanés y Silvio Rodríguez, o entre Charly García y Fito Páez, auténticas guerras civiles. Pero te doy mi palabra de que el mundo de la canción en España, al menos aquel en el que yo me he movido, ha sido extrañísimamente solidario y nada competitivo.

J. M. F.: Supongo que eso tiene que ver con el hecho de que el literato profesional pasa más hambre que el músico profesional. Aquello de «los menesterosos poetas», que decía Cela.

J. S.: Tiene mucho que ver, sí, con el hecho de que la tarta a repartir es infinitamente más pequeña y el escritor depende infinitamente más de que lo inviten a congresos y de que le den premios, eso sigue siendo así. Sí, los menesterosos poetas. Las capillitas y los odios maniqueos son terribles. Y vuelvo a decir que en el mundo de la música yo eso no lo he visto prácticamente nunca. Siempre, o casi siempre que me han llamado, he estado, y siempre que yo llamo están. Y si hay algunos odios o algunas envidias, que por supuesto las hay, son soterradas y nunca salen a flor de piel. Claro que los músicos decimos maldades unos de otros, pero la verdad es que siempre hemos estado ahí cuando ha hecho falta. Desde el homenaje a Neruda o lo que sea. Con los poetas nunca es así, y con los novelistas tampoco. La tarta a repartir en música es mucho más grande. Los músicos no hemos dependido nunca, a pesar de lo que diga el narigón ese que tenía un abuelo que escribía unas cosas en verso, de las subvenciones. Es verdad que durante una época los ayuntamientos contrataban, pero si no llenabas eso no duraba nada. Pero los poetas y los escritores en general sí dependen, muchísimo además, de determinadas prebendas que dan los congresos, los bolos, las universidades y los ministros de Cultura. Por si eso fuera poco, y eso lo hemos hablado antes, en este país das una patada y salen diez mil poetas. Y no hay tarta para todos. Este país está lleno de publicaciones universitarias, de publicaciones independientes y de poetas muy subterráneos. A mí me mandan unos libros que no te puedes ni imaginar. Y porque yo no tiro ningún libro, pero un día de éstos haré un saco y se los mandaré a los niños pobres del Perú. A ti supongo que también te mandan libros, y sabes que hay que leer unas cosas... No los leo, los hojeo. Pero tengo una colección de libros de poetas impublicables que son delirantes. Porque en este país, ya te digo, escribe poesía todo el mundo.

J. M. F.: Hablando de poesía la verdad es que, salvo alguna aviesa excepción, y habida cuenta del peligroso panorama que has descrito, en el que los literatos con voz y voto van a degüello, tú saliste prácticamente incólume de la publicación de *Ciento volando de catorce*. Por si eso fuera poco, ese libro llegó a estar más de cien semanas en las listas de los poemarios más vendidos, casi todo ese tiempo en el número uno. No hay hoy ningún otro poeta vivo, salvo quizá Mario Benedetti, capaz de lograr algo así. Es obvio que tu popularidad fue determinante para ese superéxito, pero aun así vender tanta poesía es una proeza e incluso, si me apuras, un fenómeno sociológico. Porque aquel libro volvió a poner de moda un género agonizante. El público, dicho ha quedado, te refrendó, pero ¿qué tipo de acogida esperabas por parte de la crítica?

J. S.: Lo primero que no esperaba es eso que dices del público. Como comprenderás, y ponte en mi lugar, si haces un libro de sonetos en Visor, desde luego que no esperas un éxito de ventas semejante.

J. M. F.: Es que has vendido casi tanto como *Veinte poemas de amor y una canción desesperada*. Es impresionante.

J. S.: Yo creo que es el libro de poesía más rápidamente vendido de...

J. M. F.: De la historia.

J. S.: Eso creo. Pero, por favor, ponlo en tu boca y no en la mía. Pero ése es un dato. Creo que sí compartiste de alguna manera el proceso. El proceso fue: «Ah, sí, un libro de poesía. Muy bien. Pero van a ser sonetos.» También había una pequeña, pequeñísima voluntad pedagógica de no darle a mi público lo que pedía, que eran leyendas urbanas y el lenguaje de las canciones. No. Savia nueva en los viejos odres. Me gustaba mucho ponerme ese corsé y obligar a mi público a que leyera unos sonetos. Naturalmente, me hubiera dado por muy bien pagado vendiendo diez mil ejemplares. Lo que ocurrió en ese sentido fue una enorme sorpresa. Y luego hubo otra enorme sorpresa que fue, ¡carajo!, el día de la presentación del libro en la Casa de América escoltado por don Ángel González y don Luis García Montero. Falló Benjamín Prado, que se había tenido que ir a Londres, y Luis me preguntó: «¿No te importa que te presente Ángel González?», y yo me cagué. Me cagué porque aún entonces, ahora ya no tanto, me seguía considerando un impostor. Lo más hermoso, que no olvidaré nunca y no puedo decirlo sin lágrimas en los ojos, es que Ángel González apareció y fui hacia él para decirle «maestro» y darle un abrazo, y él me dijo una frase muy bonita y muy antigua: «Te voy a saludar como poeta.» Yo me cagué, te lo juro. Y sin descontar a Luisito García Montero, que fue, desde luego, mi mano derecha y mi mano izquierda para la edición y para todo. Y luego en la cena posterior, en la que tú estuviste, tuve sentados frente a frente a Ángel González y a Pepe Caballero Bonald. Yo estaba babeando. Sigo babeando. Lo que pasa es que ahora Ángel y Pepe son amigos míos, y muy amigos, pero en ese momento yo creía que estaban bajando del Parnaso para echarme una mano. No hay agradecimiento mayor que el que siento por ellos dos y por Alfredo Bryce Echenique. ¡Carajo! ¡Quién me iba a decir que en Lima se iba a editar mi libro de sonetos! ¡Pero si allí no hay mercado! Y luego se ha editado en México, en Argentina, en Uruguay... ¡Hasta se ha editado, pirata, en Cuba! El caso es que después de que aquí fueran Ángel González y Luisito García Montero mis valedores, voy a Lima y me presenta el libro Alfredo Bryce. ¡Carajo! Aquello parecía un concierto de rock. Un follón en la puerta como no te puedes ni imaginar. El sitio estaba lleno e iban a echar la puerta abajo. Era una especie de teatrito y, como es natural, no habían previsto tal avalancha de público. Creo que nunca habían visto algo así, con la gente tirando literalmente la puerta abajo para oírnos a Alfredo y a mí. Fue algo impresionante.

J. M. F.: Y respecto a lo que antes te decía de la crítica...

J. S.: Mi impresión, y sabes que soy un ávido lector de suplementos literarios, es que no hubo crítica. Escribieron alguna que otra reseña. Por ejemplo, José Luis García Martín, en *El Cultural* del diario *El Mundo*, me perdonó un poquito la vida, pero tampoco agredió como Luis García Montero y yo esperábamos.

J. M. F.: Lo peor que dijo José Luis García Martín, a quien, por cierto, años atrás le *robaste* unos versos para el estribillo de *Juana la Loca*, es que —te leo textualmente— «si ese discreto poeta —en clara alusión a las palabras de Luis García Montero, en el prólogo del libro, sobre tu doble condición de cantante y poeta— no se hubiera convertido en cantante de gran popularidad, ninguna editorial medianamente seria le habría publicado esta amplia colección de sonetos».

J. S.: Eso que dijo era muy injusto. Porque yo estoy seguro, y te lo digo ahora, de que esos sonetos habrían encontrado editor. De hecho, sonetistas no hay tantos. Yo no he leído tantos libros de cien sonetos. De todos modos, no tiró con bala. Mis amigos los poetas líricos, que conocen el percal, me dijeron: «Hemos escapado bien para cómo podíamos haber salido.» Tiraron con bala sólo dos.

J. M. F.: De hecho, se podían haber empleado a fondo y con saña. Por ejemplo, los enemigos de tus avalistas los poetas líricos.

J. S.: Sí, pero los enemigos de mis amigos saben el prestigio y poder que tienen mis amigos. Además, es que no eran sólo Luisito y Benjamín Prado, mis dos maravillosos prologuistas, sino también Ángel González, Pepe Hierro y Pepe Caballero Bonald. No era tan fácil disparar con bala. Al menos, disparar con bala y dejar las huellas en la pistola. Sólo se atrevieron, ferozmente, *La Fiera Literaria*...

J. M. F.: Que no existe...

J. S.: En mi opinión lo hicieron con mucha gracia porque eso es un libelo, y los libelos tienen que ser así. Y tengo un enemigo feroz, que es Abelardo, poeta y director de la editorial Renacimiento. Hombre muy querido, respetado y con mucho prestigio en ese mundo, que pensó lo que pensó y lo dijo desde el primer momento. A mí no me lo ha dicho a la cara, pero se lo ha dicho a todos mis amigos hasta el punto de crear un cisma. Porque Benjamín Prado tenía un libro al que yo le escribí unos versos para el prólogo y Abelardo, que era quien se lo editaba, dijo que sobre su cadáver. La verdad es que hubo un momento en que mis amigos me sacaron los colores porque estuvieron a punto de romper todo tipo de relaciones con él.

J. M. F.: Y ¿de dónde le viene esa inquina hacia ti al tal Abelardo?

J. S.: Pues no lo sé, aunque, bueno, tengo mis sospechas. Resulta que tuve una novia durante cinco minutos que había sido su novia. De eso me he enterado hace nada. Y también es otro tipo de inquina para la que yo estaba perfectamente preparado, y se lo dije de hecho a Luis García Montero: «Que sepas que me van a tomar por un impostor y se van a enfadar.» Eso lo dije muchísimo antes de vender todo lo que vendió el libro. Y en cuanto las ventas se empezaron a disparar, pensé: «Va a ser a muerte.»

J. M. F.: Pero te equivocaste. Afortunadamente para ti, eso no ocurrió.

J. S.: No, no ha sido a muerte, pero la crítica no se pronunció. Sin embargo, en privado he tenido opiniones maravillosas de gente muy especial y muy enterada.

J. M. F.: Y eso ¿no te parece injusto, lo de «no vamos a hablar bien del cantautor devenido poeta en público pero sí en privado»?[71]

71. También ha habido algún que otro conspicuo que ha hablado bien de él como poeta. Es el caso del escritor y académico Francisco Rico, quien dijo de sus sonetos que «además de ser graciosos,

J. S.: No. Es más, lo entiendo perfectamente. Es un poco como lo que antes hablábamos de las tontas guapas. Hay un sistema de equilibrios que no me parece mal. ¿Qué pasa, que además de vender tropecientos mil discos y libros me tienen que chupar la polla? Pues no. Hay unos contrapesos que me parecen bien. Del mismo modo que mi amigo el del pelo blanco, Arturo González, dice que lo que le preocupa es que haya mayoría absoluta, yo tampoco quiero que haya mayoría absoluta. Cuando voy a Argentina —y creo recordar que ya hemos hablado de esto—, país en el que he estado contigo, disfruto enormemente, pero cuando regreso pienso que está muy bien volver a un país tan cabrón como el nuestro, que maltrata a sus artistas. También te cité el ejemplo de Charly García y Fito Páez, pues estoy convencido de que mucha culpa de sus excesos y de su megalomanía, de la que no se libra ningún cantante popular argentino, la tiene ese público tan absolutamente fanático y entregado. Si yo me quedo un tiempecito más en Argentina, me vuelvo un perfecto gilipollas seguro.

J. M. F.: Sin embargo, en Francia, y también hemos hablado de ello, se venera a los artistas consagrados pero de un modo muy respetuoso.

J. S.: Sí, pero es que en Francia no se da ese *cholulismo* —en Argentina y en México, al fanatismo radical se le llama *cholulismo*—. No lo hay. Es verdad que en Francia los Brel y los Brassens y todos los que han venido después no tenían ni tienen que sacar un disco cada año y medio

---

están muy bien». Y no lo dijo con retintín ni displicencia, sino de veras. Por su parte, el poeta y escritor Luis Antonio de Villena, también del club de los afines, sin que eso signifique que sean amigos, escribió algo que yo comparto plenamente: «Sus letras (estupendas) tienen mucha más poesía que sus atinados sonetos.»

para hacer una reválida, pero no los persiguen por la calle ni les mandan bragas. En Francia hay un gran respeto por el artista, sí, pero en Argentina es que los tratan como a auténticos dioses. Es decir, el fenómeno Maradona no existe en ningún otro lugar del mundo. Lo que sí me gusta de Francia y Argentina, que en eso sí se parecen, es lo que te decía, que no les exigen a sus artistas más amados un examen de reválida cada año y medio. Eso en España es terrible. Serrat ha dicho un millón de veces: «La alfombra que te ponen las discográficas mide exactamente lo que el último disco que has vendido.» Y mira que el catálogo de Serrat es impresionante y cualquiera sería multimillonario con sólo moverlo editorialmente. Bueno, pues no. Si del último disco ha vendido cien mil copias, les parece poco. Eso en Francia no pasa, no. En Argentina tampoco. De hecho, Charly García no ha sido jamás un gran vendedor y allí es Dios. Él no tiene que lanzar un disco para dar diez conciertos en el teatro Gran Rex de Buenos Aires, basta con que se suba al escenario. Yo creo, insisto, que España es el país más cabrón con sus artistas que he conocido en todo el mundo. Lo cual nos viene muy bien a los artistas españoles, pues nos baja a la tierra.

UN PARÉNTESIS POR LOS PELOS DE ÚBEDA

(Yo estaba en Monterrey, había tocado allí. Monterrey, para los que no lo conocen, que sois todos, está en el norte. La gente va con sombreros a lo John Wayne y se come carne, y yo tuve allí una novia muy peligrosa. No era una novia, pero era muy peligrosa. Primero, era una menor. Ahora ya no es tan menor. Yo vivía en el undécimo piso de un rascacielos y no había modo humano de acceder a mi habitación. Entre otras cosas porque nadie sabía que estaba allí. Pues esta chica y su amiga se las arreglaron para conseguir llegar hasta ella. Llamaron, abrí y me encontré con dos adolescentes. Eran muy Chavelas. Entraron. Te estoy hablando de las cuatro de la madrugada. De esto hará lo menos doce o trece años. El caso es que, afortunadamente, una diosa me vino a salvar y yo decidí que no podía tirarme a esas chicas tan jóvenes. Eso, ya te digo, me salvó la vida. Porque a la media hora o a los tres cuartos de hora llamaron a la puerta, abrí y vi a dos tipos con los sombreros de ala ancha de John Wayne que te decía antes y con la mano aquí, en la cintura. Eran sus padres. Estoy vivo porque me pillaron vestido. Sin duda. El caso es que acabamos tomándonos unos tequilas... A una de las dos la seguí viendo. La he seguido viendo hasta treinta segundos antes de la Jime. Ahora vive en Madrid, pero no te voy a decir cómo se llama ni quién es. Y ahora verás cómo enlaza esta historia con un cantante argentino discípulo de

Charly García que cantaba Llueve sobre mojado. *Enlaza de la siguiente forma. Un año después de que me librara de la muerte, de la pelona, como dirían en México, por estar vestido, quizá dos años después, volví a cantar en Monterrey. Bueno, pues según llegué con las maletas al hall del hotel me la encontré allí. Me contó que sus padres estaban indignados con ella y que la habían mandado interna a un colegio o a una universidad muy privada para niñas díscolas en Estados Unidos, y que al enterarse de que yo cantaba en Monterrey se había escapado para verme. Y allí estaba, como te digo, delante de mí. Además, la había visto una tía suya por la calle. Así que me aterroricé. Entonces esa noche, justo después de cantar, le dije a esa chica: «Fito Páez canta mañana en Guadalajara* [México]. *¿Vamos a verle?» Buscamos un avión y esa misma noche nos fuimos a Guadalajara porque yo estaba absolutamente aterrorizado con la posibilidad de que apareciera el padre. Es a partir de ese viaje cuando Fito y yo empezamos a intimar, lo que nos llevaría luego a* Enemigos íntimos. *Esa chica vive ahora en Madrid y no te diré quién es porque la conoces, porque es conocida. Y como decía Forrest Gump...)*

20

PERO QUÉ HERMOSAS ERAN
(SUS MUJERES)

En asuntos de amor
siempre pierde el mejor,
no me tomes, tontita, por tonto.

Seis tequilas
(Alivio de luto)

... Y sin embargo, cuando
duermo sin ti contigo sueño
y con todas si duermes a mi lado...

Y sin embargo
(Yo, mí, me contigo)

«Con mis mujeres han sido siempre relaciones terribles, pasionales. Yo, que soy muy pacifista, en el único terreno en el que no he ejercido como tal ha sido con la mujer, ni ellas conmigo. Pero la culpa es de ellas.» «¿Algo que me merezca mayor respeto que un pacto entre caballeros? Un pacto con una señorita. Para incumplirlo.»

Este libro no estaría del todo completo si no incluyera un capítulo al más puro estilo *¡Hola!* y *Diez Minutos*.

Y no me vengan ahora con eso de que como son *fans* de Joaquín, con lo que tal cosa supone (no es ni Ricky Martin ni Luis Miguel ni Enrique Iglesias ni David Bisbal ni nadie que remotamente se les parezca), su vida privada les importa un huevo, porque no cuela.

De hecho, todos, lo reconozcamos o no, sentimos una natural curiosidad por ese tipo de cuestiones. Y más si la persona que está en la mesa de operaciones dispuesta a mostrarnos sus vísceras, es alguien que nos gusta mucho.

Como escribía Elvira Lindo en su sección «Don de gentes» del diario *El País* (26-2-2006): «Sólo los ignorantes están en contra de la crónica rosa. Sólo los falsos aseguran que la vida privada de los demás no importa. Sólo los desconfiados rehúyen los chismes. Sólo los mentirosos dicen: prefiero no saberlo. A mí me encantaría hacer crónica rosa, dar una idea rosa del mundo, de los personajes con los que me cruzo...»

Pues eso, señores. La vida sentimental de Joaquín Sabina en la más rigurosa primicia. Con, como se suele decir en estos casos, «todo lujo de detalles» y hablando, como también se suele decir en estos casos, «a calzón quitado».

Que tiemblen, pues, *Salsa Rosa*, *Dónde estás, corazón* y demás aficionados del *cuore*. Porque esto sí que es una exclusiva pata negra y no la falsa boda de la madrastra del hermanastro de la ex novia del ex concursante de *Gran Hermano*.

¡Acción!

J. M. F.: Alguna vez hemos hablado de lo difíciles que resultan las relaciones entre hombres y mujeres y siempre hemos llegado a la conclusión de que ambos, mujeres y hombres, somos irreconciliables y, quizá, dos especies distintas. «*There is a war between the man and the woman*», como inmortalizó Leonard Cohen. Dicho de forma más directa: o mucho cambian las cosas —es decir, hacemos porque cambien— o me temo que las parejas heterosexuales están irremediablemente abocadas al fracaso.

J. S.: ¿Las mujeres? Acabo de ver un anuncio en televisión que define exactamente lo que yo quiero de ellas: alta rentabilidad, sin gastos ni comisiones. Total disponibilidad. El último punto me emociona especialmente. Total disponibilidad me parece una cosa maravillosa. Incluso —porque yo no espero tanto— si hubiese dicho «casi total disponibilidad» también me lo compro. Bueno, biógrafo, échale huevos. ¿Qué vas a preguntar?

J. M. F.: No, no, aquí los huevos has de echárselos tú, que eres el que tiene que contestar. Antes de nada, me gustaría que aclarases si es justa o no la fama de misógino que te acompaña desde casi tus inicios; al menos, desde que empezaste a alcanzar cierta notoriedad.

J. S.: Bien, pues esa fama es una perfecta tontería. Yo aún diría más: una tontería y una gilipollez. Es tal tontería y tal gilipollez que ni siquiera tengo argumentos para rebatirla. A cambio me gustaría contar una cosa. Una vez estaba yo en Manhattan con Cristina. Fuimos de Buenos Aires a Manhattan. Por cierto, en ese viaje hicimos realidad una de esas fantasías que tiene todo el mundo y que casi nadie hace, que es echar un polvo en el avión. Y nada más llegar a Manhattan nos peleamos. Estábamos alojados en un maravilloso hotel. En el hall, había unos tipos con sombreros y abrigos largos, y con estuches y maletas de instrumentos. Así que yo, cada día que los veía, que eran todos, le decía a Cristina: «¡Por favor, vamos a seguirlos! Al club donde éstos toquen es adonde yo quiero ir.» Pero lo que voy a contar tiene más que ver con eso de que de aquellos polvos vienen estos lodos. Llevábamos dos días muy mal. Después de comer en un restaurante coreano nos peleamos a gritos en plena calle. Retiramos a los embajadores, suspendimos toda relación. Entonces no quedaba más remedio que volverse a España. Yo había visto algo en la puerta del hotel que llamó mucho mi atención: limusinas. Esas cosas que hay en Manhattan y que aquí son impensables. No sabía cómo coño hacer las paces con mi novia porque, como te digo, no teníamos embajadores ni conducto diplomático, nada. Así que hicimos la maleta, bajamos al hall y, en lugar de tomar un taxi, yo ya había hablado con el *limusinero*. Total, que nos montamos en una limusina de esas que sólo se ven en las películas de gánsteres, con su separación entre el chófer y los de atrás, con su neverita y con su whiskito. En fin, la del mismísimo Al Capone. Y como no teníamos embajadores no dijimos esta boca es mía pero, a cambio, empezamos a follar como rupestres durante tres cuartos de hora. Lo maravilloso era, primero, no hablarse; después, seguir muy enfadados, y por último lo que se veía a través de la ventanilla, que era Manhattan pasando a toda velocidad delante de nuestros ojos. ¿Sabes una cosa, rubio? Nunca lo olvidaré. Jamás.

J. M. F.: Sigamos, ya que te veo en forma, hablando de tus mujeres. Comencemos por el principio.

J. S.: Yo, en Londres, estaba enamorado de una chica que se llamaba Sonia. Esa mujer era un trueno, pero yo estaba muy enamorado de ella y creo que ella también de mí. Lo que pasa es que Sonia siempre veía la botella medio vacía, y menos que media, y yo, por el contrario, la veía medio llena.

J. M. F.: Lo mucho que han cambiado las cosas en ese sentido, ¿eh, maestro?

J. S.: [Sonríe y no dice nada.] El caso es que ella pensaba que vivía con un hijo de puta que le ponía los cuernos con todo el mundo. Yo era un hijo de puta, pero no le ponía los cuernos con nadie hasta que un día ocurrió. Por aquel entonces yo cantaba en un restaurante con una chica colombiana maravillosa y muy guapa, pero nunca le había puesto los cuernos a Sonia aunque ella estaba convencida de lo contrario. Así que un día, por fin, en defensa propia, me fui con esa chica colombiana tan guapa —sigue siendo muy guapa, la vi hace poco—. Cuando volví a la casa que compartíamos Sonia y yo, ni siquiera pude decirle «esta noche he estado con esta mujer», no, no. Sonia no estaba y había una nota en mi mesilla de noche, debajo de la lamparita, que decía más o menos esto: «Como siempre he sabido que eres un hijo de puta, durante estos dos años, y para curarme en salud, me he acostado con todos éstos», y a continuación daba una lista detallada de trece o catorce tipos, con nombres y apellidos. Los iba describiendo uno por uno: éste porque se parecía a ti; éste por no sé qué; éste [comienza a reírse a carcajadas] porque había leído *Rayuela*. Y en el último decía: y en este momento me estoy acostando con tal. Impresionante, ¿no? Se me ponen los pelos de punta.

J. M. F.: Eso era amor y lo demás son tonterías.

J. S.: Pues sí, a pesar de eso nos queríamos mucho. Mira, me está viniendo a la cabeza otra historia de Sonia muy divertida. Nuestra relación era muy pasional en el peor sentido de la palabra. Un día, muy amorosamente, me cortó el pelo —porque como tú comprenderás por esa época yo no tenía dinero para irme a peluquerías *fashion*—, y cuando terminó envolvió, con todo su amor, un mechón de mis cabellos y lo guardó. Bueno, pues una de las mil veces en que nos peleamos y ella se fue a Bruselas, a uno de esos clubes comunistas en los que nos movíamos, yo estaba rebuscando por los cajones tratando de encontrar algo... Por cierto, tú que eres muy erudito y muy investigador de mi obra: de esto que te estoy contando viene directamente lo de aquellos versos de *19 días y 500 noches*: «Y regresé / a la maldición / del cajón sin su ropa...» Bueno. Pues revolviendo cajones vi de pronto el maravilloso sobre con el lacito donde Sonia, mi amadísima Sonia, había guardado mi mechón. Entonces me emociono, deshago el lacito, desenvuelvo el envoltorio y me encuentro con mi mechón ¡calcinado!

J. M. F.: No me digas, Joaquín, que te estaba haciendo vudú.

J. S.: Exactamente. Y el mechón, claro, *me se* puso de punta. Es impresionante. La tipa se había tomado el trabajo de quemar, de calcinar eso, y luego lo había envuelto primorosamente.

J. M. F.: Desde luego, te juntabas con mujeres muy recomendables.

J. S.: Eso se lo dices a su actual novio. Yo, desde luego, la quise mucho, ya te digo. Pero no, no te la recomiendo en absoluto.

J. M. F.: En cierta ocasión me dijiste que a partir de los cincuenta la última mujer con la que uno está es la más importante. O al menos, a uno le conviene pensar eso.

J. S.: ¿En serio? Es extraño, porque yo no creo mucho en eso. Es decir, a mí me gustaría hablar como si la Jime y el resto de las mujeres importantes de mi vida no fueran a leer este libro. No creo en eso. Desde luego, yo ahora estoy con la Jime. Estoy con ella en cuerpo y alma. Pero si estamos haciendo un libro que incluye, como todos los libros que así merecen ser llamados, repensar las cosas, lo cierto es que no creo que la última sea la mejor ni que la primera sea inolvidable. No creo, no, en ninguna de esas cosas porque he tenido primeras y últimas. Y si inaugurásemos un capítulo uno de estos días, que no inauguraremos porque eso sí que es delicado para mí, sobre quiénes han sido realmente las mujeres de mi vida, verías que no son ni primeras ni últimas.

J. M. F.: Es decir, ni *the last but not the least* ni *the last but not the best.*

J. S.: Exactamente. La primera no fue la más importante, pero la última sí lo es porque es la Jime. ¿Me explico?

J. M. F.: Te explicas.

J. S.: Es que ahora no estoy hablando para el casete...

J. M. F.: La última es la Jime y la primera, primera, fue *Chispa*, ¿no?

J. S.: Sí. Y la Jime, claro, es la última. Aunque a mí me gustaría que fuera la penúltima [risas].

J. M. F.: ¿Cómo os conocisteis Jimena y tú?

J. S.: Yo fui al Perú de Fujimori en una gira de esas promocionales, no recuerdo ahora con qué disco, y la Jime era una fotógrafa muy guapa de *El Comercio*, que es el Periódico, con mayúscula, de allí. Así que llegó a la habitación del hotel y empezó a hacerme fotos, y se abría de piernas y me volvió loco. Yo tenía una tarde de esas duras en las que tienes que atender a diez periodistas, y mientras ella disparaba su cámara sobre mí le pregunté: «Oye, ¿dónde se puede ir por la noche a tomar una copa?», y me contestó: «Hay un lugar que se llama La Noche.» Entonces quise saber si ella iba a ir y me dijo que de vez en cuando se dejaba caer por allí. El caso es que cuando aquella noche llegué a La Noche, la Jime llevaba allí dos horas. Y el resto ya lo sabes.

J. M. F.: En tu soneto *Conmigo vais* figuran demasiadas mujeres como para ser las más importantes en la vida de nadie.

J. S.: Tampoco soy Julio Iglesias, que ha dicho que se ha follado a tres mil o por ahí.

J. M. F.: Estoy seguro de que has estado con muchas mujeres, pero importantes de verdad no han podido ser más de cinco. ¿Me equivoco?

J. S.: Georges Simenon se tiraba todas las tardes a dos y su mujer lo esperaba en el bar. Hay otros muchos ejemplos célebres de grandes folladores. Jamás he dicho eso ni lo diré, pero en *Conmigo vais* están todas las que son. Aunque tal vez tengas razón y no sean todas las que están.

J. M. F.: En cualquier caso, si tuviésemos que hablar de las principales... e incluso de las no tan principales. Blanca, por ejemplo. A la que le dedicaste *Tratado de impaciencia*. Una canción incluida en tu primer disco, *Inventario*.

J. S.: Si habláramos de las importantes serían sólo dos o tres. Claro, Blanca. Mi queridísima Blanca. *Tratado de impaciencia*, sí, estaba dedicado a ella. Era muy guapa.

J. M. F.: Bien. Me mojaré y te diré las que, creo, han sido las mujeres más importantes de tu vida. No por este orden —el orden pónselo tú si quieres— pero sí Ellas, con mayúscula. Son cuatro. Ahí van: Lucía, Isabel, Cristina Zubillaga y Jimena.

J. S.: [Largo silencio.] Bueno, lo siento muchísimo, pero las mujeres más importantes de mi vida han sido... Sonia Tena... *Chispa...*, voy a tratar de afinar mucho... Cristina, Isabel, en la medida en que es la madre de mis hijas, y la Jime. Y no están en orden. Porque una de mis pasiones más demoledoras, embriagadoras e incendiarias ha sido Cristina. Y me gusta decirlo aquí porque alguna vez *me se* ha quejado de que en los libros la omitía. *Chispa*, por la primera y por la hermosura que fue; Jime, por la última y por la hermosura que es, e Isabelita por ser la madre de mis niñas. Pero pasiones devastadoras, Sonia y Cristina. Luego ya corregiremos el manuscrito.

J. M. F.: Hay que ser muy valiente o muy insensato, o bien tener las ideas muy claras, para reconocer que tus dos mayores pasiones, «devastadoras» según tú, las viviste con mujeres que ya no comparten ni tu cama ni tu vida.

J. S.: No te olvides de una cosa, y eso sí lo explicaré luego porque no hay por qué darle tres cuartos al pregonero. Pero yo duermo todas las noches con Jimena, y Jimena sabe que ahí no hay una pasión devastadora. Hay algo más: muchos quilates de amor verdadero. Y eso que alguna pasión devastadora sí he vivido. Dos, al menos.

»Contaba Cela que fue a Colombia a dar una conferencia y una chica progresista de la época empezó a hablar de la conquista y de lo malísimos que habían sido los conquistadores españoles. Al parecer, más tarde se la tiró, y cuando se la estaba tirando le ordenó: "O dices 'viva España' o la saco" [risas]. Eso no se lo creía ni él, claro. Pero ése era su estilo. Bien. Te cuento esto porque Cela se postulaba siempre como el gran follador, igual que Dalí como el gran masturbador. Yo, últimamente, soy el gran masturbador, y me gusta pensar que alguna vez fui el gran follador. Dicho, claro, exageradamente.

»Me parece que esa imbecilidad de "la química", que está tan de moda entre los peluqueros y los de la movida, es un tremendo misterio. Es decir, yo llevo ocho años con Jimena, y aunque me ha parecido siempre que la fidelidad era algo que enseñaban en los colegios de jesuitas pero que no tenía nada que ver con la naturaleza humana, es bien probable que producto del envejecimiento haya acabado por encontrar un modo de estar con esta peruana feroz, guapísima y maravillosa que es Jimena, que me ha entendido como nadie y me ha dado mi sitio —creo que yo también se lo doy a ella—. ¿Qué pasa con la pasión? Pues como con todas. Que es eterna, dura exactamente dos años. Y luego ¿qué? Pues el caso es que Jimena y yo hemos encontrado un modo de estar en el mundo. Qué te voy a contar a ti, que admiras tanto como yo a la España de Umbral, que es como se llama su mujer. Por cierto, mi caso es bastante más civilizado que el de la España de Umbral porque yo ya ni puteo.

J. M. F.: No creo que Umbral lo siga haciendo, por mucho que le guste tirarse el nardo aún y alardear de conquistas.

J. S.: Bueno, pero él durante años lo hizo. Yo con Jimena no. Además, estoy cometiendo un pecado que va contra mis más sagrados principios, y es que no la he engañado nunca. Y no estoy hablando de ponerle los cuernos, no, no...

J. M. F.: Le eres fiel y leal.

J. S.: *Yes.* Porque se lo cuento todo.

J. M. F.: «Y eso que alguna pasión devastadora sí he vivido. Dos, al menos», has dicho. Y esas dos pasiones devastadoras se llamaban Sonia y Cristina.

J. S.: *Yes.*

J. M. F.: ¿Se parecían?

J. S.: Absolutamente en nada.

J. M. F.: Y el Joaquín que estuvo con ellas ¿era el mismo?

J. S.: No. El Joaquín que conoció Sonia era un disparate. Creo que no te habrías tomado una copa con él.

J. M. F.: ¿Sonia y tú erais tan tremendamente explosivos como he oído contar a algunas personas que conocieron, supongo que más de oídas que de primera mano, esa relación? Eso de que tirabais los muebles por la ventana...

J. S.: Lo fuimos. Desde luego, ahora ya no. Ahora soy un caballero inglés. Pero sí, lo fuimos.

J. M. F.: Fue, vamos, una relación tormentosa en toda regla. *Lunas de hiel*, de Polanski.

J. S.: Sí, nos hemos tirado todo por la ventana y nos

hemos hecho, entrambos a dos, violencia de género. *Lunas de hiel*, completamente. Y Sonia estaba más presente de lo que ella piensa. Está presente en muchísimos versos de mis canciones. Como Cristina, que está más que presente.

J. M. F.: ¿Con Cristina llegaste a lamentarte, una vez rota la relación, con eso tan socorrido de «quizá no era un buen momento para lo nuestro»? ¿Cuál fue, en realidad, el detonante de vuestra separación?

J. S.: A Cristina y a mí nos separó una cosa absolutamente imprevista, ingobernable e imposible. Ella, de la noche a la mañana, cambió. Y cuando digo «de la noche a la mañana» quiero decir del segundo plato al postre. Literal. Fuimos a Menorca los dos solos. Ella llevaba mucho tiempo diciéndome que nos fuéramos a una isla mallorquina solitos, y allí que nos fuimos. La primera noche salimos a cenar. Estábamos felices y muy bien. Cuando llegamos a los postres... [chasquea la lengua, pesaroso] entró no sé qué en su vida. Y sé muy bien lo que digo cuando digo «no sé qué». Es decir, enmudeció. Se le puso una cara de enorme tristeza. Pasamos cinco días más en Menorca, en los que no habló ni una sola palabra. Ella sostiene que le puse medio éxtasis en el café. Puede ser. Pero a mi modo de ver eso no explica tamaña mutación. Por cierto, vaya mierda de éxtasis.

J. M. F.: Éxtasis o no, ¿cómo pudiste aguantar ese silencio total por parte de la persona a la que querías y en un lugar al que supuestamente habíais ido a disfrutar?

J. S.: Es que no lo aguanté. Al quinto día la llevé al aeropuerto y le dije: «Te vas.» Por las noches me iba a un bar que había en el puerto e incluso, para no joderla, para que no hubiera agravios comparativos, te diré que en Menorca estaban en ese momento Mercedes Milá, Serrat, Víctor Manuel y Ana Belén, y no los llamé. En ningún momento. Yo volvía al hotel a eso de las tres de la mañana y ella no hablaba. Al cuarto día le dije: «Mira, Cristina, ya sé que no vas a hablar, pero te voy a llevar al aeropuerto.» La mandé a Palma de Mallorca y yo me volví a Madrid. Invité a mi socio Julio Sánchez y a una novia que tenía, una negrita guapísima, a Ibiza y nos corrimos unas juergas extraordinarias. Lo que te estoy diciendo es, respondiendo a tu pregunta, qué fue lo que pasó con Cristina. Pues pasó eso. Y eso pasó dos años antes de separarnos definitivamente, aunque desde entonces ella fue ésa.

J. M. F.: Así que lo que os separó fue la enfermedad.

J. S.: Sí, pero una enfermedad como yo no he visto nada igual en mi vida, y mira que me he leído algunos libros del doctor Freud. Fue impresionante. Es decir, la chica a la que yo conocía desapareció. Pero desapareció entre la sopa y el postre. Y desapareció para siempre. No es literatura, ni la más mínima. De hecho, creo que se le van a poner los pelos de punta cuando lea esto.

J. M. F.: Aquella «pasión devastadora» se convirtió sin más en una autista.

J. S.: *Yes.* Aun así aguanté dos años. Y aun así sigue apareciendo en mis sueños.

J. M. F.: Háblame de la madre de tus hijas, Isabel Oliart. Creo que os conocisteis en la sala Elígeme.

J. S.: Sí. Llegaron tres chicas una noche al Elígeme y una de ellas era Isabel. Otra era un putón de esos de la *high society.* Eran amigas de toda la vida y estaban muy borrachas, y el putón dijo: «Ay, el Sabina. Nos lo vamos a tirar.» El putón se acercó a la barra donde yo estaba y acabamos bajando, todos, a la oficina del Elígeme. Pero el putón tenía mala suerte y además era muy bocazas. Porque no sé cómo me lo dijo, pero el caso es que supe que tenía la regla. Mala estrategia.

J. M. F.: Bueno, eso de que una mujer queda anulada

para la fiesta sexual por encontrarse con el período es un tópico.

J. S.: Es cierto, pero en fin. El caso es que luego nos fuimos todos a la discoteca El Sol y yo acabé con Isabelita en casa.

J. M. F.: ¿Supiste desde el principio que era una Oliart, la hija de un ex ministro de Defensa?[72]

J. S.: Esa misma noche. De hecho, Isabel cree que eso a mí me importaba mucho y la verdad es que me importaba un carajo. Les pregunté a las tres, mientras estábamos drogueando en la oficina, si ella tenía algo que ver con Alberto Oliart, y me lo dijeron. Si Isabel estuviera aquí te diría que yo estaba muy interesado en eso, y de verdad que no es así. Es más, a mí me gustan las peluqueras; no las Oliart. Es decir, los amores / vida, pasionales. No voy a repetirlo, pero Cristina y Sonia no eran Oliart.

J. M. F.: Ya, pero tampoco eran peluqueras.

J. S.: Cristina sí [ríe]. Cristina sí.

J. M. F.: Y el hecho de que hubiese una barrera cultural entre ella y tú, y esto lo aplico a otras mujeres importantes de tu vida, ¿influyó en vuestra relación y en vuestra ruptura?

J. S.: A mí eso me daba muchísimo morbo.

J. M. F.: Imagino que eso pudo ser así al principio, pero ¿y después?

72. El ex suegro de Joaquín y abuelo materno de sus dos hijas (el único que vive), Alberto Oliart Saussol (Mérida, Badajoz, 1928), fue ministro, sucesivamente, de Industria y Energía, Sanidad y Seguridad Social y Defensa con el Gobierno de la UCD. Miembro de la llamada *generación de los cincuenta* junto a Gil de Biedma, Carlos Barral y Joan Reventós, obtuvo en 1997 el X Premio Comillas de Biografía por su libro de memorias *Contra el olvido* (Tusquets). En la actualidad es colaborador de la SER y escribe artículos regularmente para el diario *El País.*

J. S.: Después también. Y sin la menor vocación de Bernard Shaw, de pigmalión, porque aquí no está uno para decir mentiras ni tonterías sino para meter sus navajas por el corazón. Confieso que eso me daba mucho morbo, sí. Yo nunca pretendí ilustrarla, jamás, pero se me caían lagrimones cuando un día la vi en el avión leyendo *Los versos del Capitán* apasionadamente, y también cuando la vi discutir con Fidel Castro.

J. M. F.: ¿Supo discutir con él, defenderse?

J. S.: No, ella no sabía muy bien de dónde le caía aquello. Pero ojalá lo recuerde ahora con gusto.

J. M. F.: ¿Cristina era domeñable?

J. S.: No, en absoluto.

J. M. F.: Isabel supongo que aún menos.

J. S.: Isabel era absolutamente domeñable. Yo desaparecía diez días de casa y no decía adónde iba, aunque Isabel lo sabía muy bien: me iba con Cristina. El caso es que cuando volvía a casa Isabel nunca tuvo un mal modo ni una mala palabra conmigo. Es decir, el grado de civilización de mi adoradísima Isabelita Oliart es el más alto que yo he visto jamás en mi vida. Eso llega hasta el día de hoy. Con lo cual yo, que no elegí madre para mis hijas sino que ésas son cosas que sucedieron, si hubiera elegido no habría podido elegir mejor.

J. S.: ¿Ella sí eligió padre para sus hijas?

J. M. F.: No. Fue un accidente. Pero te repito que si yo hubiera podido elegir, te estoy hablando de mí, no habría podido elegir mejor. Estoy hablando de que estoy rodeado de gente rojísima, discretísima, de la Institución Libre de Enseñanza, nobilísima, que tiene la ética, el honor y la moral en un altar y que, sin embargo, va a los tribunales a pelearse con sus mujeres, con sus ex mujeres, por un minuto de custodia o por un dólar. ¡Bendita sea Isabelita Oliart! Ella jamás de los jamases ha traficado con lo más sagrado que tengo, que son mis niñas.

J. M. F.: Y en pago a eso tú has sido generosísimo con ella y, por supuesto, con tus hijas.

J. S.: Generosísimo no. En eso os equivocáis. Y cuando digo «os equivocáis» sé muy bien por qué utilizo el plural, porque ésa es una especie que está a mi alrededor. Es decir, Isabelita lo que hizo para mí, cuando vivíamos juntos, y lo que sigue haciendo ahora, fue aportarme un servicio fantástico, que es ocuparse de los asuntos del dinero y que yo no lo toque para nada, que ni siquiera lea las cuentas. Eso es algo que también hace Jimena ahora. ¿Eso es generosidad? No. Es que yo no quiero tocar eso porque soy muy judeocristiano y me parece que el dinero es sucio y feo, y no me gusta.

J. M. F.: Ahora dices eso, pero también me has dicho, para este mismo libro, que el dinero es poesía.

J. S.: Te explicaré por qué he dicho lo de que el dinero es poesía. Hay un conflicto entre los católicos romanos, que consideran que el dinero es sucio, y los anglosajones protestantes, que consideran que el dinero es cojonudo. Sí, y cuanto más mejor. Bueno, pues yo tengo algo que decir sobre el tema. Jamás he usado el dinero en el sentido de las caricaturas del judío que cuenta monedas y billetes, pero hay una cosa del dinero que es muy poética. Primero, para las mujeres —y sé bien lo que digo—, y después para mí. Tú te peleas con tu mujer a gritos y resulta que uno de los dos se tiene que ir de casa. Supongamos que me tengo que ir yo. En Londres, con Sonia, me he visto alguna vez en esa tesitura, en casos en los que no me podía ir porque no tenía adónde, y entonces había que volver a la hora con la lengua arrastrando por el suelo e inclinando la *servís* [cerviz], como diría Pepe Caballero Bonald. Pues el dinero te da la posibilidad de no tener que volver y humillarte. Y otra maravillosa posibilidad para el que lo tiene, y para los amigos del que lo tiene, es que uno puede irse a Barajas, plantarse delante de un mostrador y preguntarle a una de esas chicas tan monas: «¿Adónde va el primer avión?»

J. M. F.: Si te pregunto, al hilo de lo que estamos hablando, si tienes mucho dinero, ¿me contestarás que el suficiente como para olvidarte de él, como para que ese asunto no te quite el sueño?

J. S.: Sí, el suficiente. Y añadiré algo: mucho más del que necesito para vivir. Es decir, llevo cuatro años sin salir de mi pisito de Tirso de Molina. Mi pisito es un estupendo pisito, no diré yo que no, pero no es un palacio. Haz el favor de ir mañana a hablar con los Víctor Belenes, con los Migueles Ríos o con los Serrates, que no te puedes ni imaginar las casas que tienen...

J. M. F.: Supongo que tú tienes, ni más ni menos, la casa que querías y quieres tener.

J. S.: Exactamente. Y hace como veinte años que cada vez que se me ocurre algo que quiero hacer, para mí o para mis amigos, no tengo ningún problema. A eso me refiero cuando digo que el dinero es poesía. Es decir, si ahora decido que no me gustas porque estoy enfadado contigo y que tampoco me gusta la Jime, me puedo ir a Tailandia. Y además me puedo llevar a dos amigos. Y la misma noche que llego a Tailandia, si quiero montar un número con un par de chicas —menores no; los menores no saldrán en este libro—, puedo hacerlo.

J. M. F.: ¿Dices que no con menores por un problema estrictamente legal, o por una cuestión de piel o de moral?

J. S.: Ahora en serio. Estoy absoluta y fundamentalmente de acuerdo con la protección a los menores.

J. M. F.: ¿Estás en contra del turismo sexual? El de Tailandia y el de Cuba.

J. S.: Sí, y además lo discutí con Fidel pero eso ya nos llevaría muy lejos... Vamos a ver. No estoy en contra de las putas ni estoy en contra de las jineteras. Entre otras cosas, porque existen desde antes de que existiera la Bolsa. Y la vida. Existen desde siempre. Te he contado ya la historia de una jinetera cubana que no quería cobrar si no cumplía con su trabajo, la que recogía en su artículo para *El País* Mauricio Vicent. Pero con los menores ninguna broma; no tengo sentido del humor para eso. Ahora bien, es verdad que tengo a Vladimir Nabokov y a su *Lolita* en un altar. Pero Vladimir Nabokov no violó a una menor, sino que escribió un libro maravilloso. Por cierto, me has llevado a un sitio estupendo. Es decir, que Nabokov no violó a nadie. Eso es lo que hay que hacer con esos deseos desordenados. Se escribe o se pinta o se hace cine pero no se jode a nadie. Para eso está la literatura.

J. M. F.: Ante un caso de paidofilia o pederastia, ¿qué piensas, que es una perversión, que a esa gente habría que encerrarla...?

J. S.: Vamos a ver. Todas esas perversiones, como tú las llamas, están en el alma y en el corazón humanos. Pero yo creo en la civilización. Creo que los antiguos cazadores que protegían un palmo de territorio no están tan lejos de nosotros como pensamos. Y por mucho que te escandalice y sorprenda, aquí el cantautor asilvestrado cree que lo mejor que ha dado la humanidad son unas leyes y unos códigos que no están basados en ningún mensaje divino ni en ninguna revelación y que sirven para sobrevivir. Eso me parece el mayor hallazgo, después de la palabra escrita y de la imprenta, que ha existido sobre la faz de la Tierra. Estoy absolutamente a favor de la Ilustración y de una cierta legalidad. Eso no quiere decir que esté a favor de las leyes.

J. M. F.: Estudié en Antropología que las tres únicas pautas de comportamiento universalmente condenables hoy día son el canibalismo, el incesto y matar a un hombre joven y sano o a una mujer joven y sana sin motivo aparente.

J. S.: Bien. Yo quisiera decir un par de cosas sobre eso. El canibalismo repugna por su esencia, pero existió y sigue existiendo. Respecto al incesto, me parece que su condena es exclusivamente cultural. Es decir, no creo que haya nada en la naturaleza humana que repugne eso. ¿Qué era lo otro? Ah, sí, lo de matar a un hombre o a una mujer jóvenes. Ahora me iré al universo carcelario. A mí me gustan mucho ciertos códigos del hampa. Si tú vas a la cárcel y has violado o has maltratado a un niño, lo tienes crudo. Y eso me gusta mucho. Es decir, no es lo mismo ponerle la navaja en el cuello a Mario Conde, al que fue Mario Conde, que tirarle del bolso a una ancianita. No es lo mismo. Y me ha gustado siempre mucho el que los violadores vayan de culo —y nunca mejor dicho— en la cárcel.

J. M. F.: Volvamos a tus mujeres. A Isabel, por ejemplo. A la madre de tus hijas.

J. S.: Isabel es la única mujer que he tenido, para colmo madre de mis hijas, que nunca me ha dicho nada con comillas, ni una palabra. Para mí ella representa lo más hermoso que tiene este país, que es la mínima burguesía afrancesada e ilustrada. Es decir, si Isabelita Oliart o don Alberto Oliart hubieran sido doscientos mil en lugar de cuatro, no habría habido Guerra Civil. Eso es decir mucho, pero es decir, exactamente, lo que quiero decir.

»Yo estoy muy orgulloso de la madre de mis hijas, del entorno de la madre de mis hijas y de mis hijas. Fueron accidentes, pero insisto en que si hubiera elegido no habría podido hacerlo mejor. Lo digo hasta hoy, que a mi alrededor, o a los alrededores de Isabel Oliart y de don Alberto Oliart, estallan bombas todos los días. Quiero decir que todos los días hay parejas que llevaban cuarenta años casadas y que, de pronto, entran en terribles guerras de abogados y chantajes con los niños. Eso no me ha pasado a mí, y estoy muy contento de que no me haya pasado. Y si no me ha pasado es porque la madre de mis hijas se llama Isabelita Oliart.

J. M. F.: ¿Se supone que siempre buscamos a la misma mujer en todas las mujeres que han pasado por nuestra vida, o todo eso es inconsciente e impremeditado?

J. S.: Precisamente estaba pensando en este mismo instante en todo lo que hemos hablado de las mujeres de mi vida, en lo que me has preguntado antes de Sonia y de Cristina, y te aseguro que no hay dos iguales. Eso que dice la gente de «no es mi tipo» o «es mi tipo» para mí no existe. Realmente, tú pones una foto de Sonia, una de Cristina, una de la Jime, una de Isabelita Oliart, una de *Chispa* —son cinco, ¿no?—, incluso una de Lesley, las mejores piernas según Muñoz Molina, y no tienen absolutamente nada que ver entre ellas. Mi tipo es que no tengo tipo. Yo conozco a hombres y mujeres que buscan fotocopias y clones, pero en mi caso no es así en absoluto. No hay dos que tengan la más mínima cercanía.

J. M. F.: Antes de que se me olvide, hay otra mujer muy importante en tu vida que creo no debería quedar fuera: Pepa, tu histórica asistenta, que consigue el milagro de quitarle el polvo a tu caos.

J. S.: Yo la trato de usted, ella a mí, de tú. Nadie como ella me ha aguantado veinte años. ¿Queda claro que la amo?

J. M. F.: Meridianamente claro. Y ahora, si te parece, cuéntame la verdadera historia de *Princesa*. Porque has apuntado cosas, has dado pistas, pero nunca te has explayado al respecto.

J. S.: *Princesa* era una chica de Logroño. En realidad, una belleza pintada por Botticelli. Muy hippiosa, extraordinariamente joven y extraordinariamente hermosa. A la que conocía y con la que me acostaba cuando iba a Logroño, y con la que alguna vez me fui a un pueblecito perdido a pasar un fin de semana. Luego se vino a Madrid y fue cayendo en picado. Eso llevó a la heroína y en ese momento hice la canción. Hace mucho tiempo que no tengo noticias suyas, pero me contaron amigos comunes que había estado en Alemania haciendo un programa de radio y que la vida le iba bien.

J. M. F.: Supongo que lo de pagarle fianzas es pura literatura.

J. S.: Eso es literatura, sí. He pagado otras fianzas, pero no a ella.

J. M. F.: Y esas fianzas reales no las vas a contar.

J. S.: La verdad es que hay muchas cosas que no quiero decir de mis mujeres, pero tal vez haya otras que sí quiero decir y no he dicho. Y en la medida en que me estás metiendo los dedos en la garganta muy bien, tal vez lo diga todo.

J. M. F.: Por ejemplo, la relación entre Manolo Tena y la que entonces era tu mujer, Lucía. O a lo mejor ahí no quieres entrar.

J. S.: Voy a entrar ahí sin el menor problema. Yo me peleé con Manolo Tena una noche, y a raíz de eso estuvimos diez o doce años sin saludarnos. Como sabes, éramos muy cómplices en san César Vallejo e íbamos a los mismos bares. Él era más maldito que yo a pesar de que él es Dorian Gray. Porque la verdad es que es alucinante que habiendo pasado por todo lo que ha pasado, comparas su cara con la de Antonio Vega o con la que tenía el Enrique Urquijo de los últimos años y no hay color. Manolo, desde luego, es Dorian Gray. Bueno, pues un día nos peleamos en un bar por una gilipollez. Él me llamó hijo de puta y yo no se lo consentí.

J. M. F.: ¿Tu canción *Pisa el acelerador* tuvo por casualidad algo que ver con aquello?

J. S.: Tuvo que ver con la pelea, sí, porque le quité un par de versos que cantaba él y entonces me llamó hijo de puta. Pero eso fue tres o cuatro años antes de que él se enrollara con mi novia.

J. M. F.: Luego lo de que os enfadasteis porque él te quitó la novia es rotundamente falso.

J. S.: Los que piensan eso están muy equivocados. Manolo eso lo sabe bien.

J. M. F.: De todos modos, has dicho «antes de que se enrollara con mi novia». ¿Significa eso que Lucía, cuando estuvo con Manolo, aún era tu novia?

J. S.: Estábamos en los estertores de la agonía, pero eso no quiere decir que no me doliera. Claro que me dolió. Me jodió mucho. No por Manolo, sino por mi novia. Porque se fuera con un tipo que era mi íntimo enemigo.

J. M. F.: ¿Manolo y su particular descenso a los infiernos la perjudicaron?

J. S.: No, ella ya estaba muy perjudicada. Yo sé que el que la perjudicó de verdad se pegó una hostia con un coche y se mató. Y está bien muerto. No Manolo. El caso es que yo no me enfadé con él por eso. Nunca. Es más, seguí hablando siempre muy bien de él y, me consta, él de mí. De hecho, llegó un momento en que Manolo hizo el disco ese que lo llevó a grandes escenarios...

J. M. F.: *Sangre española.*

J. S.: Sí. Entonces me llamó un intermediario sin que Manolo lo supiera y me preguntó: «¿Escribirías algo para el disco?», y no sólo escribí algo, sino que fui a presentarlo a la sala Caracol.

J. M. F.: Manolo me contó que fueron las mejores hojas promocionales que le han hecho nunca.

J. S.: A mí me gustaron mucho. Conté la historia de la que acabamos de hablar, lo de Lucía, y dije: «Ja», y la gente: «Ja, ja, ja.» Entonces rematé: «Sí, sí, sí. Ya veo que a ustedes les parece que soy muy gracioso, pero este hijo de puta se tiró a mi novia.»

»Ni siquiera esa noche hablé con él. Un par de meses más tarde fui, creo que con Enriquito Urquijo, a Lady Pepa, muy perjudicado, a eso de las ocho de la mañana. Nada más bajar la escalera me encontré con Manolo y directamente lo abracé. Y Manolo me dijo: "¿Sabes? Lo que estamos haciendo esta noche es una malísima inversión, porque ya no hay enemigos de tu estatura."

J. M. F.: *Conductores suicidas*, dedicada a él, ¿es una *vendetta* o un homenaje?

J. S.: Es un homenaje, claro. Krahe no opina así. Él cree que *Conductores suicidas* la escribí para mí. Y tampoco está desprovisto absolutamente de razón. Pero yo tenía a Manolo Tena en la cabeza cuando la escribí. Otra cosa es que tú tengas en la cabeza a una persona y que, no obstante, siempre acabes escribiendo de ti.

UN PARÉNTESIS PECUNIARIO

(Antes de empezar a hablar, como dice Bryce Echenique, me gustaría decir algunas cosas. Espera, primero quiero que la gente sepa, por ejemplo, que me sé versos de Fray Luis de León: «¡Qué descansada vida / la del que huye del mundanal ruido / y sigue la escondida / senda, por donde han ido / los pocos sabios que en el mundo han sido...!» Bueno, esto es una interpolación que me gustaría añadir a aquello de que el dinero es poesía. Carlos Marx describió y cambió el mundo con la teoría de la plusvalía, con la teoría de que la propiedad era un robo, con la teoría de que para ganar dinero y acumular riquezas no había otra manera que explotar a los trabajadores, pagarles poco y sacarles... Plusvalía se llama. Pero a Carlos Marx se le olvidó una cosa, quizá porque en aquella época tampoco podía contemplarla, que es el trabajo artístico. Quiero decir que en la época de Carlos Marx los artistas o se morían de hambre o de sífilis, o se confiaban a un mecenas o a un príncipe. Incluso Marx se confió a un príncipe, que se llamaba Federico Engels, que era dueño de fábricas. ¿Qué quiero decir? Pues que el dinero de los artistas, bien entendido, de los artistas creadores y no puestos en el mercado para vender, que pagan a sus músicos lo que éstos merecen, es un dinero purísimo porque no sale de la explotación del trabajo esclavo ni tampoco de una mina en la que hay materias primas y tú las transformas y las vendes. Es un dinero milagroso. Sale de la imaginación humana, del ta-

lento humano. La plusvalía no la pones tú, la ponen los marchantes. Tu única obligación es, primero, tratar a la gente que trabaja para ti como si fueran príncipes, que es lo que son, y, segundo, si te sobra dinero, emplearlo en causas nobles sin darle ni un cuarto ni dos ni tres al pregonero. Punto final. Lo importante era que a Marx se le olvidó eso. Es decir, Paul McCartney, que es uno de los mayores millonarios del mundo, ¿crees que ha explotado a alguien? Me parece que no. Marx no contaba con eso, y eso sucede. Lo cual hace que yo, francamente, me encrespe cuando oigo hablar del dinero mal habido y de que no hay fortuna sin explotación y sin sangre. Pues en el caso de los artistas, lo siento por ustedes, señores, no tenemos una materia prima ni unas minas, ni plantaciones ni esclavos ni obreros con salario mínimo, lo único que tenemos es que ponemos en circulación un producto absolutamente abstracto, que nace de la imaginación, y una gente que quiere oír eso y quiere comprarlo. Una gente a la que no se le pone puñales en el cuello, ¡nunca!, ni para comprar un disco ni para ir a un concierto. ¿No te parece, biógrafo, que es algo realmente maravilloso?...)

21

AY, CARMELA. AY, ROCÍO

Y cuando a mi Rocío
le escueza el alma y pase la varicela
y un rojo escalofrío
marque la edad del pavo de mi Carmela,
tendrán un mal ejemplo, un hulla-hop
y un D'Artacán que les ladre
por cada beso que les regateó
el fanfarrón de su padre.

A mis cuarenta y diez
(19 días y 500 noches)

«Tengo cuarenta y un años, lo del éxito y la cuenta corriente es desde hace cinco. Es decir, hasta los treinta y seis he tenido el culo bastante negro de estar en esos ambientes y no flotando, sino metido ahí hasta el tuétano. Siete años en Londres, viviendo de *squatter* y tocando en el metro y en cualquier tipo de tugurio. Resulta que a los treinta y cinco años la gente se vuelve loca y compra mis discos. La vida era maravillosa antes, mucho mejor que ahora. Le deseo a mi hija lo mismo: que viva siete

> años flotando, sin saber dónde va a dormir, ni con quién, ni qué va a hacer mañana. No quiero que sea una hija de ricos. Procuraré arruinarme con el póquer y arruinar, si puedo, a toda la familia de su madre. Lo que quiero que tenga es mi pasión y mis ganas de comerme las cosas. Si no la hereda, será infeliz y me hará infeliz a mí.»

Y ¿quién soy yo para decir una sola palabra de las hijas de Joaquín...?

J. M. F.: Ésta es una pregunta que casi está contestada, pero quisiera, no obstante, que la repensaras bien antes de entrar a matar. ¿El nacimiento de tus hijas fue algo premeditado o un accidente?

J. S.: Verás. Siempre pensé, con el vago conocimiento que tengo de mis congéneres... Encontraré las palabras... La llamada de la especie. Yo siempre dije: «No pienso seguir llamadas ni órdenes de esa especie.» ¿Qué especie era ésa? La especie humana. Lo sigo pensando. Sigo pensando que si uno ve cinco minutos de televisión, eso que dicen del instinto maternal o paternal es una cosa australopiteca y lo que hay que hacer es adoptar o bien no colaborar en la propagación de esta especie. Bien. Luego tuve una frase que me gustaba mucho y en la que creía: «Yo moriré sin descendencia como murió mi padre» [de hecho, es un verso de su canción *Pero qué hermosas eran*, de *19 días y 500 noches*]. ¿Qué sucedió? Supongo que mis hijas me van a oír o me van a leer, pero nunca les he dicho lo contrario. Sucedió que tuve dos hijas. ¿Voy a decir por accidente, que era una de las dos respuestas que me dabas? No. Voy a decir que tuve dos hijas. Eso sí, no estaban programadas. ¿Eran deseadas? Lo son ahora que las conozco. Podrían haber sido un par de imbéciles y creo que no lo son, que son dos hijas maravillosas. Es más, en los tres o cuatro últimos años estoy más unido a ellas que nunca, pero en los primeros años no ejercí el oficio de padre porque no lo había estudiado y no estaba dotado para eso.

J. M. F.: No me vayas a decir que no les cambiaste los pañales ni una sola vez.

J. S.: No, nunca, nunca, te lo juro. Eso estaba resuelto por otro lado. Digamos que yo no empecé a hablar con mis hijas hasta que ellas no supieron hablar bien porque yo no sé cómo dirigirme a la infancia. Ya te he dicho que mis hijas veían un avión y gritaban: «¡Adiós, papá!»

»Tenían un practicante que se llamaba Cleto. Yo iba poco a verlas pero de vez en cuando iba, aunque por sorpresa. Un día llamo a la puerta de su casa y oigo a mis hijas llorar. Y dice Isabelita Oliart: "¡Eh, no lloréis! Que no es Cleto, que es padre" [risas]. Así era la cosa. Y como te digo, hasta que no tuvieron un mínimo uso de razón para entender mis bromas y mis cinismos y mi humor negro, nos llevábamos regular. Porque yo le decía barbaridades a mi hija Carmela, que era la mayor, y se ponía a llorar.

J. M. F.: Y emocionalmente hablando, ¿qué sentías en aquellos años por ellas?

J. S.: Vamos a ver. Una cosa son las obligaciones que uno tiene como padre. Es decir, si yo no hubiera podido pagar el colegio y la casa de mis hijas, y la atención médica y todo lo que había alrededor, o atraco un banco o mato a alguien. Y ahí voy hasta el final. Pero tú me estás hablando de sentimientos. El mío era un sentimiento paternofilial, con muchísimo amor. Lo que pasa es que estamos hablando de una época en la que yo daba ciento veinte conciertos al año y viajaba por todo el mundo y, lógicamente, no estaba y ellas apenas me veían. Llegados a este punto quiero decir una cosa no sólo ya de Isabelita, que es su madre, sino de sus abuelos, Alberto y Carmen. Ellos rodearon a mis hijas de un amor y de un cariño especiales. De hecho, ahora tienen ya quince o veinte nietos pero para ellos Carmela y Rocío siguen siendo... En fin. Benditos sean.

»Mi hija Carmela se llama así por dos motivos que nunca he contado. Uno es por *Ay, Carmela*, la canción de la Guerra Civil, y otro es por... Ay. El otro día se me cayeron las lágrimas hablando de mi padre y ahora se me caerán otra vez. La madam de la casa de putas de Úbeda se llamaba La Carmelilla y era amante de un comisario de policía de mi pueblo. Mi padre, como era tan católico, apostólico y romano y tan bien nacido, consiguió que el comisario, antes de morirse, se casara con ella y la hiciera heredar. Mi padre lo hizo, ya te digo, por motivos exclusivamente católicos. Cuando el comisario murió, todo el mundo se encrespó porque mi padre había hecho que heredara La Carmelilla. El caso es que cuando murió mi padre fui a la casa de mis padres en Úbeda y había un montón de gente dando el pésame. La Carmelilla estaba allí y no quería subir para no provocar un escándalo. Pues mi hija Carmela se llama así por esas dos razones.

J. M. F.: Tengo entendido que se parece mucho a ti. Y no estoy hablando sólo del físico, que a lo mejor también.

J. S.: ¡La pobre es una Joaquinita...!

J. M. F.: Luego ahora, Joaquín, te has enmendado y mantienes una muy estrecha relación con ellas y las ves mucho.

J. S.: Sí, en los últimos años, coincidiendo con mi peor época —quiero decir con la época de la que ya hemos hablado, la de la depresión—, estoy viviendo cosas hermosísimas con ellas. Porque, insisto, yo no había ido a una escuela de formación de padres y además vivía inmerso en una espiral de conciertos, locuras y excesos. Yo nunca engañé a mis hijas, pero hasta que no tuvieron diez u once años, un mínimo de razón, mis bromas y mi forma de relacionarme con ellas las encontraban incomprensibles. Les hacía chistes feroces. Le decía a Carmela: «Yo creo en el aborto con efecto retroactivo» [risas] y se ponía a llorar. Para mí era una liturgia. Pero aprendieron rápido. Y ahora es impresionante.

J. M. F.: ¿Isabel Oliart y tus ex suegros te afearon en algún momento esas bromas, esa actitud?

J. S.: Isabelita y mis ex suegros estuvieron siempre absolutamente encantados. Ni Isabel ni Alberto ni Carmen se quejaron nunca de nada. Y ahora ellos son algo infinitamente más importante que mis ex suegros: son los abuelos de mis niñas. Y abundaré un poco más en lo que te decía de la relación con mis hijas en los últimos años. Lo que antes parecía imposible, ahora se está dando. Yo me voy quince días con mis niñas a Cuba; vienen a mi casa un fin de semana sí y otro no con sus amigas y me las llevo todos los veranos a Rota [Cádiz]. Eso no estaba en el guión, no estaba previsto pero lo estoy disfrutando muchísimo. Además, Isabelita está encantada porque me manda a las niñas y puede irse con su novio a Lisboa o adonde quiera.

J. M. F.: ¿Llegarás a tener algún hijo más?

J. S.: No creo. No lo sé, pero no creo. Aunque uno es un caballero y le pondrá su apellido a lo que venga [risas].

J. M. F.: En una ocasión te hice una pregunta que nunca antes te habían formulado y que consideraste especialmente malvada, aunque en honor a la verdad la contestaste. La pregunta era que de quién o de qué te sentías más orgulloso, de tus hijas o de tus canciones. Me respondiste que de las canciones porque eran tuyas al cien por cien y, en cambio, a tus hijas las había educado Isabel. Añadías que todo el mundo tiene hijos e hijas, los premios Nobel, los asesinos y los imbéciles, pero que el orgullo reside en que salgan bien.

J. S.: No discutiré eso, pero sí te diré que en la medida en que mis hijas han ido cumpliendo años, y yo y mis canciones también, me siento muy afortunado de tenerlas. Por cierto, ¡es que están geniales!

J. M. F.: Te voy a hacer una pregunta aún más comprometida que aquélla, o quizá no. Sólo tú lo sabes. ¿Son tus hijas, hoy por hoy, lo más importante de tu vida?

J. S.: No pienso contestar a eso. ¿Sabes por qué? Porque absolutamente todos los miserables que conozco dicen que lo más importante que les ha pasado en la vida es Dios y sus hijos. ¡Viva mi Carmela! ¡Viva mi Rocío! Pero no seré yo quien cultive ese cultivo.

J. M. F.: Bien. Te lo preguntaré de otro modo: ¿cuál sería, Joaquín, tu 11-M?

J. S.: [Diez segundos de reloj después]: Es que me metes los dedos en las anginas de una manera...

J. M. F.: Siempre puedes mentirme y volveríamos de esa forma a la cuestión que te planteé al comienzo mismo del libro. Volveríamos al principio.

J. S.: No, no lo haré. Te diré la verdad. Mi 11-M sería el siguiente. Soy muy lector de biografías y tengo la mente un poco catastrofista. He visto unas cosas a mi alrededor terribles. Estoy pensando en Simenon y en su hija.[73]

»Verás. Si algo les pasara a mis hijas, óyeme bien, yo me convierto en un asesino fundamentalista. ¿Vale? Punto final.

73. El escritor Georges Simenon (Lieja, Bélgica, 1903-Lausana, Suiza, 1989), autor de la famosa serie de novelas detectivescas protagonizadas por el comisario de policía Jules Maigret, le dedicó sus *Memorias íntimas* a su hija Marie-Jo, que se suicidó apenas cumplidos los veinticinco y con quien se decía había mantenido una relación incestuosa.

CODA

Y al terminar vuelta a empezar
dos horas después de amanecer.

Dos horas después
(Alivio de luto)

DECÍAMOS AYER...

De ti depende y de mí
que entre los dos siga siendo ayer noche
hoy por la mañana.

Y si amanece por fin
(Mentiras piadosas)

En ocasiones, la vida, en un alarde de magnificencia, desacata a la razón y a la lógica y concede una nueva oportunidad a quienes ya habían agotado con creces sus bazas.

Llegado ese momento, sólo cabe estar presto para obedecer sin más cuando esa voz tan seductora como expeditiva te susurra al oído: «Levántate, pájaro. Y vuela.»

Joaquín Sabina oyó esa voz auxiliante cuando pensaba que ya nunca más volvería a subirse al tren expreso de la existencia y que su futuro se limitaría —él, que siempre fue el actor principal— a ver los toros desde la segura barrera de su búnker de Tirso de Molina.

Ese día, Joaquín se puso en pie de un brinco y ya no ha vuelto a sentarse. Fruto de esa resurrección son el disco *Alivio de luto* y su consiguiente gira *Ultramarina*.

El grueso de este libro, la charla que precede a esta coda, tuvo lugar antes de que dichos acontecimientos se produjeran. Había, por lo tanto, que ponerse a hablar de nuevo y abordar tan capitales sucesos, así como ahondar en aspectos de diversa índole que ya habían sido tratados pero que necesitaban una oportuna y justa revisión.

Las páginas que siguen son el resultado de ese propósito.

Tan sólo puedo decir que Sabina vuelve a ser aquel que ni por todo el oro del mundo le habría hecho caso a la enfermedad cuando ésta le propuso permanecer en tránsito unos años. Protegido del largo y frío invierno que reinaba en el exterior tras el parapeto de la cultura (su descomunal biblioteca) y con su sola persona como única compañía soportable; que ha recuperado sus proverbiales ganas de decirnos que su boca es suya y que, si le provocan, él también sabe jugársela.

Si hace falta, a doble o nada. Como antes. Como ahora.

ALIVIO DE LUTO
(CANCIONES PARA DESPUÉS DE UNA SECA)

Ahora que estoy más vivo
de lo que estoy...

Ahora que...
(19 días y 500 noches)

J. M. F.: Lo más relevante que ha sucedido en tu vida desde que nos encerramos a hablar para este libro ha sido tu vuelta a los escenarios —previa publicación de tu decimosexto disco, *Alivio de luto*— y, a resultas de aquélla, la reaparición de un Sabina del todo renovado. Un Sabina que vuelve a hacer suya aquella máxima corsaria de «como fuera de casa en ningún sitio». Es decir, la antítesis de tu modus vivendi tras el *marichalazo* y su consiguiente *nube negra.* Comencemos por el principio, el disco. Si el luto que le da título fue por ti mismo, entiendo que en este preciso instante estoy hablando con todo un resucitado.

J. S.: [Ríe.] Desde luego, algo de resurrección sí que hay por la sencilla razón de que me he pasado los tres últimos años encerrado y sin ver apenas a nadie, pero te aseguro que ahora estoy en un preocupante estado de euforia y con muchas ganas de trabajar. En cuanto al título del disco, sabes muy bien que siento un gran amor por las palabras rancias, antiguas y en desuso. Recuerdo a la generación de mis abuelas, incluso a la de mi madre, que a los cuarenta años se vestían de luto porque se les empezaba a morir gente y en raras ocasiones se lo quitaban. Cuando hacía ya cuatro años que se había muerto alguien y faltaban dos meses para que se muriera otro, entonces se ponían unos pequeños lunares y se pintaban los labios. Y luego es que me sonaba muy bien eso de «alivio de luto».[74]

J. M. F.: *Alivio de luto* tiene el mismo aroma que *19 días y 500 noches*, y eso siempre es una buena noticia. Sin embargo, opino que con ese disco comparte, sobre todo, los excesos literarios. ¿Se trata quizá de un trabajo por y para el público silente y contra la afición vocinglera de las primeras filas?

J. S.: Bueno, en relación con lo que dices es verdad que yo sigo queriendo para mí a ese público, prácticamente inexistente, que tiene tiempo para oír el disco dos o tres veces. Porque sigo pensando que en las canciones hay

74. Para tratar de explicar «el porqué del título del álbum» y contar de paso algunos «chismes de sus trece canciones», Joaquín escribió unos versos que vieron la luz en la revista *Interviú* (19-9-2005) bajo el título *Alivio de luto.* Ahí van: «Primero se llamó Números Rojos, / después Doce + Una, / luego Alivio de luto. / Pirómano bombero de rastrojos / que busca en la aceituna / lo verde de un minuto. / Pájaros portugueses, nube negra, / perdón y resumiendo, / paisanos, ay Rocío. / Lunáticos de la lunita en quiebra / que entienden lo que entiendo / sin miedo al desvarío. / A falta de mujeres, seis tequilas, / bordando el paseíllo / del living a la cama. / Te vendes caro porque no te alquilas, / pensaba aquel chiquillo / de Londres a la fama. / Máter España, tinta en pie de guerra, / espérame dos horas / después del amanecer / le dijo Quasimodo a Juan sin tierra / contando las auroras / que quedan por crecer. / De tripas cora-con lo que eso duele, / me pido primer, primo, / penúltimo en la cola. / Enciende el tragaluz, rompe la tele, / cántame un blues y rimo / Mandrágora y Rockola.»

muchos entrelíneas y muchos dobles sentidos que sólo se adivinan la segunda o la tercera vez que las escuchas. En cuanto a lo de los excesos literarios, también llevas razón. Lo que pasa es que eso era algo inevitable por los tres últimos años que he pasado, en los que sólo me he emborrachado con poetas. En este tiempo he estado escribiendo sonetos y coplas satíricas y he hablado más de literatura que de otra cosa. También he tenido una seca y mucho tiempo para que las canciones salieran más literarias. Decidí con mis músicos —y en eso, desde luego, sí se parece a *19 días y 500 noches*— que no iba a haber el más mínimo maquillaje; que iban a ser guitarras peladas y voz pelada. Con el tiempo me ha gustado mucho *19 días...*, pero con éste aún no tengo la suficiente perspectiva.

J. M. F.: En este disco, más que nunca, las melodías trabajan al servicio de los textos, de la voz quebrada que declama. Creo que de ahí a Eminem —ese gringo contestatario que a ti tanto te gusta— hay un muy corto trecho.

J. S.: Me gusta que me digas eso porque estoy muy encabronado con el hip-hop y el rap en español, pero absolutamente encantado como dices con algún disco de Eminem. Me consta que ya hemos hablado de eso para este libro. El hecho de que las letras primen sobre los textos es porque he estado tres años muy alejado de la música. Tenía la guitarra a mano y no la cogía. Por eso esta vez las canciones no han nacido con una guitarra en la mano; han nacido como textos de canciones, pero no como textos poéticos. Además, en el disco no sólo hay dos versiones «libérrimas» —de De Gregori y de Cohen—, sino que hay una letra entera, *Nube negra,* de Luis García Montero, una a medias con Benjamín Prado [*Números rojos*] y otra a medias con Pepe Caballero Bonald [*Dos horas después*]. Quería que ese disco fuese, sobre todo, un documental en blanco y negro de lo que ha sido mi vida estos años, incluidos mis amigos.

J. M. F.: *Pájaros de Portugal* recupera, en cambio, al Sabina cronista de la realidad de *Mentiras piadosas.* ¿Nos hallamos ante un ejercicio de *revisionismo* o es tan sólo nostalgia del Joaquín de entonces?

J. S.: No lo sé... A lo mejor tienes razón, porque la noticia de periódico de esos chavales que se escaparon de su casa tiene doce años, y todo ese tiempo, que coincide casi con la época de *Mentiras piadosas*, ha estado en el cajón. No la canción, sino el recorte de periódico. La verdad es que cuando les oí decir a esos dos chicos en televisión que el mar que querían ver era mejor en la tele, fue como cuando le leí a Cristina Onassis, a la que sí le dediqué una canción en *Mentiras piadosas [Pobre Cristina]*, aquello de «soy tan pobre que no tengo más que dinero». Creo que es muy atinada tu pregunta porque siempre supe que ahí había una canción, pero ha tardado doce años en materializarse.

J. M. F.: En estos tiempos de Estatut y Otegis, en los que proclamarse español es exponerse a un anatema, vas tú y le cantas a la Madre España que es «más guapa que ninguna». Tu amigo Fernando Sánchez Dragó no se cansa de pregonar que se avergüenza de ser español. ¿Tú te sientes español?

J. S.: [Largo silencio.] Sí... Sí. Pero que conste que «¡viva España!» aquí sólo se ha atrevido a decirlo Manolo Escobar [risas]. El verso que más me gusta de esa canción es «fibra óptica y ladillas», aunque creo que aquí hay más ladillas que fibra óptica. Pero sí, exactamente en estos tiempos de Otegis y de Estatut, y de eso que dicen los columnistas de que están despedazando España, idea que yo no comparto, me dije: «Coño, Francesco de Gregori cantó hace quince años *Viva l'Italia*, los franceses dicen *"vive la France"* y aquí, quitando a Manolo Escobar, no hay huevos.» Tampoco los he tenido ahora, la verdad, porque no digo «¡viva España!». En realidad, me habría gustado decir «¡Arriba España!» y haberle dado la vuelta de un modo atroz.

J. M. F.: Tu hija Carmela debe de tener un impresionante ataque de celos: les escribiste una canción a cada una, y al final sólo ha entrado la de su hermana, *¡Ay! Rocío* («caviar de Riofrío»). ¿Cómo resolviste la elección de una canción frente a la otra?, ¿a cara o cruz?

J. S.: Hice las dos canciones pero, por alguna razón que no tiene nada que ver con mi amor por ellas, salió más emocionante y más corazonada *¡Ay! Rocío.* Carmela está muy cabreada, sí. Le prometo que en el próximo disco tendrá la suya.

J. M. F.: ¿Te sigue dirigiendo la palabra Jimena después de que en el disco resplandezcan versos como «me falta una mujer» o «me hace falta un polvo»?

J. S.: Jimena sabe que me hace falta un polvo y que me sobran seis tequilas [risas]. Respecto a lo de la mujer, sabe perfectamente que las canciones no son autobiográficas.

J. M. F.: Por cierto, en los agradecimientos del disco citas a Cohen y a De Gregori, algo comprensible teniendo en cuenta que has hecho versiones de sus canciones, pero también incluyes a Dylan. ¿Por qué?

J. S.: Pues porque su perfume está muy presente a lo largo de todo el disco. Sobre todo en la canción *Resumiendo*, con ese tiempo medio con dos acordes. Y en el disco que venga, si incluyo un apartado de agradecimientos, también estará Dylan, porque es una fuente de inspiración impresionante.

J. M. F.: ¿Crees que, salvando las distancias, vuestras carreras se parecen en algo? En cuanto a la evolución que han tenido.

J. S.: No lo creo. Y si se parecen en algo es en que cuando yo, después de La Mandrágora, decidí montar una banda de rock, pensé que él ya lo había hecho veinte años antes. Se parecen en eso. ¡Pero el cabrón de Dylan siempre veinte años antes! Lo que sí creo es que mis años de Londres me sirvieron para poner un pie en Dylan y en los Stones, en una música más callejera y menos cantautoril. Y como me gustaban mucho las palabras de mi idioma, sí que traté de que el *rock and roll* y el rap en español no sonaran como algo mal traducido del inglés. Puede —quizá, tal vez, ojalá— que con eso haya hecho una pequeña contribución a la canción española.

LA VUELTA A LOS ESCENARIOS
(EL *GATILLAZO GIJONÉS*)

Resumiendo,
que me grita el escenario ven...

Resumiendo
(Alivio de luto)

J. M. F.: ¿Cómo resultó, en los primeros días, el escenario? ¿Fue un subidón de adrenalina y la tan esperada catarsis tras el infierno de la depresión y la inercia o, por el contrario, una agonía?

J. S.: La primera noche de Roquetas de Mar [Almería], esto es, el primero de mis conciertos de la gira *Ultramarina* después de estos años de retiro voluntario, del *posmarichalazo*, fue de verdad horrible porque todo era nuevo para mí. Entre otras cosas, porque estaba tan inseguro que, por primera vez en mi vida, como tuviste ocasión de ver en Madrid, saqué algo que va en contra de mis principios, un atril con las letras de mis canciones. Pienso que un cantante que cobra por la actuación no puede sacar las letras y leerlas, tiene que sabérselas. Lo de leer en un escenario es algo que hacen muchos cantantes, pero yo siempre estuve en contra de eso. Lo hice, como te digo, porque estaba muy inseguro, y aún lo hago, aunque ahora ya me levanto, camino y me desentiendo un poco más. Pero me preguntabas por los primeros días, y la verdad es que fueron realmente terribles. Sentí un pánico absoluto y una falta de afición total. Es decir, que si no me empujan los músicos y si no me empuja el hecho de que se había muerto mi vecina de arriba y quería comprar el piso y necesitaba dinero, dicho esto sin la menor ironía, no lo hago. Eso duró hasta que me fui a Lima [en las Navidades de 2005]. Allí estuve una semana muy tranquilo, porque, como sabes, los padres de la Jime son mis amigos y me lo pasé muy bien.[75] El caso es que volví de Perú de otro modo, infinitamente más relajado. No obstante, recuerdo una noche en Lima en la que le dije a la Jime: «No hay gira.» Porque no me veía ni en situación ni en forma para seguir adelante. Ha habido, por lo tanto, dos etapas: antes del viaje a Lima y después, cuando ya no tenía tanta responsabilidad como al principio de la gira y empecé a soltarme. La responsabilidad es muy mala para la canción y para todo. También el exceso de expectativas. Y no sólo era el exceso de expectativas, sino que la gente se preguntaba: «¿Llegará a la cuarta canción o pinchará?» Todo eso, como comprenderás, me *conflictivaba*, que es un verbo horrible, mucho.

75. Prueba de esa amistad es que el *Soneto peruano del Perú*, que se publicó en la revista *Interviú* (9-1-2006) mientras Joaquín pasaba unos días de descanso en Lima, estaba dedicado a «Eida y Pedro», los padres de Jimena. Escrito en el distrito limeño de Barranco, el soneto reza: «Desde el Perú nos vemos tan modernos, / ayuno corazón agropecuario, / tan euros, tan a salvo del infierno / que chabuca cholitos a diario. / Desde Lima, tan lejos del invierno / de Madrid, saco el alma del armario, / convicto de un amor tan poco eterno, / adicto a ciertas brumas de Brumario. / Desde el Callao sin grúa de la colonia, / inmigrante ilegal de la Amazonia, / Jauja, Macondo, Potosí, Comala. / Donde los linces no miran con lupa, / donde se entiende todo, aunque hagan pupa / Evo, Fidel, el Sup, Chávez, Humala.»

»Tengo que decir también que cometimos un error empresarial grande, que fue hacer Madrid y Barcelona mucho antes de que yo estuviera curado desde el punto de vista de salir ahí a dar la cara. Si diera ahora esos conciertos, serían incomparablemente mejores. Seguro. Saldría a disfrutar y no a sufrir, porque ahora lo estoy pasando como un enano. En Canarias, por ejemplo, dos días en Las Palmas y otros dos en Tenerife los he disfrutado a tope. Como ya no ensayo y la cosa se va haciendo sola, lo que hicimos fue retomar el concierto más o menos donde lo habíamos dejado en Madrid, acustiquito, pero el sesenta por ciento de los conciertos que han venido después han sido de pie y sin atril.

»A mí me gustó mucho la última gira acústica, la de las diapositivas,[76] y lo único que se me ocurrió para ésta fue ese barquito que decora el escenario. Con el paso de los días hemos ido desarrollando chistes al respecto. El barco se llama El Desprestige, y los músicos, La Orquesta del Titanic, porque siguen tocando mientras yo me hundo. El concierto ha ido creciendo en un momento en el que nos vamos acercando al verano y, como queremos mover el culo y cantar *rock and roll*, cada vez vamos prescindiendo más de atriles y dándole más movilidad. Pero insisto en que hicimos mal al hacer Madrid tan pronto. Aun así, estaremos en Las Ventas, seguro, en septiembre.

J. M. F.: Antes hablabas de la buena relación que mantienes con tus suegros, los padres de Jimena. ¿Te han visto

76. *Nos sobran los motivos* (2000) era una versión mejorada de la anterior *En paños menores.* Jimena se encargó de seleccionar las cerca de mil diapositivas que se proyectaban en cada una de las actuaciones, y éstas bebían tanto del cine o el cómic como de la fotografía, la literatura y la propia biografía de Joaquín.

actuar alguna vez? Cuando digo actuar, quiero decir sobre un escenario.

J. S.: [Ríe.] Me vieron aquí, en España, en Murcia. Era el primer concierto de la gira acústica de las diapositivas de la que te he hablado. Fue muy gracioso porque en un principio nos habíamos pasado un huevo —más tarde fuimos corrigiéndolo— y las diapositivas sólo mostraban pollas y coños, y los padres de la Jime estaban un poco aterrorizados [risas sonoras]. De todos modos, ahora me verán en su casa, en Lima.[77]

»Por cierto, ¿tú conoces a mi suegra? ¿No? Pues es muy guapa. Pero guapa de morirse. Con la cinturita y el culito de una chica de quince años. Y una buena pintora. Y locatis total. Vive a tres metros del suelo. No sólo es comunista: es medio estalinista. Todo lo disparatado y loco que puedas imaginar, ella lo acuna en su corazón. Le regalé mi vieja foto con Fidel, la que tú conoces, y ella la tenía puesta en su estudio. El caso es que cada vez que Fidel detenía a unos periodistas, ella la quitaba. Cuando estuve con Fidel la otra noche, en Cuba, se lo conté —de hecho, cuando le hablé de la madre de la Jime parafraseé a José Alfredo Jiménez: "Yo debí enamorarme de su madre." Bueno, en realidad estoy enamorado de su madre—. Fidel se quedó pensativo y me preguntó, como si no me hubiese entendido bien: "Pero ¿cuándo se cabrea?" Y yo le con-

77. Efectivamente, Joaquín actuó la noche del 9 de marzo de 2006 en el Jockey Club de Lima. En declaraciones a medios peruanos, señaló su amor por dos grandes figuras autóctonas: el poeta César Vallejo y la cantante Chabuca Granda. También declaró que uno debe contar la vida de la gente a través de las canciones, y que él trata de hacerlas cursis porque cuanta más huachafa [peruanismo que significa cursilería] tengan es mejor. «Si alguna de mis canciones no sirve para el amor, entonces no cumple su objetivo», sentenció.

testé: "Pues cuando detienes a Raúl Rivero, por ejemplo", y él cambió de conversación. El caso es que cuando ya nos íbamos, con el ascensor abierto, ese gigante que es Fidel puso la mano para bloquear la puerta y le dijo a la Jime: "Besos a tu mamá" [risas]. ¡Qué cabrón el tío!

J. M. F.: Supongo que «mamá» ya estará al corriente de los besos *castros* de los que era destinataria.

J. S.: Claro. ¡Imagínate cómo se quedó la mamá! Y la verdad es que la historia le divirtió muchísimo al viejo.

J. M. F.: Más adelante nos ocuparemos, o nos volveremos a ocupar, mejor dicho, de ese «viejo». Ahora sigamos con los escenarios. Lo que antes decías de Madrid y Barcelona, que aún no estabas preparado para esas plazas, quiero atribuirlo a un exceso de perfeccionismo, puesto que tanto público como crítica han coincidido en tu buen estado de forma y te han puesto un notable alto. Si tenemos en cuenta el tiempo que llevabas sin actuar, eso casi te debe de saber como una matrícula de honor.

J. S.: Sí, es cierto que público y crítica han respondido muy bien, pero eso casi estaba comprado. Y digo que casi estaba comprado porque cuando creen que te vas a morir a la quinta canción, lo que hacen es darte un plus.

J. M. F.: Y ¿qué esperabas? Al fin y al cabo, fuiste tú quien puso al personal al borde de un ataque de nervios e hizo disparar todas las alarmas cuando *pinchaste* al poco de comenzar el concierto de Gijón, el 8 de diciembre de 2005 en el teatro Jovellanos, como consecuencia de haber sido «malo» la noche anterior. El por ti bautizado *gatillazo gijonés* acaparó de inmediato la atención de los principales medios de comunicación españoles y latinoamericanos, que, como era de prever, especularon acerca de la muerte definitiva de tu achacosa garganta y, de paso, agrandaron un poco más tu leyenda de calavera insanable. ¿Qué fue en realidad lo que ocurrió la noche antes de ese concierto?

J. S.: La puta verdad es que ése ha sido el único día en que he fallado en treinta y nueve conciertos que llevo dados. Y no tengo gran cosa que decir al respecto.

J. M. F.: ¿Te encontrabas en Gijón o en Madrid?

J. S.: No, no, estaba en Gijón. Además, exageré en las coplas que hice,[78] porque ni me emborraché ni me fui de putas ni me metí unas rayas ni nada de eso. Estuve escribiendo sonetos y no dormí. Creía, como tantas otras veces en mi vida, que sin dormir se podía ir a cantar. Esta vez, a la cuarta canción estaba graznando. No me acosté en toda la noche, pero como no iba *pasado* de nada pensé que había cantado mil veces sin dormir y que podía hacerlo una vez más. Y no pudo ser; me equivoqué.

78. Joaquín escribió unas coplas para tratar de explicar el peliagudo resbalón asturiano. El hecho de que en la fecha precisara «primer gatillazo», hace pensar que ni mucho menos descartaba la posibilidad de volver a quedarse mudo en plena faena canora. «Ya comprende un servidor / que el gatillazo de ayer / no encoña al mejor postor. / Sin edad de merecer / puedo seguir siendo yo / cuando me da por crecer. / ¿Por qué en Gijón, madre mía, / donde yo menos quería / pasó lo que me pasó? / Mi garganta pajillera / con costo en la faltriquera / dijo que sí pero no. / Lo malo es que el Jovellanos / se me escapó de las manos / por do más pecado había. / El Titanic y el grumete / salsa rosa caga y vete / menstruo de cuaderna vía. / A mi Nano, en Nueva York / se le atravesó el terrat / y Manhattan lo adoptó / y a Pablo, cuerpo presente, / cuando fue a Chile, a pisar / nuestras calles nuevamente. / Las pisó, claro que sí, / cayendo chuzos de punta / pero estuvimos allí. / Los del Barça, los valdanos, / las zidanes cejijuntas, / los talibanes cubanos. / Y, sin embargo, esa voz / enmudeció de repente / para darnos otra coz, / cambiarle la jeta a Acebes / es lo mejor de la noche / de este concierto tan breve. / Mañana será otro día / volveré a ser el fantoche / de calle Melancolía.»

EL SEGUNDO ALIENTO
(SABINA HOY. PLANES DE FUTURO)

Resumiendo, que tengo un cajón de la firma Pandora,
treinta y siete *chansons, c'est a dire*, una y media por
[hora,
sin contar los sonetos, las coplas, los epistolarios,
los tinteros borrachos de tinta que ordeño a diario.

Resumiendo
(Alivio de luto)

J. M. F.: Háblame ahora de esta nueva etapa, post-*nube negra*, que estás viviendo. Porque estuviste en el dique seco a raíz de una seria depresión que, al parecer, ha sido definitivamente superada.

J. S.: Había perdido la afición. Es decir, lo he comentado con toreros, como Rafael de Paula o Curro Romero, o Silvio Rodríguez, que son los que a mí me interesan, y me han hablado de épocas largas en las que habían perdido por completo la afición.

J. M. F.: Y ¿cómo es esa transición? ¿Cómo se pasa de la *nube negra* a estar otra vez con «ganas de»?

J. S.: Pues fue por un trabajo nietzscheano de voluntad, porque la verdad es que no me salía de dentro. No me salía, por ejemplo, grabar el disco. Los músicos estuvieron para comérselos porque venían a casa y se pasaban la tarde aquí, buscando escritos en las papeleras. No bromeo,

¿eh? Si encontraban tres versos, exclamaban: «¡Tenemos una canción, tenemos una canción!», y entonces me obligaban a grabar. Y luego, hasta el decimosegundo o decimotercer concierto de esta gira yo no he disfrutado un carajo. Era un ejercicio de voluntad, y lo que yo me decía era: «Vamos a ver. Éste es mi oficio y me ha dado todo lo mejor que tengo: los mejores polvos que he echado, los libros que me he comprado, la casa que tengo, los hoteles, las playas, las angulas. No puedo ser tan infiel a un oficio que me ha dado tanto.» Pero al principio, sí, fue un «por cojones». Quiero decir, por mis santos cojones. Aun así, creí que después de tres o cuatro conciertos iba a recuperar el gusto y eso no ocurrió. Pero ahora sí que estoy exactamente en el punto de cocción que buscaba. Es decir, ahora, un minuto antes de salir al escenario, estoy con ese adrenalinón impresionante y divirtiéndome mucho, y cuando salgo... ¡Ahhhh!

»La televisión, y no sé si opinas como yo, es un aparato genial, puesto que saca la auténtica alma de la gente. Es prácticamente imposible engañar a alguien en la televisión. Al imbécil se le cala con sólo verlo. Y el escenario también tiene eso. Lo que ocurre es que en auditorios muy grandes no se nota, pero sí en los teatritos maravillosos en los que estoy tocando ahora. Por cierto, hay que decir en honor de este país que cuenta con unos teatros maravillosos. En Lima, ciudad que amo, no hay un teatro como el Auditorio Alfredo Kraus, de Las Palmas de Gran Canaria, o el Auditorio de Tenerife, de Santiago Calatrava, en los que acabo de tocar. En estos veinticinco años de democracia o de la puta que nos parió, se ha ido haciendo una estructura de teatros en España que da muchísimo gusto. De hecho, Silvio Rodríguez me ha pedido una lista de los sitios en los que estoy cantando porque quiere venir con su guitarra pelada, y si finalmente viene te juro que no pienso perderme ni uno solo de esos conciertos. Pero me estoy yendo del tema, porque te estaba diciendo que sobre un escenario, como en la televisión, se ve el alma de la gente. Y durante los primeros conciertos —antes te he dicho trece pero puede que fueran veinte— tenía la impresión de estar estafando al público porque estaba completamente crispado, sin soltarme. Yo no tengo una voz sino un modo de hacer las cosas, y ese modo no podía aflorar porque estaba demasiado preocupado con llegar al final del concierto. Es muy posible que ahora esté disfrutando tanto como en el momento en el que más he disfrutado en mi vida sobre un escenario, puede que incluso más. Porque el parón, la seca, la travesía del desierto, el *marichalazo*, todo eso, o dan una cierta sabiduría o no dan nada. Pero lo poquito que dan está muy bien aprovechado. Por ejemplo, en estos años perdí la afición por la guitarra. Nunca he sido un buen guitarrista pero sí tenía un sello. Sin embargo, como ya hablamos en su momento, he estado unos años en los que no podía ni mirarlas. Eso es algo que no me ha pasado nunca con los lápices y los papeles, esa afición nunca la perdí. Y cuatro años sin coger una guitarra, para alguien a quien le ha dado tanto su oficio como a mí, es más que grave.

J. M. F.: No pretendo ser agorero ni aguafiestas, pero no puedo evitar hacer la siguiente reflexión. Has estado cuatro años confinado voluntariamente en casa y, sin solución de continuidad, has pasado otra vez al subidón de los escenarios, un hábitat que sabes bien no es del todo real. ¿Qué crees que va a suceder cuando acabe esta gira y tengas que abandonar los escenarios y los aplausos y vuelvas al silencio de tu biblioteca? ¿Podría llegar de nuevo la depresión?

J. S.: Antes de nada, mi querido Menéndez *Flowers*, te diré eso que dicen los entrevistados: «Es una muy buena pregunta.» Dicho esto, que sepas que los escenarios son tan disparatados, tan artificiales y están tan alejados de la realidad como el encierro cartujo en el que he estado estos cuatro años. Para colmo, antes daba un concierto y luego me emborrachaba y me iba de putas y nos metíamos unas rayas y nos tomábamos unos whiskis. Ahora no. Anoche me emborraché por primera vez con mis técnicos porque tenía tres días libres, pero ahora sólo veo cuartos de hotel y escenarios, justo lo que toda mi vida odié. ¿Qué va a pasar después? Ante todo, estoy muy interesado en ver si voy a ser capaz de desarrollar una gira rocanrolera este verano. Creo que sí podré. Lo creo hoy. Y después creo tener claras algunas cosas.

J. M. F.: ¿Por ejemplo?

J. S.: Por ejemplo, mis próximos proyectos tienen más que ver con la escritura que con los escenarios. A mí el disco que más me gusta de los que he hecho nunca es *19 días y 500 noches*. No estoy diciendo que sea el mejor de los míos, sino el que más me gusta. Tengo planes de hacer no un disco más, sino *el* disco. Tomándome, eso sí, todo el tiempo del mundo. Y luego, en una parte importante gracias a ti, que me pusiste la muletita para que escribiera unas coplas en *Interviú*, y gracias también a Chus Visor y a los sonetos y a los poetas líricos [sus amigos, los poetas y escritores Luis García Montero, Benjamín Prado, Almudena Grandes, Ángel González, Felipe Benítez Reyes, etcétera], tengo unos cajones llenos de sonetos y de coplas que iré publicando espaciadamente. También tengo previsto hacer un libro de memorias. No será un libro de memorias al uso —este que estamos haciendo tiene más de eso— sino un *collage*. Me gustaría que fuera una especie de monólogo de Joyce (¡claro que no soy Joyce!), como un cuaderno de bitácora. Una voz, un yo, que incorpore todo. Y desde luego anécdota va a haber poca, pero sí que habrá anécdotas [risas].

J. M. F.: Esas memorias serán, o serían, unas memorias asaz caóticas, supongo. Atrabiliarias, sabinianas. Al estilo del *Ulises* de Joyce.

J. S.: Sí, eso es. Me gustaría mucho, además, que tuvieran mierda y sangre. Eso quisiera. Que lo pueda hacer o no ya es otra historia, puesto que todos los escritores del mundo se han propuesto alguna vez hacer eso y muy pocos lo han hecho, pero yo me lo estoy proponiendo seriamente. Y quiero hacer también ese disco que te he dicho. Es decir, un disco muy bien pensado. No estoy muy seguro de si voy a querer cantar... Por lo pronto sí. De hecho, llevo casi cuarenta conciertos y todavía me quedan ochenta. Suficiente. En el momento en que estamos hablando, más que suficiente. Es más, ¡me aterroriza tanto lo que me queda que si lo pienso me muero! Pero es que estoy empezando a sentirme otra vez en el escenario como en mi propia casa, y eso no hay dinero en el mundo que lo pague. Y te vuelvo a decir que eso me está pasando desde hace veinte conciertos, pero es que ya llevo cuarenta.

J. M. F.: ¿No es un poco contradictorio que digas que después de esta gira te ves más como escritor que como cantante y que, en cambio, estés fantaseando con hacer un disco que sea tu obra maestra?

J. S.: Bueno, pero no estoy hablando de escenarios ni de cantar, sino de hacer un disco con todo el rigor, con todo el disparate y con todo el caos. ¡Carajo! Si uno tiene un límite, quisiera poder rozarlo.

J. M. F.: Y ya que te ves en un futuro más como escritor que como compositor y cantante, ¿tratarías de que ese libro de memorias joyceano del que hablas fuera el equivalente en papel a *19 días y 500 noches*?

J. S.: En realidad, cuando sueño con ese libro, sueño con un largo monólogo. Si yo dijera que me he leído el *Ulises* de Joyce de la primera página a la última, mentiría.

J. M. F.: Muy pocos lo han hecho. Por mucho que sean legión quienes afirman lo contrario.

J. S.: Muy pocos lo han hecho, efectivamente. Pero el sistema, ese monólogo completamente atormentado en el que todo cabe, te juro que me tiene loco.

J. M. F.: No recuerdo ahora quién dijo del *Ulises* de Joyce algo que comparto plenamente: que le interesaba muchísimo como escritor pero muy poco, o nada, como lector.

J. S.: Exactamente, así es. Pero el sistema, lo que inventó, que es veinticuatro horas en la vida de un tío, y donde cabe, ya digo, todo, es algo que no me deja dormir, y ése es mi plan de trabajo, junto al disco, para después de esta gira. Y si no hablo de planes de escenario es porque hoy, cuando tengo ya cuarenta y diecisiete años, sé que llevo cuarenta conciertos y que me quedan otros ochenta. Luego no me pedirás ahora que hable de conciertos sabiendo que aún tengo lo que tengo por delante y toda Latinoamérica. Y luego Las Ventas y la cancha de Boca. Me parece que una vez que cumpla con esos compromisos, y ojalá que los dioses paganos me ayuden a cumplirlos porque yo no pongo la mano en el fuego por mí ni muerto, podré dedicarme a ese libro y a ese disco.

J. M. F.: ¿Quiere eso decir que esta gira y una más rocanrolera que la sucederá [que finalmente llevó por título *Carretera y Top Manta*][79] pueden suponer tu canto de cisne como músico, tus últimas apariciones sobre un escenario?

79. El 12 de mayo de 2006, Ramón J. Márquez, más conocido como Ramoncín, fue entrevistado por la periodista Olga Viza para el programa radiofónico que presenta en RNE, *El Tranvía.* El motivo de esa entrevista era que dos semanas antes el cantante tuvo que abandonar el escenario del festival Viña Rock por la violenta e inadmisible reacción de una parte del público, que

J. S.: Pues es muy probable, sí [medita largamente]. Mira. No soy nada amigo ni nada *fan* de Lluís Llach, pero el otro día convocó una rueda de prensa para anunciar que

---

comenzó a arrojarle toda suerte de objetos indignada por su presencia allí. En la citada entrevista, el conocido contertulio televisivo y miembro de la Junta Directiva y del Consejo de Dirección de la SGAE (Sociedad General de Autores de España) sorprendió a la propia entrevistadora cuando lanzó la siguiente andanada contra Sabina: «No suelo hablar mal de nadie, pero que Joaquín Sabina salga de gira con un nombre como *Carretera y Top Manta* creo que dice a las claras en qué situación está este colectivo y cómo algunos se aprovechan de esa situación. Hay cosas que pueden ser escandalosas y otras que pueden ser repugnantes, y ésta lo es. Esa actitud me parece vergonzosa y vomitiva.» No contento con eso, fue aún más lejos en sus críticas: «Uno no puede creer que está por encima del bien y del mal. Uno no puede creer que es un dios y que, como le permiten estar afónico, no cantar, ir, venir, salir, puede llamar a su gira *Carretera y Top Manta.* Bueno, pues yo, desde aquí, le digo que es vergonzoso, y que es un insulto para el resto de sus compañeros en la música.» Cuando Joaquín fue preguntado al respecto, no le tembló el pulso lo más mínimo y bramó: «Que se joda. Si es más tonto, no nace. Es una broma [el nombre de su gira], como cualquiera puede entender. Pero este señor —por decir algo—, tan solemne, no lo entiende. Más piratas, y más grandes, hay en las multinacionales. Quienes más pierden son los que más ganan. Y, además, los discos de Ramoncín no se venden ni en el *top manta* ni en ningún lugar.» A propósito de esto último, las nulas ventas de los discos de Ramoncín, Sabina echaba más leña al fuego al declarar en el transcurso de un acto público: «Un marroquí de un *top manta* dijo una vez que puso un disco de Ramoncín y lo tuvo que quitar porque en las tiendas estaba más barato», y ante la malvada pregunta del reportero de si iban a ir ambos a *Salsa Rosa* para contarlo, Sabina contestó: «Ramoncín irá a *Salsa Rosa* para hablar de mí cuando me muera. Cobrando.» Tan sólo dos días después de estas últimas declaraciones hechas por el ubetense, la sección de «Cartas al director» del diario *El Mundo* publicase retiraba y a mí me interesó y me inquietó mucho lo que dijo, y me gustó la falta de radicalidad de su mensaje. Porque aseguró que eso no quería decir en absoluto que

---

ba una misiva de Ramoncín sobre el cruce de lindezas entre ambos, del cual se había ocupado el citado diario con una información aparecida esa misma semana con el titular «Ramoncín y Sabina, fuego cruzado». Extraigo el siguiente fragmento de la carta de Ramoncín: «En ningún momento he pretendido arremeter o criticar a Joaquín Sabina, por el que siento una gran admiración como colega de profesión. Y lamento, de corazón, haber podido agraviarle. Con mis palabras relativas a la denominación de su gira, no he aspirado a otra cosa que a llamar la atención de la opinión pública sobre el fenómeno de la piratería, que cada año provoca graves pérdidas al sector y deja un gran número de damnificados: autores, productores, intérpretes, sellos discográficos, etcétera. [...] Considero, asimismo, que la piratería [...] no debe, en ningún caso, ser motivo de mofa o burla, dada la gravedad de sus efectos para la industria de la cultura en nuestro país.» El enfrentamiento se zanjó para siempre el día en que el autor de *Hormigón, mujeres y alcohol* y *Marica de terciopelo* reiteró, en una entrevista que le realizó Jesús Quintero, El Loco de la Colina, lo que ya había expresado en su carta a *El Mundo*, que respetaba y admiraba a Sabina como artista y que no quería líos. Cuando poco después Andreu Buenafuente entrevistó en su exitoso programa a Joaquín, éste aseguró que Ramoncín había estado «muy elegante» y que él no podía ser menos: lo llamó «don Ramón» y le tendió su mano. Éste no es, de todos modos, el único enfrentamiento que Sabina y Ramoncín han protagonizado. Hace siglos (concretamente en 1985), Joaquín declaró para un diario ya desaparecido: «Ramoncín no me gusta demasiado. Demasiado cuento. Sólo propaganda. No sabe escribir. Muchas, demasiadas pretensiones. No lo conozco personalmente, pero puedo decir que es más listo que cantante. Pero igual si nos vemos nos abrazamos, porque yo no diría todo esto si él no fuera por ahí contando que todo lo que hay por este país es una mierda. Si él cambia de opinión, yo seguro que me reiría mucho e iría contando a todos que él es un fenómeno.»

no vuelva a cantar nunca, quiere decir que se va porque ya ha cumplido una etapa. Yo he estado cuatro años sin tener ni puta gana de cantar, y te aseguro que ahí no había ni trampa ni cartón.

J. M. F.: También sucede, imagino, que *La del pirata cojo*, *Conductores suicidas* y *Pacto entre caballeros*, por citar algunas de tus canciones más movidas, no las podrías seguir cantando con sesenta y tantos años y que sonaran creíbles. ¿O sí?

J. S.: Pero sí las voy a cantar este año. A ver si hay una guitarra por aquí... [Se levanta y sale de la habitación en pos de una guitarra. Aparece al rato con una flamante guitarra española. Comienza a rasguearla y sigue hablando]: Antonio García de Diego lo entiende mejor que Panchito [Varona]. El plan es que yo no puedo subirme a un escenario y ser AC/DC, como tú bien has dicho, ni siquiera, fíjate, ser Sabina. Pero como yo en Londres me *corría* oyendo al Lou Reed crepuscular... [Entonces comienza a cantar, con las revoluciones cambiadas, ralentizados, como a cámara lenta, los primeros versos de *La del pirata cojo*, una de las más célebres canciones de su repertorio]: «No-soy-un-fu-la-no-con-la-lá-gri-ma-fá-cil / de-esos-que-se-que-jan-só-lo-por-vi-cio...» Ésa es la cosa. Volver adulto lo que no lo era.

J. M. F.: Me dejas perplejo, Joaquín. Veo que has hecho los deberes en previsión de los achaques de la edad. Planificación, ante todo.

J. S.: Más que nada, son muchas noches sin dormir. Pero te diré que también es hacer de la necesidad virtud. Es decir, yo me he comprometido a dar ochenta conciertos más y lo quiero cumplir. Y el único modo de no vomitar es hacer algo que me guste. ¿Que me puede salir mal? Absolutamente. Pero tengo muy en mente al Lou Reed de *Berlin*. Ese que en lugar de gritar en un *rock and roll*, fraseaba.

»Ay, biógrafo cabrón. Me estás sacando mucho más de lo que yo quisiera.

J. M. F.: Eso que dices de hacer algo que te guste me sirve para preguntarte sobre un asunto que me ronda desde hace tiempo. ¿Tú te gustas? Es decir, ¿te gustan las canciones que interpreta ese tal Sabina, que a estas alturas sigo sin saber si es exactamente Joaquín?

J. S.: [Largo silencio.] A mí me gusta mucho, ya lo sabes, *19 días y 500 noches*, y hay diez o doce canciones de los discos anteriores que también me gustan mucho. En el escenario me gusto un día de cada tres, y dos canciones de cada veinte. En la medida en que estoy recuperando mi oficio, eso va creciendo. Pero insisto en que al principio de esta gira, mi querido Javi, te juro que quería irme a las islas Aleutianas, que no sé exactamente dónde están pero sí que están muy lejos. En el escenario, si no te gustas, estás perdido. Los discos, en cambio, los puedes oír fríamente y decir esto está bien y esto está mal, pero el escenario es la plaza de toros. Hay una verdad ahí insoslayable, que es: si yo no siento lo que estoy haciendo, aunque tenga un público prestado —y yo lo tengo: un público que me aplaude aunque cante como el culo—, cuando me voy a dormir mis músicos y la Jime me escrutan la cara y dicen: «Vamos mal.» Pero como te digo, la estadística es parecida a un concierto de cada tres y dos o tres canciones de cada veinte. Ahora, esas dos o tres canciones compensan de sobra, porque nunca he sido partidario de El Juli ni de Enrique Ponce ni de Espartaco, sino de Curro Romero y Rafael de Paula, que creían que ser sublime un segundo cada seis meses justificaba el resto. Y las carencias, y las decepciones. Te diré, además, que creo que soy el cantante —hablo completamente en serio, y con muchísima vanidad incluso— menos dotado del mundo para mi oficio. Sin embargo, creo que sé muy bien lo que es mi oficio y lo que busco en él. Lástima que en El Corte Inglés no vendan lo que necesito, pero esta voz que tengo, cuando la uso como yo quiero, y te hablo de antes de ayer, en Tenerife, de pronto me da mucho gusto, y muchísimos disgustos muchos otros días, cuando no puedo hacer lo que sueño.

J. M. F.: De todos modos, que digas eso de que eres el cantante menos dotado del mundo es hasta cierto punto comprensible. Ahora bien, ¿eres el letrista más dotado de tu tiempo?

J. S.: ¡Pero es que la literatura y la canción no son la misma cosa...! Cuidadín, cuidadín.

J. M. F.: ¡Aleluya! Interpreto esa respuesta como un sí.

J. S.: Sí. Creo que tengo un don para la literatura en la canción, pero para la literatura fuera de la canción soy Campoamor, y no Borges ni Juan Gelman. Ahora, para la literatura en la canción... Ahí le echo un pulso a quien se me ponga por delante.

J. M. F.: La literatura en la canción, Joaquín, es un género en verdad dificilísimo. Una cima.

J. S.: Sí, y además es que muchas veces no le conviene. Las canciones que yo más amo, y no hablo de las mías sino de las de otros, no son ni mucho menos las más literarias.

J. M. F.: ¿Dylan en español es tan bueno como tú?

J. S.: Dylan es bueno hasta en sueco. Aun así, a mí quien más me gusta es José Alfredo Jiménez, que no había leído un libro en su puta vida y escribió canciones maravillosas, para morirse. [Comienza entonces a tocar la guitarra, guitarra que no ha soltado desde que la tomara, y a cantar]: «Que te den lo que no pude darte / aunque yo te haya dado de todo...» ¡No se puede escribir mejor!... [Y sigue]: «... Cuántas cosas quedaron prendidas / hasta dentro del fondo de mi alma...» ¡Mira qué versos! ¡Ni Mallarmé los mejora! «Cuántas luces dejaste encendidas, / yo no sé cómo voy a apagarlas.» Es que no se puede escribir mejor...

J. M. F.: ¿Qué explicación tiene eso? ¿Se puede aprender a escribir en las cantinas, caminando por el lado salvaje y de espaldas a los libros?

J. S.: La única explicación posible es que la canción es un género completamente espurio, canalla, alcohólico, borracho, que viene de una tradición oral. Pero Mallarmé, ¿no? «Cuántas luces dejaste encendidas, / yo no sé cómo voy a apagarlas.» Oiga, eso no se puede mejorar. Así era don José Alfredo Jiménez. Chavela Vargas me juró que jamás lo había visto leer un libro. Pero ¿sabes lo que me dijo inmediatamente después? Me dijo: «A usted tampoco» [risas].

J. M. F.: No sé si has leído el epílogo de *El Hacedor* de Borges, que habla de un hombre que se propone la tarea de dibujar el mundo y que para ello comienza a trazar imágenes de espacios geográficos, de animales, de objetos y de personas y, poco antes de morir, se da cuenta de que todas esas líneas que ha marcado no conforman otra cosa que su propio rostro. Dicen, y no es muy original, que la más certera biografía de un artista está en su obra. Bien. ¿Crees que tú estás nítidamente en tus canciones? ¿Te has contemplado desde fuera y has visto tu rostro *escrito* en tu obra?

J. S.: Incluso he llegado a ver mi caricatura. A estas alturas, que llevo ocho años sin ir a los bares y sin irme de putas, cuando voy a Lima y escriben en los diarios «viene el poeta canalla», me entran ganas de vomitar. No eludiré tu pregunta. Como bien has dicho, seas novelista, pintor o cantante, tu biografía está en lo que haces. Incluso, fíjate, a pesar de uno. Y cuando uno es un poco complaciente consigo mismo, como es mi caso, y tiene cincuenta y siete años, de pronto oye discos hechos hace quince y encuentra cosas, como diría Borges, que no le *desatisfacen* demasiado.

»Vamos a ver, yo no estoy muy conforme con mi vida.

Pero con veinte canciones de las doscientas y pico que he escrito, estoy razonablemente... O mejor, volviendo a Borges: no estoy tan en desacuerdo.

J. M. F.: ¿Crees que Borges sí murió satisfecho de su obra?

J. S.: Es que lo de Borges es un caso muy límite porque él mismo lo dice: «Yo, que tantos hombres he sido, no he sido nunca / aquel en cuyo abrazo desfallecía Matilde Urbach» *[Le regret d'Héraclite. El Hacedor].*

J. M. F.: Quiso ser lo que nunca fue.

J. S.: Claro. Borges concebía el paraíso como una biblioteca. Yo no. Pero cada vez más sí. [Y comienza a cantar de nuevo]: «Te vi llegar y sentí la presencia / de un ser desconocido. / Te vi llegar y sentí lo que nunca / jamás había sentido. / Te quise amar y tu amor / no era fuego no era lumbre, / las distancias apartan las ciudades / las ciudades destruyen las costumbres. / [...] Y estuve a punto de cambiar tu mundo / de cambiar tu mundo por el mundo mío.» Es impresionante, de verdad. Eso no es literatura, es magia. Como aquello de Gardel: «Cuando estén secas las pilas / de todos los timbres / que vos apretás.» ¡Hostia! ¿Cómo puede uno escribir eso? ¡Es el verso más moderno del mundo!

J. M. F.: A propósito de bibliotecas. La primera vez que vine a esta casa había muchos libros, pero es que ahora esto parece la mismísima Biblioteca Nacional. Me recuerda a aquella anécdota de Cabrera Infante, cuando una periodista fue a su célebre casa de Londres para hacerle una entrevista y, al ver su descomunal biblioteca (se podría decir que la casa estaba dentro de la biblioteca, y no al revés), le preguntó si se había leído todos esos libros, y él, con ese cinismo tan suyo, le contestó que sí, pero que sólo una vez.

J. S.: [Ríe.] Te diré que una noche vinieron a cenar a mi casa Guti y Alejandro Sanz, y Alejandro dijo una cosa muy graciosa: «Y tanto libro ¿pa' qué?» [Risas.] A mí los benditos poetas líricos me han vuelto coleccionista y bibliófilo sólo por joderlos.

»Paco Lucena, mi ex *manager*, puede atestiguar que siempre que íbamos en el coche camino de un concierto yo me pasaba todo el trayecto leyendo un libro. Cuando lo acababa, lo tiraba por la ventana sin más. Eso lo hice mucho. También me dejé una biblioteca entera en Londres. No era muy importante, unos quinientos libros.

J. M. F.: ¿No se la quedaría Sonia?

J. S.: No, tampoco era muy lectora que digamos [risas]. Y cuando retomé la relación con los poetas líricos, me dije: «Pues ahora os vais a joder y voy a empezar a acumular libros para poneros los dientes largos.»

EL «BAILECITO»
(UNA PAUSA MARCHOSA)

... Y vivir al revés
que bailar es soñar con los pies.

Jugar por jugar
(Yo, mí, me, contigo)

A petición / orden de Joaquín, Jimena me muestra un vídeo en el que el cantante posa delante de su inabarcable biblioteca vestido con un anacrónico pijama —los bajos del pantalón dentro de los calcetines— y tocado con su consabido bombín. De pronto, sonríe a cámara y se arranca con una estrafalaria pieza de baile que oscila entre una jota aragonesa que parece ejecutada por Fernando Esteso cuando era Fernando Esteso, y las ágiles cabriolas que daban los bufones en la Edad Media para solaz de sus implacables amos. La imagen es en verdad tan disparatada que la carcajada no tarda en explotar en mi garganta. Este hombre, pienso, no tiene remedio. Cuando Joaquín me pregunta, ansioso, qué me ha parecido el numerito, respondo: «Divertidísimo. ¡No tiene ni pies ni cabeza!» Por la expresión de su cara y su atronadora risa deduzco que mis palabras le han complacido, y la explicación que da para justificar tan rocambolesco episodio es la siguiente: «¿Sabes qué pasa? Que me subo a una escalera para coger libros, ¡como un Keith

Richards cualquiera!,[80] y para no caerme, porque me he dado unas hostias tremendas, me meto los pantalones en los calcetines. Un día apareció la Jime y comenzó a grabarme, y yo salté de la escalera y le obsequié con ese bailecito que acabas de ver. ¿A que es gracioso?»

80. Joaquín alude con evidente guasa a cierta ocasión en que el mítico guitarrista de los Rolling Stones se fracturó una pierna al —siempre según su versión— tratar de coger un libro de la biblioteca de su casa. La verdad es que a quienes desconocíamos la afición lectora de Richards, aquella noticia nos causó una gran sorpresa.

ARGENTINA: «EL CULO MÁS HERMOSO DEL MUNDO»

(HISTORIA DE LA MÁS FEROZ SABINAMANÍA)

«¡Joaquín Sabina
quedate en Argentina!»
«Eso no es imposible.»

(Petición del público, y consiguiente
respuesta de Sabina, en el transcurso
de un concierto en Buenos Aires)

J. M. F.: Hace unos días me llamaron de una emisora de radio de Buenos Aires para preguntarme que a qué creía yo que se debía la excesiva fiebre que hay ahora mismo en Argentina por tu persona. En primer lugar, les dije que esa sed de ti no era algo exactamente nuevo; que ya tuve ocasión de presenciar ese fenómeno cuando viajé a la capital argentina en marzo de 2000 para escribir un reportaje sobre tus actuaciones en el Luna Park, en plena gira de *19 días y 500 noches*...

J. S.: Es cierto que tú viviste aquellas dos noches en el Luna Park, que, por cierto, fueron mágicas, pero ahora hay, me temo, una expectación añadida, y es que Joaquín ha estado malito. Que ha perdido la afición. Que ha estado hecho un fraile cartujo y no ha querido ver a nadie. Salió a cantar en Gijón y a la quinta canción dijo: «Estoy graznando, no cantando», y suspendió el concierto.

J. M. F.: Sí, eso es innegable. De cualquier forma, hay, creo, una imagen que sirve como perfecta metáfora de lo que está sucediendo en estos momentos en ese país con Joaquín Sabina. Esa imagen es la de Diego Armando Maradona arrodillado ante ti —cuando te entrevistó, en octubre de 2005, para el programa de televisión que presenta en Buenos Aires, *La noche del 10*— y pidiéndote «por favor» que le dejaras cantar contigo unos meses después en el teatro Gran Rex, en el tramo argentino de la gira *Ultramarina*. Creo que, salvo Serrat, no existe ningún otro artista español que levante esas pasiones allá.

J. S.: Eso que dices es muy bonito, y creo que algo tiene que ver, sí. De todos modos, te diré que claro que hay otros artistas españoles que tienen un enorme tirón allá, y que son, al igual que yo, muy queridos. Te estoy hablando de gente muy distinta. Serrat, por supuesto. Pero también David Bisbal o Alejandro Sanz. Es verdad, y no rehuiré la cuestión —y tú, que consultas Internet, lo sabes bien—, que se han producido grandes broncas porque la gente tenía que hacer cola durante horas para hacerse con una entrada para alguno de mis conciertos y no había para todos. También influye el hecho de que antes iba a locales muy grandes y ahora en cambio voy a teatros, y la demanda es mayor. Pero lo que está pasando también tiene que ver, insisto, con el hecho de que los moribundos, los póstumos, los muertos, cantan mucho mejor que los vivos. En este país y en toda Latinoamérica. Además, se ha creado un morbo adicional con lo del *gatillazo*. El otro día leí una crónica muy elogiosa en un diario de Granada, pero el periodista decía algo así como: «Salimos un poco melancólicos del teatro pensando que tal vez era ésa la última vez que lo veríamos.» Vamos a ver, eso es poesía de Campoamor. Lo que cuenta es que estamos cantando. Bien es verdad que empecé, como antes te he dicho, con poquita afición, pero luego la he ido recuperando hasta llegar a pasármelo muy bien. Creo que concretamente a Argentina voy a llegar en un momento estupendo. Los músicos están encantados y disfrutándolo. A pesar de que el primer mes lo pasamos todos muy mal porque los músicos me miraban como miraba Álvaro Urquijo a su hermano, el ya difunto Enrique, mi querido Enrique, en los últimos tiempos.

J. M. F.: También dije para ese programa de radio bonaerense que tú poseías una cualidad que tenía que ver con una efectiva mezcla de talento y riesgo. Que eras una síntesis de Lou Reed y César Vallejo, y que hoy en día hay muy pocos escritores de canciones que se aproximen a eso.

J. S.: Eso que dices me gusta mucho, la verdad, pero creo que me viene muy grande ese traje que me atribuyes.

J. M. F.: Sabes bien que tienes un pie en el *rock and roll* y otro en la canción de autor; que nunca te han gustado los trajes demasiado ceñidos y sí los platos combinados.

J. S.: Es cierto que no soy un bolerista ni un baladista ni un roquero ni un rapero. También lo es que a mí no me gusta un cocido sino las tapas, picar de aquí y de allí. En eso tienes razón.

J. M. F.: Y eso es algo que los argentinos han entendido a la perfección. Volviendo a la imagen que antes he citado, la de Maradona arrodillado ante ti, creo que con ese gesto el gran icono argentino contemporáneo estaba verbalizando el sentir de ese pueblo. Y es que al parecer todos los argentinos quieren cantar una canción contigo, con Sabina, padres e hijos. Un fenómeno, por cierto, que no se da tan sólo en esas latitudes, puesto que se puede decir sin temor a equivocarse que ya eres eso tan infrecuente de profeta en tu tierra.

J. S.: No sé si todos los argentinos quieren cantar conmigo una canción, pero me comprometo públicamente a que Maradona va a cantar conmigo en el Gran Rex.[81] De hecho, estoy pensando qué canción puede ser, y creo que le voy a proponer *Mano a mano*, el tangazo.

J. M. F.: ¿Qué crees que ha podido ver alguien como Maradona —con una sensibilidad, en principio, tan distinta a la tuya— en tu figura que le atraiga tanto?

J. S.: No sé si le atraigo tanto a Maradona como dices, pero sí sé que me quiere y él sabe que yo lo quiero. Y creo también que se enteró tarde de ese amor, como a mí me pasó con él. Empecé a amar a Maradona cuando ya no era Maradona. Como no era muy futbolero —aunque algunos crean que sí, a mí el fútbol no me interesa gran cosa—, el Maradona futbolista genial me pasó completamente desapercibido. Sin embargo, me empezó a impresionar cuando le montaron aquella infamia en el barrio de Caballito,[82]

81. En efecto, la noche del 18 de marzo de 2006, Diego Armando Maradona interpretó con Joaquín el clásico *Y nos dieron las diez* en el teatro Gran Rex de Buenos Aires, con el que cerraron el concierto. Tocados los dos con bombín, Sabina dio paso al argentino con la frase: «Es el más grande como futbolista. ¡Lo único que falta es que cante tan bien como juega!» A tenor de la unánime respuesta del público una vez concluida la canción, Maradona entonó como el mismísimo Pavarotti.
82. El 26 de abril de 1991, la policía de Buenos Aires detuvo a Diego Armando Maradona junto con un grupo de amigos en un apartamento del porteño barrio de Caballito por «tenencia de estupefacientes». La imagen de un Maradona bajo los inequívocos efectos de las drogas, custodiado por dos agentes, dio la vuelta al mundo y supuso un enorme varapalo para el de por sí hiperbólico orgullo nacional. Al futbolista se le abrió una causa judicial y tuvo que desembolsar cerca de veinte mil dólares para obtener la libertad condicional, así como someterse a un tratamiento de desintoxicación por orden de un tribunal. Al final, el caso fue sobreseído. Curiosamente, a ocho semanas escasas de que comenzase el mundial de fútbol en Estados Unidos.

porque Maradona no tenía por qué ir a comprar cocaína a un barrio. Desde luego, no con cámaras de televisión y con toda la policía bonaerense alrededor. Le hicieron una putada tremenda, y ahí me empezó a interesar. Luego lo conocí y estuvimos juntos un par de noches locas, y me pareció que tenía y tiene una cosa que sólo poseen algunos argentinos —la tuvo Gardel y la tuvo Evita Perón—, que es un gran instinto para lo popular. Un saber de dónde viene uno y a qué lugar pertenece. Es decir, Diego es el único tipo del mundo que puede hablar bien de Menem y de Fidel Castro el mismo día.

J. M. F.: Ese instinto popular del que hablas también lo tenían, al menos en un principio, los montoneros,[83] ¿no?

J. S.: Bueno, sí. Pero es que los montoneros acabaron siendo un desastre. ¿Sabes qué pasa? Es que precisamente hoy tengo el corazón bastante dolorido por Miguel Bonasso, que fue quien escribió el mejor libro del mundo sobre los montoneros, *Recuerdo de la muerte*. Fue de la cúpula montonera pero se descolgó a tiempo, cuando se descolgó Juan Gelman y cuando eso empezó a ser una industria de la muerte. El caso es que el otro día coincidimos en Cuba y le pedí al ministro de Cultura, Abel Prieto, que me lo presentara, y estuvimos cenando juntos. Resulta que su mujer tenía un cáncer terrorífico y ha estado en Cuba seis meses mientras trataban de curarla. [Hace una pausa.] Su mujer se murió ayer, y hoy lo he

83. Movimiento guerrillero argentino de ideología peronista que surgió en la segunda mitad de la década de los sesenta y adoptó la táctica de la guerrilla urbana. Tomaron su nombre de las guerrillas rurales de la época de la independencia y se inspiraron en los métodos de los tupamaros uruguayos. Lucharon contra la dictadura militar del general Videla, pero fueron finalmente desarticulados por el ejército.

llamado porque pasamos una noche en Cuba absolutamente inolvidable. Y, en fin, todo esto venía por lo del instinto para lo popular que tenían Evita Perón, Gardel, Goyeneche y hasta el *Mono* Gatica, que era un boxeador. Y que también, sin duda, lo tiene Maradona.

J. M. F.: ¿Lo tiene Charly García?

J. S.: Sí, pero creo que Charly lo está dilapidando. Charly ha sido querido hasta la náusea. Él era un genio al que la gente le decía constantemente que era un genio y él, aunque se lo creía, no decía nada. Sin embargo, en los últimos años es él quien lo repite todo el tiempo. No sabe que la gente ya lo sabe.

J. M. F.: Y ahora, en cambio, ya no se lo dicen, o no se lo dicen tanto.

J. S.: Pero lo sienten, pero lo aman, pero lo temen. Y lo digo de rodillas.

J. M. F.: Y eso ¿no sucede también con Maradona?

J. S.: No es lo mismo pero es igual.

»Por cierto. La noche que estuve en el programa de Maradona fui a cenar después con él y con Charly. En el restaurante había unos grandes ventanales, y fuera se había plantado un pedazo de camión con unos bafles tremendos y unas quinientas personas se pasaron hasta las siete de la mañana cantando temas de Charly y míos. Tuvimos que salir dos veces a saludar como hacía Evita Perón, desde el balcón. Ese *cholulismo,* que dicen allí, sólo lo he vivido en Argentina. Y creo que ya te he dicho que me gusta mucho vivirlo, pero que si se diera a diario sería algo ver-da-de-ra-men-te-in-so-por-ta-ble.

SE QUERÍAN
(UNA PAUSA AMOROSA)

Rosa de Lima, prima lejana,
lengua de gato, bicarbonato de porcelana,
dolor de muelas, pan de centeno,
hasta las suelas de mis zapatos te echan de
[menos.
Prenda de abrigo, ven, vente conmigo.

Rosa de Lima
(Nos sobran los motivos)

En plena conversación, Jimena irrumpe en la estancia y nos anuncia que se retira a dormir. Joaquín le dice, en plan Sabina: «¿No me besas, rubia?», y acto seguido se echa a reír, whisky en mano. Ella contesta: «Claro, Joaquín», y se acerca a él mostrando una enigmática sonrisa; luego se inclina y se dan un beso en los labios. Yo estoy allí, a su lado. Y el beso es largo, demasiado largo. Cuando Jimena se despega por fin del capitán Garfio que tiene por novio y echa a andar hacia su habitación, Joaquín le dice, a voz en grito: «¿Sabes lo que he visto en la cara de mi biógrafo, Jime? He visto en su cara: "¡Vaya mierda de beso!"», y vuelve a explotar en una sonora carcajada. Yo río también. Contagiado más que por la malvada observación, por su desfachatez. Pero no es cierto. No pensé eso sino más bien todo lo contrario. Y la verdad es que, sabiéndolo náufrago ya de tantas quimeras, me sorprendió que esa llama aún siguiera prendida.

A VUELTAS CON LA POLÍTICA
(EL ESTATUT. MICHELLE BACHELET / EVO MORALES. MUCHO, MUCHO COMANDANTE. ARDE PARÍS)

Y me han dicho que en las elecciones
un tal Al Capone ha vuelto a ganar
prometiendo anular el impuesto del terror al
[vacío.

Una ola de frío[84]

J. M. F.: ¿Cuál es, Joaquín, tu postura respecto al polémico Estatut? Te hago esta pregunta a sabiendas de que en uno de los conciertos de tu gira *Ultramarina* —el de A Coruña, concretamente— aseguraste que esa misma tarde habías brindado por él. También lo hiciste por Evo Morales.

J. S.: Sí, es cierto. Fue el día en que aparentemente los catalanes y el Gobierno llegaron a un acuerdo.[85] ¿Qué

84. Esta canción, no incluida en ningún disco oficial de Sabina, está recogida en el capítulo «De viva voz y adosados» del libro *Con buena letra* (Temas de Hoy, 2002).
85. El 30 de marzo de 2006, el nuevo Estatuto de Cataluña fue votado y aprobado en el Congreso de los Diputados para su posterior tramitación en el Senado por ciento ochenta y nueve votos a favor y ciento cincuenta y cuatro en contra. Los partidos políticos que votaron a favor fueron el PSOE, Convergència i Unió (CiU), Izquierda Unida-Iniciativa per Catalunya Verds

opino del Estatut? Pues opino, como casi toda la prensa de derechas y casi toda la de izquierdas, que están [desde el PSOE] prendiéndole fuego a una hoguera que no era necesaria en absoluto. Las encuestas dicen claramente, incluso las encuestas catalanas, que no es lo que le preocupa a la gente. Zapatero es uno de los políticos más valientes y más decentes que he visto en mi vida, pero pienso que se está metiendo en guerras innecesarias. Creo además que eso se acaba de abrir, porque luego vienen los vascos, los canarios... Con los vascos parece que está en la negociación Navarra. Hay un sesenta por ciento de navarros que quieren ser vascos, pero ¿qué pasa con el cuarenta por ciento restante?[86]

(IU-ICV), Coalición Canaria-Nueva Canaria (CC-NC) y los gallegos del Bloque Nacionalista Galego (BNG), y lo hicieron en contra el PP, Eusko Alkartasuna (EA) y, debido a que les parecía insuficiente, Esquerra Republicana de Catalunya (ERC), uno de sus principales impulsores en el Parlamento de Cataluña. La Chunta Aragonesista (CHA) y Nafarroa Bai (Na-Bai) se abstuvieron. (El referéndum del Estatuto catalán que se celebró en Cataluña el 18 de junio de 2006 se saldó con un 73,9 % de votos a favor, frente a un 20,7 % en contra. Sin embargo, la elevada abstención —la participación no alcanzó la barrera simbólica del 50 %— abrió el debate de si la polémica reforma estatutaria era algo que preocupara realmente a la ciudadanía o tan sólo a un sector de la clase política.)

86. En un artículo publicado en las páginas de *Opinión* del diario *El Mundo* (12-4-2006), Juan Ramón Corpas Mauleón, consejero de Cultura y Turismo-Institución Príncipe de Viana del Gobierno de Navarra, se pronunciaba sobre la cuestión navarra a la que alude Joaquín en los siguientes términos: «Navarra es una comunidad antigua, de identidad rotunda y leal a la Nación española, pero castigada a ser la única en estado transitorio por una normativa [la Disposición Transitoria cuarta de la Constitución] que permite que sea engullida por otra. Los navarros han sido siempre claros y se han opuesto con sus votos a la anexión por

J. M. F.: En cualquier caso, la sensación es la de que en España ha germinado un odio hacia el catalán absolutamente feroz y, desde luego, nada halagüeño para una convivencia democrática.

J. S.: Eso es terrible, sí. Bajar al bar y oír a la gente cagarse en la puta madre que parió a los catalanes es algo para lo que no tengo palabras. Me parece, insisto, que se ha prendido una hoguera que era innecesaria. ¿Quién tiene la culpa? Creo que en gran parte la tiene la actitud cerril de la derecha, pero creo también que Zapatero no ha medido bien las prioridades, puesto que como ya he dicho no había un clamor popular que llamara a dar ese paso e iniciar esa batalla.

J. M. F.: Sin embargo, hemos hablado largamente de Zapatero y de su ideario y la última vez me dijiste que, pese a todos los desaciertos que haya podido cometer, aún le dabas un cheque en blanco.

J. S.: Sí, así es. Sobre todo porque me parece alguien muy decente y porque no da un paso atrás. Incluso, fíjate, estoy conservador con respecto a él porque me parece que tiene un pelín de insensatez, que por un lado me

---

Euskadi.» Respecto a esa normativa «que abre la puerta a la incorporación irreversible de Navarra a la comunidad vasca», Corpas Mauleón aseguraba en el mismo artículo que se trata de «un hecho sin explicación legal, ni parangón, ni precedentes. Un agravio a Navarra y una dádiva al nacionalismo que éste paga como suele, rechazando la Constitución y exigiendo más». Pocos días después, el jefe de la oposición y líder del Partido Popular, Mariano Rajoy, ofreció una rueda de prensa en Pamplona en compañía del presidente de Navarra y de UPN (Unión del Pueblo Navarro), Miguel Sanz, en la que se mostró más tajante aún, si cabe, que el consejero de Cultura del Gobierno de Navarra al asegurar que «Navarra es Navarra desde hace siglos y Euskal Herria no existe».

gusta mucho, pero por otro no dejo de preguntarme si la insensatez es buena en un presidente del Gobierno. ¡Pero es que estamos tan hartos de politiqueros, que de pronto aparece un tío que hace lo que dijo que iba a hacer y nos volvemos locos![87] Entre la valentía radical de Zapatero y la cerrilidad de la derecha, que no encuentra otro modo de oposición que oponerse sistemáticamente a todo, como lo está haciendo, me parece que van a venir tiempos duros. Por cierto, con batallas que no le importan mucho a la gente, y eso es lo que más me cabrea de todo. ¡Carajo! ¿Por qué no da batallas serias?

J. M. F.: De todos modos, hasta el más desinformado sabe que Zapatero no se habría metido en este tremendo embolado del Estatut si no hubiese necesitado de los votos de sus *socios* catalanes para seguir gobernando. ¿Dónde están, pues, la pureza y probidad de ese gobernante si lo que ha hecho no es otra cosa que tirarse —¿y tirarnos?— a una piscina llena de caimanes a cambio del refrendo que precisa para no dejar el poder?

J. S.: Sí, sí, pero también sabe cualquiera que él no creía que fuera a ganar las elecciones, y lo que dijo en la campaña electoral se ha visto obligado a cumplirlo. Recuerdo a Tierno Galván cuando decía aquello de que lo que se dice en una campaña electoral está para no cumplirlo. Zapatero, en cambio, lo está haciendo. Sacó las tropas de Irak al

87. A propósito de la fama del presidente del Gobierno español de cumplir sus promesas, en la primera entrega de una extensa entrevista que le realizó el director de *El Mundo*, Pedro J. Ramírez, y que se publicó los días 16 y 17 de abril de 2006 en el citado diario, cuando el periodista le preguntó a Zapatero: «Bien, ¿qué ha aprendido usted desde que llegó a La Moncloa?», la respuesta no pudo ser más rotunda: «Que todo ha de comenzar por el diálogo y que tiene un enorme valor cumplir lo que has prometido.»

día siguiente, casó a los maricones al día siguiente... Por cierto, se formó un follón tremendo con los maricones y luego no ha pasado nada.

J. M. F.: Que yo sepa, tampoco han sido legión los homosexuales que han contraído matrimonio. De lo cual se deduce que, al igual que el Estatut, y pese al bombardeo mediático, no era ése un tema que preocupara en exceso a la ciudadanía.

J. S.: Bien. Pero lo de los estatutos es mucho más grave porque son muchos, y todo el mundo va a querer igualarse por arriba. Y porque los problemas lingüísticos y las vísceras de la derecha tradicional y el tipo de la boina del bar de abajo —eso que has dicho tú, con muchísima razón, del odio al catalán—, creo, en fin, que todo eso era algo innecesario; que no hacía falta atizar esa hoguera. También es verdad que Zapatero frenó y dio marcha atrás. Tuvo un momento de genio cuando dejó con el culo al aire a Carod-Rovira y se hizo la foto con Duran i Lleida y Artur Mas. Ahí tuvo un momento genial. Estaba al borde del abismo y supo reaccionar.

»Ahora todo va a depender de lo que pase con ETA, pero sobre eso no hay futurólogo en el mundo que tenga una respuesta.[88] Y desde luego a mí no me inquieta gran

88. Lógicamente, esas palabras de Joaquín son anteriores al comunicado de «alto el fuego permanente» que la banda terrorista ETA hizo público el 22 de marzo de 2006, y que entró en vigor tan sólo dos días después. El presidente del Gobierno, José Luis Rodríguez Zapatero, pidió «prudencia y serenidad» ante un proceso «largo y difícil» para el que convocó a todos los partidos políticos. Mariano Rajoy, el líder de la oposición, le anunció su apoyo siempre y cuando no se pagara un precio político. Poco después, el 7 de abril, José Bono, ministro de Defensa —el ministro más valorado por la opinión pública—, anunció su dimisión por «razones personales» y aclaró que ésta nada tenía que ver con la

cosa lo de los presos, que se reagruparán y luego irán saliendo poco a poco. Eso pasa siempre al final de todas las guerras [sic]. Me inquieta más lo de Navarra que te decía antes porque es una cosa irrenunciable, y es verdad que al menos el cincuenta por ciento de los navarros se sienten vascos. A mí, como te he dicho antes, lo que me inquieta es el cincuenta por ciento restante.

J. M. F.: Y ¿hasta cuándo va a poder controlar Zapatero a los Bonos, a los Ibarras, a los Guerras, a los Leguinas? A todas esas voces discordantes de su propio partido que no dudan en afirmar —unos con más vehemencia que otros— que el jefe se equivoca?[89]

---

reciente aprobación del Estatuto catalán, con el que se mostró siempre muy crítico. Su inopinada salida de la política dio paso a la primera remodelación del Gobierno de Zapatero, de gran alcance político: José Antonio Alonso, hasta entonces ministro del Interior, sustituía a Bono al frente del Ministerio de Defensa, y el portavoz parlamentario Alfredo Pérez Rubalcaba —pieza clave en la negociación del Estatut y hombre de máxima confianza del presidente, al igual que el citado Alonso— asumía la cartera de Interior para gestionar el alto el fuego de ETA. En treinta y seis años de existencia, la banda terrorista ha asesinado a ochocientas diecisiete personas.

89. El día de la votación para la aprobación del Estatuto catalán en el Congreso de los Diputados, algunos de los socialistas que más críticos se habían mostrado con éste, como es el caso de los históricos Alfonso Guerra y Joaquín Leguina, votaron a favor. Precisamente Guerra sorprendió a los pocos días de dar el sí con unas declaraciones-bomba en las que calificó de «inquietante» la actual «desviación territorial» en detrimento de los planteamientos ideológicos, y, refiriéndose al proceso de reformas estatutarias —proceso en el que como ya se ha dicho él participó y abajofirmó—, aseguró que «salvando todas las distancias, algo parecido ocurrió en el momento de la disolución de la URSS, en el que los dirigentes comunistas se envolvieron en las banderas nacionalistas de las repúblicas en las que vivirían para seguir

J. S.: Te diré que, en el fondo, eso le viene bien a Zapatero. Contra un partido tan monolítico como el PP, en el que ni Piqué se menea —el pobrecito está en un sitio en el que cada vez que abren la boca los de su partido, pierde los dos votos que le quedan—, en el PSOE hay gente que esgrime puntos de vista contrarios al del Presidente. El que Zapatero deje opinar a Bono, a Leguina y compañía me parece un rasgo de inteligencia.

J. M. F.: ¿Crees que Rajoy debería tomar nota de ese *talante* y abrir más la mano?

J. S.: ¿Sabes qué pasa con Rajoy? Pues pasa que tengo sentimientos encontrados con él porque creo que está representando un papel que no es el suyo. Creo que él es mucho más derecha ilustrada de lo que le está obligando una cierta facción de su propio partido, y creo también que el cáncer son —y me parece que ya lo he dicho para este libro— Acebes y Zaplana. Y Aznar, claro. Justo aquello de lo que no se ha podido librar. Siempre he pensado que Rajoy sería un político ilustrado de derechas mucho más sensato que esta espantosa huida hacia atrás que se está produciendo desde su partido.

J. M. F.: Coincido contigo en que no es descabellado pensar que Rajoy es más de derechas por tradición que por verdadera convicción. Por herencia, vamos.

J. S.: Yo así lo creo, e insisto en que no le veo en el papel que está representando. He hablado un par de veces con él y es un tipo con retranca gallega, con gracia, que es capaz de tomarse una copa y olvidarse del cargo por unos minutos.

J. M. F.: Cuando en 2000 arrasaste en los Premios de la Música [Sabina y el álbum *19 días y 500 noches* obtu-

---

manteniendo el poder. Algo de eso, aunque más sutilmente, está sucediendo en España».

vieron cuatro de los cinco galardones a los que optaban: Mejor Autor Pop, Mejor Artista Pop, Mejor Disco del Año y Mejor Canción del Año] él estaba presente, en calidad de ministro de Educación y Cultura, entre el público, y recuerdo perfectamente que rió —la cámara recogió ese instante— cuando dijiste aquello de «los jóvenes venimos arrollando».

J. S.: Sí, es cierto, vaya memorión que tienes. Precisamente coincidí con él hace poco, cuando Luis del Olmo me dio el premio Protagonistas en Barcelona.[90] Me acerqué a él y le dije: «Mariano, me traes suerte. Me premian siempre que te veo.»

J. M. F.: Hablemos ahora de política internacional y vayámonos al continente hermano. En los últimos meses, el mapa político de América Latina ha cambiado de forma considerable. Los casos más significativos, por recientes, han sido la llegada al poder de Evo Morales en Bolivia, y la de Michelle Bachelet en Chile.

J. S.: La verdad es que estamos de enhorabuena por todos esos cambios. Se trata de una ola que no es guerrillera, que no es violenta, que va desde Ecuador hasta Argentina, y que consiste en tumbar Gobiernos sin pegar un solo tiro. La *pueblada*. La gente en la calle dice a gritos: «¡Largaos!» Me parece que eso es algo muy nuevo en la historia y, desde luego, bastante esperanzador.

J. M. F.: Unos días antes de que se celebrasen las recientes elecciones a la Presidencia de Chile, apoyaste con tu

90. Joaquín fue galardonado, en la categoría de Música, en la IX edición del Premio Protagonistas, que concede el programa radiofónico del mismo nombre dirigido por el periodista Luis del Olmo en Punto Radio. Del Olmo, que presenta y dirige *Protagonistas* desde hace treinta y un años, se refirió a Sabina como «el poeta-cantante o cantante-poeta que resurge con *Alivio de luto*, un disco fiel a su estilo personal e intransferible».

firma, junto con otras muchas personalidades españolas e hispanoamericanas de la política y de la cultura, a la candidata Michelle Bachelet, quien finalmente se alzó con la victoria en las urnas.[91]

J. S.: La apoyé porque pienso que Bachelet, al igual que el uruguayo Tabaré Vázquez y un poco como Kirchner y como Lula, está en el lado razonable y europeo de las cosas, y me emocioné mucho cuando ganó las elecciones presidenciales.

J. M. F.: ¿El «lado razonable y europeo de las cosas» es el lado, diríamos, Zapatero?

J. S.: Zapatero, para Bachelet, es un radical. Salvando

91. La citada declaración de apoyo a la abanderada por la Concertación, Michelle Bachelet, llevó por título «Recado a Chile», y fue presentada en el Círculo de Bellas Artes de Madrid. Entre los abajofirmantes se encontraban el ex presidente del Gobierno español Felipe González, el Nobel de Literatura José Saramago, y cantantes tan dispares como Joan Manuel Serrat y Miguel Bosé. Sabina —que escribió de ella en *Interviú*: «Seis idiomas, comadre divorciada, / chilena, coño sur post Pinochet, / agnóstica, pediatra, torturada, / cincuenta y tres por ciento Bachelet»— fue recibido por la flamante presidenta de Chile en el palacio de La Moneda el 5 de abril de 2006, y le regaló unos versos modificados de su canción *Noches de boda* («que todas sus noches sean noches de boda / y que todas sus lunas sean lunas de miel»), su libro de sonetos *Ciento volando de catorce* y el disco *Alivio de luto*. Ambos se manifestaron su mutua admiración y respeto. Tanta admiración y tanto respeto en el caso de Joaquín que, apenas cinco días después del citado encuentro, volvía a ofrendar a Bachelet con la publicación en *Interviú* del soneto *Chile en el corazón*, del que extraigo el segundo cuarteto y el terceto de cierre: «Conmovido te vi lucir la banda / desarmando de ayeres al futuro, / jurando por un hoy que nos demanda / candiles para el cuarto más oscuro. [...] Laica, huérfana, risa de otro Chile, / loco por desfilar en tu desfile, / lo dijo un tal McCartney, my Michelle.» Un *I love you* político en toda regla.

las distancias, claro. Pero yo estoy muy contento porque creo que los chilenos han tenido un exceso de sensatez eligiéndola. También es verdad que eché muchísimo de menos que en el discurso de toma de posesión que pronunció nombrara a Allende. Ahora, es mucho mejor eso que Pinochet. Hay además una cosa muy bonita de Bachelet, y es que está divorciada dos veces y es atea. Estamos hablando de un país en el que existe el divorcio desde hace sólo dos años, ojo. Por si eso no bastara, es hija de torturado, semitorturada ella misma, exiliada, mujer... Representa mucho.

J. M. F.: Esos estigmas que citas podrían hacer pensar a más de uno que Bachelet encierra en su interior afán de revancha, rencor, resentimiento.

J. S.: Lo cierto es que no lo ha mostrado para nada. Es más, su oponente [el empresario Sebastián Piñera] está bastante a la izquierda de Mariano Rajoy. Era un empresario riquísimo pero muy presentable; el único que se había desmarcado de Pinochet.

J. M. F.: ¿Y de Evo Morales, por quien brindaste en el escenario, qué me dices?

J. S.: Yo estoy a favor del jersey. Me parece, visto así a muy grandes rasgos y a chafarrinón y pintura de brocha gorda, mucho más sensato que Chávez, y me parece que viene de una muy larga guerra.

J. M. F.: ¿No es muy naif?

J. S.: Sí, pero visto lo que han hecho los que no eran naif, bienvenido sea. A mí me asusta mucho más Ollanta Humala, el fundamentalista étnico peruano que se ha metido ahí, se ha colado, en una fiesta en la que no estaba invitado.[92] Evo cometerá sin duda muchos errores, pero

92. Al término de la *tournée* latinoamericana de su gira *Ultramarina*, Sabina viajó hasta Lima con Jimena para seguir de cerca los

ha tumbado a dos Gobiernos sin pegar un solo tiro. Es verdad que Lula es más listo y más político, pero Evo Morales tiene una trayectoria parecida. De toda la vida ahí, sindical...

J. M. F.: También es verdad que Brasil y Bolivia son dos países muy distintos.

J. S.: Muy distintos, sí. Pero Bolivia tampoco es lo que parece. Es un país que está en la más absoluta de las miserias, pero que tiene hidrocarburos, petróleo, gas natural... Además, a mí los símbolos no me parecen nada inocuos, y el jersey de Evo me gusta. Y la torpeza de la derecha española es inconcebible. Es decir, que venga un

---

resultados de los comicios peruanos: «Quiero vivir las elecciones peruanas con mi chica y hacer lo posible para que no gane Ollanta porque he leído cosas que ha dicho en los últimos diez meses que son muy peligrosas», declaró. Sin embargo, la fortuna no acompañaría a los detractores del abanderado de Unión Por el Perú (UPP), puesto que fue precisamente éste quien se alzó con la victoria en las urnas en la primera vuelta electoral (9-4-2006) con más de un 30 % de los votos. En un artículo titulado «Razones para una alianza» y publicado en el diario *El País* (23-4-2006), el escritor Mario Vargas Llosa —quien en 1990 fuera candidato a la Presidencia del Perú— hablaba de la necesidad de que los otros dos candidatos, el socialdemócrata Alan García, del Partido Aprista Peruano (APRA), y la democristiana Lourdes Flores, de Unidad Nacional (UN), dejaran a un lado sus diferencias y, por el bien del país, formaran una alianza de gobierno para tratar de neutralizar la amenaza que suponía Humala, cuya victoria, aseguraba Llosa, «sería una catástrofe para el Perú y para América Latina, una regresión brutal, en un continente que parecía en vías de democratización, hacia las peores plagas de nuestro pasado: el caudillismo, el militarismo, el populismo y el autoritarismo». Finalmente, Humala hubo de disputar el 4 de junio de 2006 una segunda vuelta con Alan García (que ocupó el sillón presidencial entre 1985 y 1990), la cual se saldó con el triunfo de este último.

presidente electo con el setenta por ciento de los votos y que Rajoy no quiera entrevistarse con él me parece imperdonable. Hay que ser torpe, ¿no? Es un presidente electo y además tenéis ahí a Repsol, luego ¡cómo no te vas a entrevistar con él! Por cierto, el Rey se entrevistó con él encantado.

»Resumiendo: Evo Morales me parece un tipo decente.

J. M. F.: Por cierto, no sé si llegaste a ver aquella entrevista en la que un periodista le preguntaba a Evo Morales acerca de Castro, de si consideraba que Cuba era una democracia y el comandante, un mandatario democrático, y el boliviano contestó que sí. Ante la insistencia del reportero sobre esa cuestión, pues no salía de su asombro, el presidente boliviano acabó zanjando el asunto por las bravas y despidiendo al *acosador* sin más.

J. S.: Sí, vi esa entrevista. Lo que sucede es que Evo no está «placeado», y además le ponen todo el tiempo toros imposibles de torear.

J. M. F.: De todas formas, y al margen de lo baqueteado que esté, cuando se es partidario de Fidel, ¿de qué modo se puede salir incólume de una pregunta como ésa?

J. S.: ¿Te refieres a qué es lo que yo habría contestado o contestaría si me hicieran esa pregunta? Pues yo diría: ¿estamos hablando de democracia, estamos hablando de Bush, estamos hablando de Irak? ¿De qué estamos hablando? ¿Estamos hablando de la pena de muerte, de Schwarzenegger? ¿Que en Cuba no hay democracia? Desde luego que no. ¿En otros sitios sí? Perdón, pero tengo mis reservas. La estatura histórica de Fidel y los logros de la Revolución cubana, que no salen jamás en las primeras páginas de los periódicos —y de eso ya hablamos largamente en su momento—, son impresionantes. El índice de mortalidad infantil es menor en Cuba que en la calle más pequeña de Manhattan. Eso qué, ¿no mola? Y el grado de educación ¿tampoco mola? Dicen: Chávez le regala petróleo a Fidel. Pero es que Fidel tiene dos mil quinientos maestros y tres mil cirujanos, gratis total, en Venezuela, y en todas las escuelas de cine cubanas, una de ellas la del Gabo, García Márquez, hay becados miles y miles de bolivianos gratis. ¿Es que eso no vale nada?

J. M. F.: Sí, sí, por supuesto que eso vale. Lo que no vale de ninguna de las maneras es que Castro siga teniendo a gente en la cárcel por el simple hecho de expresar sus ideas, contrarias al Régimen. Lo hablamos en su día y lo reitero: eso, Joaquín, es in-jus-ti-fi-ca-ble.

J. S.: Lo de los presos ya lo hablamos en su momento, exacto, y sabes perfectamente que abajofirmé. Pero eso no me impide en absoluto colocar a Fidel en la historia con una estatura superior a la que tiene, y mide casi dos metros.

J. M. F.: Menos mal que sólo has hablado con él dos veces, que si no...

J. S.: Lo he visto sólo dos veces, sí. La primera, como sabes, hace ocho años, y estuvimos siete u ocho horas juntos de cháchara y contando chistes. Había dos o tres personas más, pero realmente estábamos solos porque una de esas personas era el entonces ministro de Cultura Armando Hart, héroe del Moncada, y el pobre se estaba durmiendo. Recuerdo que me dije: «Este hombre, que fue asaltante del cuartel Moncada, que fue marido de Haydée Santamaría, la mítica directora de la Casa de las Américas que se suicidó un 26 de julio, aniversario del asalto al cuartel Moncada... Este hombre, después de cuarenta años con Fidel, ¿cómo carajo sigue aquí, aguantando a un cantante español y durmiéndose? ¿Por qué no se va a su casa?» También recuerdo que en un momento de la noche le dije: «Oye, Armando, yo quisiera saber tu opinión», y él contestó: «Yo es que prefiero escuchar» [risas].[93]

J. M. F.: Y ¿de qué hablasteis en el segundo encuentro? ¿Te pidió el teléfono de Jimena como antaño el de aquella otra novia tuya?

J. S.: No, pero como es natural le hizo mucho más caso a ella que a mí. Ocurrió lo mismo que la otra vez: estábamos haciendo las maletas para ir al aeropuerto, de vuelta a España, y de pronto apareció una chica levitando y nos dijo: «¡Una sorpresa, una sorpresa!» Total, que fuimos a ver al comandante dos horas. Mirábamos el reloj porque perdíamos el avión, pero la verdad es que estuvo muy simpático. Aunque también es cierto que la vez anterior lo encontré mucho más curioso.

J. M. F.: ¿Y eso?

J. S.: La primera vez que hablamos dialogaba y estaba muy interesado en muchas cosas que me causaron una gran sorpresa. Por ejemplo, me preguntó cuánto cobraban mis músicos, si alquilábamos los equipos o no...

93. Armando Hart Dávalos (La Habana, 1930) fue ministro cubano de Educación entre 1959 y 1965 y de Cultura entre 1976 y 1997. Estuvo casado con Haydée Santamaría (Encrucijada, Las Villas, 1922-La Habana, 1980), con la que el 26 de julio de 1953 participó en el asalto al cuartel Moncada, encabezado por Fidel Castro. Haydée fue una de las personas que consiguió sacar de la cárcel el célebre alegato que pronunció el joven Fidel en el juicio que se celebró contra él, conocido como *La historia me absolverá* (tras cumplir algo menos de dos años de la condena de quince que se dictó contra él, Castro fue finalmente amnistiado por el Régimen de Batista). En 1959, tras el triunfo de la Revolución cubana, Santamaría fundó la emblemática institución cultural Casa de las Américas. En 1980, horrorizada por la matanza del Río Canímar, en la que cuatro niños y cincuenta y dos adultos fueron asesinados, se quitó la vida de un disparo en la boca. Dejó escrita una nota que jamás se ha hecho pública.

Quería saberlo todo. Esta vez, en cambio, hablaba solo.

J. M. F.: ¿Ya no está tan lúcido como se piensa?

J. S.: No tanto... Pero ojo, mucho más lúcido que tú y que yo.

J. M. F.: Sí, a pesar de que le notaste mucho más deteriorado y envejecido.

J. S.: Es que como te digo hacía ocho años que no le veía, y entre aquel Fidel y el de ahora he encontrado unas variantes propias de la edad. Está a punto de cumplir ochenta años. Y no son los ochenta años de cualquiera, sino los de alguien que ha protagonizado, en una isla muy pequeñita, la historia de una manera feroz. Son los ochenta años de alguien a quien, como han revelado los archivos de la CIA, le han hecho treinta y dos o sesenta y siete intentos de asesinato, y que ahí sigue. De pie.

J. M. F.: Y ¿dónde crees que ha radicado y radica el secreto de Fidel Castro para mantenerse todos estos años en el poder —cuarenta y siete— y sobrevivir a nada menos que una decena de presidentes de su país enemigo por antonomasia, Estados Unidos? ¿En su inteligencia, en su elocuencia, en su coraje? ¿En todo eso a la vez?

J. S.: Ya hemos hablado para este libro de lo que sucedió con Ceaucescu, que mientras daba un mitin en un balcón llegó la gente, lo bajaron y le hicieron, junto con su mujer, algo parecido a lo que hicieron los italianos con Mussolini y su amante, Clara Petacci, cuando se disponían a huir a Suiza.

»Con los yanquis ahí al ladito, una vez caído el Muro de Berlín, sin ninguna alianza en el mundo, habiendo sobrevivido a eso que ellos llamaban el Período Especial en Tiempos de Paz, que es que no tenían absolutamente de nada, si Fidel no tuviera un apoyo grande de la gente, su pervivencia sería imposible. Por cierto, él tiene razón cuando dice: “Oiga, los cubanos están armados." Si quisieran quitárselo de encima, más apoyos que la oposición cubana no ha tenido ninguna oposición en el mundo mundial nunca.[94] Hay una tragedia tremenda, además, que es la fuga de cerebros. Yo le hice una oración encendida, apasionada, fúnebre y enamorada en la revista *Interviú* a Cabrera Infante ["Gloucester Road, un racimo de uva / de moscatel, / tres tristes tigres perdidos en Cuba / lloran por él"], que me parecía un escritor impresionante. ¿Qué pasa con Cabrera Infante? Pues pasa que durante cincuenta años, viviendo en Gloucester Road, en Londres, no escribió una sola palabra que no hablara de La Habana. Ha habido un millón de exiliados muy importantes, muchos Cabreras Infantes. De eso se habla mucho...

J. M. F.: Perdona, pero de muchos Cabreras Infantes nada. Zoé Valdés, verbigracia, no es ni de lejos Cabrera Infante.

J. S.: Claro, desde luego que no. ¡Y Armando Valla-

94. El propio Fidel Castro ratificaba este punto en una conversación mantenida con el periodista y director del mensual *Le Monde Diplomatique* Ignacio Ramonet, recogida en el libro *Fidel Castro. Biografía a dos voces* (Debate, 2006): «[...] Al principio, con todos esos planes de atentados, yo tenía un papel decisivo, papel decisivo que no tengo hoy. Hoy tengo, tal vez, más autoridad y más confianza de la población que nunca. Nosotros, ya se lo dije, estudiamos todos los estados de la opinión pública. Seguimos con un microscopio los estados de opinión. Y le podemos decir los estados de opinión en la capital, por ejemplo, y en el resto del país, y le puedo presentar todas las opiniones. Aunque sean adversas. La inmensa mayoría nos son favorables. El nivel de autoridad, después de cuarenta y seis años de lucha y experiencia, es más alto de lo que era. Es muy alta la autoridad de aquellos que luchamos y que hicimos la guerra, condujimos al derrocamiento de la tiranía y a la independencia de este país.» Leer para creer.

dares no estaba cojo![95] [Risas sonoras.] Te decía que de esos exiliados se habla mucho, pero no se habla para nada de los miles de maestros y de los miles de cirujanos que están en Venezuela, en el Congo o en Namibia totalmente gratis. De los cuales muchos se quedan y no vuelven. Así que la gente dice: es que ahora hay una bonanza en Cuba que tiene que ver con el turismo, y es verdad, y que tiene que ver con el petróleo de Chávez, y también es verdad...

J. M. F.: Y tú, que acabas de estar allí, ¿qué tienes que decir al respecto? ¿Cómo has visto Cuba? ¿Has notado a la gente igual que siempre, mejor o peor?

J. S.: Diría cualquier imbecilidad si opinara al respecto, porque ésta es la primera vez que no he salido a tomarle el pulso a la calle. Pablo Milanés me dijo una maldad muy cubana: «Oye, tú has venido aquí quinientas veces y siempre has estado por ahí. Y resulta que firmas una carta contra Fidel y te llevan a una casa de protocolo.» Porque me llevaron a un palacio de esos a los que llevan a los embajadores y a los políticos, con diez camareros fantásticos a nuestra disposición y en ese plan. Luego es la vez en la que menos me he enterado. Entre otras cosas, porque un día estuve en casa de Pablo Milanés, que me ofreció una fiesta para celebrar mis cuarenta y diecisiete años, y

95. Policía durante el Régimen de Fulgencio Batista, Armando Valladares Pérez fue detenido y encarcelado por cometer acciones terroristas en lugares públicos de La Habana —introducía pequeñas bombas en cajetillas de cigarros—. Mientras cumplía condena se hizo pasar por inválido para obtener la ayuda de distintas asociaciones y personalidades, quienes solicitaron su liberación por razones humanitarias. Escribió el poemario *Desde mi silla de ruedas*. Un tribunal médico concluyó que la supuesta invalidez era una farsa. Fue puesto en libertad en 1982, tras cumplir veintidós años de condena.

estuve cantando con Chucho Valdés, Carlos Varela y el poeta Pablo Armando Fernández. Al día siguiente estuve comiendo con Silvio Rodríguez en su casa, tomé café con Fabelo, aquel que me pasaba dibujos bajo la puerta de mi casa de Madrid, y no he tenido ocasión de callejear. No obstante, sí opinamos la Jime y yo que se nota el petróleo de Chávez y que se nota el turismo. La Habana Vieja está mucho más limpia y reconstruida. También se nota mucho el mogollón turístico.

J. M. F.: Aun así Jimena tuvo que regalar su teléfono móvil, y eso es sin duda un indicativo de que las cosas no van mucho mejor.

J. S.: Y ¿cómo sabes eso? En fin. Ya te digo que esta vez no tengo opinión. He estado viendo a mis amigos y no Cuba, y la opinión que tengo es muy buena pero es de otra cosa.

J. M. F.: Y respecto al turismo sexual, ¿crees que la cosa ha cambiado o que sigue exactamente igual?

J. S.: Creo que sí, que ha cambiado. Al menos en lo que he podido observar. He ido en coche por La Habana, de noche, y las filas de jineteras, hace diez años, y no tanto, eran impresionantes. Ahora no.

J. M. F.: Bueno, digamos que no están tan a la vista como antes, pero desde luego siguen existiendo.

J. S.: Seguro. Pero de eso ya hemos hablado, y lo repito: universitarias, sin sida y las más guapas del mundo. Y encima le hacen creer al gallego del Banco Español de Crédito que se han enamorado. Yo siempre pienso en esa pobre chica cubana guapa de morirse, de veinte años, que se viene con el tipo barrigón y con boina de Albacete, y el tipo le promete el oro y el moro y lo que hace es meterla en un pueblo de mierda, y a las dos semanas esa cubana está que no puede soportar más a la madre del barrigón de Albacete, a la cuñada, al cuñado... Porque todos la miran mal.

»¿Qué estoy queriendo decir con todo esto? ¿Que soy castrista, que soy procubano? Pues no sabría qué decir. Pero sí pediría que comparásemos Cuba sólo con su entorno, no con Bélgica. Su entorno, digo. Todo el mundo dice que es que el Caribe es así, y no. Yo he estado en Santo Domingo y en Haití, y no son como Cuba. A lo mejor Cuba ya era así antes de Fidel, no lo sé, seguramente. Lo que sí sé es que Cabrera Infante estaba muy equivocado cuando dijo tantas y tantas veces que Fidel había acabado absolutamente con la idiosincrasia de Cuba, porque estoy seguro de que con esa idiosincrasia no hay dios que acabe. Fidel lo que hizo fue darle educación y sanidad a la isla.

»Para acabar de una vez por todas con el tema, en verdad que me gustaría que Fidel y yo pudiéramos vivir los años suficientes para poder cagarme en la puta madre que lo parió a condición de que todos los de alrededor no se llamen Bush. El mundo que yo sueño es un mundo donde se pueda retirar a Fidel; pero mientras lo que haya alrededor suyo sea lo que hoy es, no seré yo quien lo haga.

J. M. F.: Ése es, me temo, el típico argumento del que se decanta por el menos malo de los dos malísimos —por el «mal menor»—, lo cual no lo convierte ni mucho menos en bueno.

J. S.: Sí, pero escucha un momento. No creas que soy tan imbécil como para olvidarme, ni un segundo me olvido, de que soy un turista revolucionario tan privilegiado y mimado por el poder que hasta me permito el lujo de firmar cartas contra Fidel Castro. No se me olvida ni un segundo.

J. M. F.: Por cierto, y ya que lo dices, ¿que te pareció aquello de *Turistas del ideal*, la novela de Ignacio Vidal-Folch en la que os parodiaba, con una pluma cargada de ácido sulfúrico, a Saramago, al fallecido Vázquez Montalbán y a ti?[96]

J. S.: ¿De verdad quieres que te lo diga?

J. M. F.: Por supuesto.

J. S.: Muy bien. Te diré que leí la novela enterita. Ignacio Vidal-Folch no me conoce, no me ha visto nunca.

96. Primera novela de una trilogía satírica sobre la España contemporánea, *Turistas del ideal* es, según reza el texto de contracubierta, «una cáustica visión del filisteísmo cultural, el mandarinato de los intelectuales progresistas y las contradicciones entre sus ensueños revolucionarios y su realidad acomodada y burguesa». Su autor, el periodista y escritor Ignacio Vidal-Folch (Barcelona, 1956), hace una feroz recreación de personajes perfectamente reconocibles, como es el caso del escritor Manuel Vázquez Montalbán (Vigil), del Nobel de Literatura Saramago (Augusto) y del subcomandante Marcos (El Capitán). Sabina también encuentra su lugar en el libro bajo el nombre de Colores, «un cantautor canalla y noctámbulo, con afición a la cocaína y las mujeres» que sobre el papel resulta un trovador tan simplón como ido, y del que Vidal-Folch escribe perlas como la que sigue: «La inocencia, o inconsciencia, o crasa ignorancia de Colores en todo lo relativo a la esfera de las ideas, sumada a su afilada intuición para el *kitsch* sentimental, le permitía componer canciones como churros, todas en el mismo espectro emocional, romántico y canalla, y no darse cuenta de que la mitad de los versos eran ripios y la mitad de los acordes, plagio. [...] Cada año el trovador publicaba un disco con diez o doce nuevas canciones, desbordantes de hombres abandonados, de borracheras y soledades, de mujeres crueles y putas de tierno corazón, un mundo de antihéroes y sentimientos tópicos tan confortables como el de las novelas de *Cóndor*, pero menos ideologizado y por consiguiente todavía más accesible y popular; y así iba aumentando alegremente el ruido del mundo. [...] A todos les gustaban aquellas canciones, y algunas, para colmo, no estaban del todo mal [...].» Es de todo punto comprensible que tras esa lectura a Joaquín no le apeteciera precisamente invitarle a cenar, sino, más bien, estrangularlo.

Bien. Yo pensé: este señor es un escritor, y no precisamente malo. ¿Cómo es posible que un escritor profesional emplee un año de su vida para vilipendiar al pobre Vázquez Montalbán, a san Saramago y a mí, que no me conoce de nada? ¿No te parece que puestos a planear proyectos literarios, ése es sin duda el más ínfimo que existe? A mí no se me ocurriría de ningún modo escribir un libro para ponerte a ti y a tres más a parir. ¿Por qué lo hace? ¿Es que ese hombre no tiene otras cosas que contar? Creo que *a)* emplear tantos meses de tu vida en escribir eso es un empeño descabellado, y *b)* ¿sabes qué es a mi modo de ver lo mejor del libro? Las parodias de mis canciones. Lo digo en serio, carajo. Ahora, para la caricatura que hace de mí no tengo palabras. Yo soy muy propenso a la caricatura, pero es que ese tipo no me ha visto nunca y no sabe nada de mí. Y a lo mejor tampoco sabe que es muy posible que yo haya leído unos cuantos libros que él no ha leído.

J. M. F.: Hablando de libros, y volviendo a Cuba, fuiste invitado a la Feria del Libro de La Habana para presentar tu libro de sonetos *Ciento volando de catorce*, y me consta que en el acto de presentación no escatimaste alabanzas para el ministro de Cultura, el también novelista Abel Prieto.

J. S.: No, lo que pasa es que, ¡carajo!, que en un lugar como Cuba se edite mi libro de sonetos es algo maravilloso. Naturalmente regalado, porque ellos no pagan derechos de autor. Eso lo digo no sólo en mi honor, sino también en el de Chus Visor, el editor. La presentación fue fantástica. Se celebró en el aula Nicolás Guillén, donde caben mil quinientas o dos mil personas, y se quedaron fuera otras tres mil. Figúrate. Estamos hablando casi de un concierto de música pop, pero en cambio se trataba de un tipo, yo, que iba a leer sonetos. En un país en el que se editan muy pocos libros y en el que hay unas ansias de leer tremendas. Creo que firmé dos mil ejemplares del libro. Y Abel Prieto no sólo participó en la presentación sino que además ordenó la cola [risas]. Luego hemos hecho, incluso, intercambio de décimas.

J. M. F.: ¿Cómo se siente alguien que siempre soñó con ser escritor y no cantante cuando se presenta su muy vendido libro de poemas en otros países (México, Argentina, Perú, Cuba) y la gente se mata por verle?

J. S.: Es muy emocionante para mí, la verdad. Sobre todo porque tú sabes que es un libro de sonetos. ¡Es que es casi imposible lograr eso con un libro de poemas!

»Te diré también que ese libro, en estos años en los que no he cantado, lo he presentado en todos los Albacetes del mundo, incluidos, como has señalado, México, Perú y Argentina. Y la verdad es que la calidad oidora, compartidora y el hambre de cultura y la sabiduría del público cubano son espectaculares. No he visto nunca un público tan ávido de literatura, tan literariamente interesado por algo, tan capaz. Por ejemplo, desde que escribí los sonetos cada vez que voy a Jerez a leer se me levantan dos señoras del público y me leen unos sonetos. [Largo silencio.] Unos sonetos infames. En Cuba, en cambio, se levantaron dos a leer unos sonetos y eran mejores que los míos. Impresionantes de verdad. ¡Me humillaron! ¡Yo quería matarlos! [Ríe.] Por cierto, en la Feria del Libro de La Habana se han vendido millón y medio de libros. La industria editorial de La Habana, que estaba bajo mínimos porque no había ni papel, creo que este año ha publicado tres mil quinientos libros. Y, desde luego, el nivel cultural de la gente que tenía ahí delante, discutiendo, era algo impresionante.

J. M. F.: Te haré una pregunta comprometida: ¿es más ilustrado y receptivo el ciudadano de a pie cubano o el argentino?

J. S.: [Largo silencio.] Ésa es una pregunta, más que comprometida, bien difícil de contestar. Creo que está más educado, de un modo un poquito naif, el cubano. El argentino, en cambio, tiene una tradición burguesa / ilustrada de colmillo retorcido. No es lo mismo. El cubano, insisto, es más naif.

J. M. F.: Imagino que es imposible nacer en Cuba y no serlo (naif).

J. S.: Claro. Por cierto, en este último viaje, uno de los días me acosté a las ocho de la mañana, y a las diez el comandante Chávez me mandó a su hija para que me despertara con unos regalitos. La niña, que tiene unas tetas fantásticas, vino a saludarme con unos libros y la Constitución de su país dedicada, y me dijo que me querían hacer embajador cultural de la República bolivariana de Venezuela en España. Y yo le dije: «Un momento, un momento. Déjame que me informe un poquito y luego ya veremos si soy embajador o no.»

J. M. F.: Hablando de embajadores y de propuestas eximias: en Mar del Plata (Argentina) quieren nombrarte Ciudadano Ilustre, como ya hicieron en Buenos Aires.

J. S.: Bueno, pero eso tiene más sentido porque allí he ido muchas veces. Sin embargo, te diré que aún no tengo definida mi opinión sobre Chávez. De hecho, lo primero que le dije a su niña es que lo tenían muy jodido en España porque la prensa, desde *El País* hasta *La Razón*, está en contra y ha hecho, con éxito, una caricatura de su padre diciendo que es un payaso. Así es. También es verdad que de vez en cuando, en letra pequeña, lee uno en *El País*, o en otros sitios, que si se han hecho muchas escuelas, que si la sanidad, que si tal. Muy bien. Pero la batalla mediática la tienen ahora mismo muy jodida, y no voy a ser yo quien mejore eso.

»Ah, antes de que se me olvide te voy a contar una cosa

que tiene que ver con esto. Por falta de energía, y por el poquito tiempo que estuve allí, me faltó el negro de una uña para conseguir lo que tú sabes que llevo años intentando: la reconciliación de Silvio Rodríguez y Pablo Milanés. Los tenía a puntito de caramelo a los dos precisamente el día en que se presentó la niña de Chávez. El caso es que cuando la niña se fue yo tenía que irme a comer con Silvio, y te juro por mis muertos que tenía pensado presentarme en casa de Pablo con Silvio agarrado del brazo —de hecho se lo había contado a Pablo la noche antes—, pero había sido tal la acumulación de emociones que ya no me quedaba ni un soplo de adrenalina ni de energía para hacerlo. La noche anterior Pablo me había organizado una fiesta de cumpleaños y yo me quedé charlando con él hasta las tantas. Le dije: "Pablo, ya sabes que te ha llamado esta tarde Jimena. ¿Recuerdas lo que te ha dicho?", y él asintió. Jimena le había llamado de mi parte y le había preguntado si podíamos llevar a su casa a quien quisiéramos, y Milanés le contestó que claro, que su hermano, yo, podía llevar a su casa a quien quisiera, porque era mi casa. Mi plan era llevar a Silvio. No lo hice. Pero esa noche le pregunté a Pablo qué habría pasado si lo hubiese llevado conmigo y él me dijo, por primera vez: "Le habría dado un abrazo." Pero cuando llegó el momento resulta que no tenía fuerzas para librar esa batalla.

J. M. F.: ¿Terminará por materializarse esa reconciliación? De tu mano, quiero decir. Algo que ya hiciste con Charly García y Fito Páez en Argentina.

J. S.: Creo que he perdido una ocasión histórica. Pablo es el más reticente, a pesar de lo que me dijo del abrazo, pero Silvio no tiene ningún problema.

J. M. F.: Hablando de reconciliaciones y de Fito Páez, me gustaría que me explicaras por qué razón grabaste un disco con el cantante rosarino siendo ambos tan distintos, tan antitéticos, y no lo hiciste, por ejemplo, con Pablo o con Silvio o con Serrat o con Aute, que sí tienen más elementos en común contigo.

J. S.: Pues porque ninguno de los que has citado me propuso hacer nunca un disco a medias. Bueno, quizá Pablo. Fito, en cambio, se empeñó, y a mí me pareció que era mejor viajar a un terreno tan desconocido.

J. M. F.: ¿Un Sabina sin coca habría aceptado igualmente el disparatado ofrecimiento de Fito?

J. S.: [Largo silencio.] Tal vez no. Pero es que el Sabina sin coca acaba de cumplir cuatro años. Es decir, es muy jovencito aún. El Sabina con coca, sin embargo, se apuntaba a un bombardeo. Y en el caso de Fito yo no era *fan*, pero sí reconozco que es, como dicen en Argentina, muy «talentoso». Y viajar a un continente tan desconocido para mí —no hablo de Argentina, que sí era conocida, sino del continente Fito— era algo que me apetecía mucho. No sabía lo mal que lo iba a pasar, ni Fito sabía lo mal que yo se lo iba a hacer pasar a él. De todos modos, y fíjate qué bien viene esto para el libro, te diré que el otro día estuve en Tenerife e hice muy buenas migas con el tipo que llevó a Fito a Tenerife en el que fue su único gran éxito en España, en un festival latino que hacen con doscientas mil personas. El caso es que me emborraché con él y le acabé proponiendo que, cuando concluyera mi gira, si Fito quería podíamos hacer un solo concierto en esa misma playa.

J. M. F.: ¿De verdad estarías dispuesto a dar ese concierto con tu más célebre enemigo íntimo?

J. S.: Un concierto sí; lo que no estoy dispuesto a hacer con él es toda una gira.

J. M. F.: Vuelvo a la política. Cuando estudiabas en la Universidad de Granada, en 1968, te levantabas a las siete de la mañana para comprar las primeras ediciones del diario *Ideal* y seguir atentamente los pormenores de las míticas revueltas estudiantiles de París. ¿Qué sensación te produjeron los recientes e inquietantes disturbios de inmigrantes en el corazón de Francia?[97]

J. S.: Es una buena pregunta. Escribí una cosa en *Interviú* [«Incendio luego existo, brama el coro / *des enfants sans-culottes de la patrie*, / Chirac es don Tancredo, leña al moro, / pongamos que hablo de París», reza la última estrofa de los versos que Joaquín escribió bajo el título *Pongamos que hablo de París* para el conocido semanario español]. Por un lado pensé que me habría encantado estar quemando coches, y por otro pensaba que están sucediendo cosas que se nos están escapando claramente de las manos. Cosas muy graves.

J. M. F.: ¿Sarkozy es Torquemada?

J. S.: Sí. [Largo silencio.] En este país Dios es el apellido de Cagüen. Las caricaturas sobre Mahoma eran muy

97. La muerte, el 27 de octubre de 2005, de dos adolescentes musulmanes de origen africano cuando eran perseguidos por la policía en la ciudad de Clichy-sous-Bois, en el peligroso departamento de Seine-Saint-Denis, al este de París —Bouna Traoré, de quince años, y Ziad Benna, de diecisiete, murieron electrocutados tras trepar a una subestación eléctrica en plena huida—, supuso el detonante de una ola de violencia en los suburbios de París y en distintas ciudades de Francia que se caracterizó por el enfrentamiento entre cientos de jóvenes inmigrantes de «tercera generación» (franceses a todos los efectos) y las fuerzas policiales: tan sólo en la primera quincena de la revuelta, los airados adolescentes incendiaron cerca de siete mil vehículos. Los disturbios tuvieron pronto eco en otros países de Europa, como Bélgica, Dinamarca, Holanda, Alemania y Suiza. El ministro del Interior, Nicolas Sarkozy, se convirtió en el blanco de las iras de los enfurecidos manifestantes por sus desatinadas declaraciones —los llegó a calificar de «escoria»—, que fueron tachadas de xenófobas.

malas, pero estar pidiendo perdón por ellas es mucho peor. Lo que está pasando es muy grave. En mi opinión es la Tercera Guerra Mundial. He llegado, incluso, a leerme el libro de la *yihad* de este del PP... [Gustavo de Arístegui, *La Yihad en España*, Ed. La Esfera de los Libros, 2005.] No tengo los códigos ni las claves ni los datos, ni creo que los tenga nadie. El ejemplo londinense de la multiculturalidad falló. También el francés. Estrepitosamente. El ejemplo español es demasiado joven para fallar todavía, aunque lo hará, y desde luego lo que se avecina es muy crudo. No me hagas a mí, que soy un cantante y como mucho un sonetista, ser la Sibila de Delfos, porque no tengo ni puta idea de qué va a pasar. Ahora, es verdad que estoy muy preocupado. Además de otras muchas cosas, Javi, compartimos algo: tenemos hijos. Si yo no tuviera hijas, sabes muy bien que me importaría un carajo que el Apocalipsis viniera el día después de mi muerte. El Armagedón. Pero como tengo hijas, creo que lo que les vamos a dejar está bien jodido. Los historiadores sí saben cosas. Dicen: claro, Mahoma es del siglo VI o VII, y el islamismo es una religión muy joven que no ha pasado por la Inquisición o la Edad Media. Está pasándolo ahora. Pero el atractivo que tiene la *yihad* para los jóvenes musulmanes de segunda y tercera generación, de los suburbios de París, Londres, Marte, Saturno, Urano, Neptuno y Plutón, es algo en verdad impresionante. ¿Quién carajo ha previsto eso? ¡Dios mío! ¡Si se les cayó el Muro de Berlín y los de la CIA no sabían lo que iba a ocurrir...!

J. M. F.: ¿Defiendes en tu fuero interno a esos chicos airados, agraviados, ofendidos, parisinos al fin y al cabo, que queman coches porque se sienten como seres apestados, marginados, excluidos, los indeseables?

J. S.: A mí, ya te digo, me gustaría salir a quemar coches.

J. M. F.: ¿También el jovencísimo Sabina que lanzó un cóctel molotov a una sucursal bancaria hace treinta y seis años, acción que le costó una estancia forzosa de siete años en el Reino Unido, habría quemado coches?

J. S.: Sí, es probable que sí. Y vuelvo a Cuba: lo que más me fascinó la primera vez que llegué a la isla es que no había coches; los pocos que había eran de los años cuarenta. Y sigue sin haber publicidad. La única publicidad es: «¡Señores imperialistas, no les tenemos absolutamente ningún miedo!» Pero no hay anuncios. Llegas a Cuba y dices: «Pero ¿qué pasa aquí?» Te cuesta una hora darte cuenta. No hay coches ni publicidad, y pones la televisión y hay un bioquímico de ochenta años que se permite el lujo de estar hablando tres horas sin un solo anuncio. Eso a la gente le parece muy aburrido. A mí, en cambio, me parece poesía.

«PARA DON ALFONSO USSÍA / ESTA MANO QUE ES LA MÍA» (HACIENDO LAS PACES POR ESCRITO)

... Puestos a desangrarnos tú contra yo,
¿por qué no hacemos las paces?

Pie de guerra
(Alivio de luto)

J. M. F.: En este libro has citado de forma reiterada al escritor Alfonso Ussía, y no precisamente para enfatizar tu aprecio por su obra y persona, sino todo lo contrario. Él no ha sido menos y desde distintas tribunas te ha dado estopa de lo lindo. Comprenderás, por tanto, que me quedara descolocado cuando leí en *Interviú* —y como yo, cualquiera que esté mínimamente al loro— unos versos en los que le decías que pelillos a la mar. Creo que esa oferta de armisticio merece cuando menos una aclaración.

J. S.: Nadie sabe por qué extraña razón —yo tengo una teoría, pero puede que no tenga nada que ver con la realidad— Alfonso Ussía se descolgó con un artículo que se titulaba «El hongo», y en el que aseguraba, refiriéndose a mí, que un tipo que había dado un *gatillazo* en Gijón, que luego se anunciara tres veces en Madrid con éxito era como los toreros históricos, con dos cojones. Además, decía que el hongo era un objeto que estaba en desuso y que en la actualidad le pertenecía al abajofirmante.[98] El caso es que yo, que ahora mismo estoy como digo en la canción de Cohen: «¿Por qué no hacemos las paces?», le mandé un recadito en la misma página en la que también te lo mandé a ti y a otros buenos amigos. Le decía, creo: «Para don Alfonso Ussía / esta mano que es la mía.» Sospecho que el intermediario es un colombiano ilustre, Daniel Samper,[99] que nos invitó una noche a cenar porque

98. El citado artículo fue publicado en el diario *La Razón* (23-12-2005). Dado su enorme valor, pues supone la intención de un inequívoco cese de hostilidades por parte de uno de los enemigos históricos de Sabina (sólo hay que fijarse en las numerosas estocadas que el cantante le propina a Ussía a lo largo de este libro), reproduzco el siguiente fragmento: «Con Joaquín Sabina he librado toda suerte de batallas y trifulcas. Le he dado y me las ha devuelto, y viceversa. Jamás ni el uno ni el otro ha acudido a los tribunales. Somos partidarios de las justas literarias, no de la querella maricona que exige una indemnización para financiar la barbacoa del chalé. Creo sinceramente que Sabina está más obsesionado conmigo que al revés, pero es un juicio de valor nacido de la subjetividad. Con mi persona de por medio, siempre soy parcial a mi favor. Lo que está claro es que los enemigos no aparecen de la nada. Sabina me lee y yo le oigo, y también lo leo. Y nos hemos acostumbrado a atizarnos sin misericordia. Pero lo cortés no quita lo valiente [...] Cuando dio el *gatillazo* en Gijón, lo sentí de veras. Y aplaudí su justificación en versos. La quiebra de la voz de un artista en un escenario es siempre una impertinencia de la vida. Pero he sabido de su recital en Madrid, y del éxito que cosechó. Para alcanzar el éxito hay que ser valiente. Un cantante que pierde la voz en un sitio y a las pocas semanas se presenta en Madrid es como el torero que hace el paseíllo en Las Ventas isidriles con la herida de la cornada sin cicatrizar. [...] Me alegré al saber que todo ha salido bien. Y que cantó sin que la voz se le quebrara decenas de sus canciones. Uno se valora, sobre todo, por la calidad artística e intelectual de sus enemigos. Les exijo valentía, calidad y talento. Y no quiero perderlos por circunstancias ajenas a mi intención. Enhorabuena, Sabina.» Enhorabuena, Ussía.

99. Daniel Samper Pizano (Bogotá, 1945) es uno de los periodistas

lo habíamos conocido con el Gabo, con García Márquez, quien nos dijo que era un tío cojonudo. Él es muy amigo de Ussía y tenía interés en que nos arregláramos. No recuerdo exactamente qué fue lo que le dije, pero él le debió de contar a Ussía de nuestro encuentro y tal vez eso fue lo que provocó el artículo que me dedicó. Eso creo.

J. M. F.: ¿Ussía ha contestado a tu contestación, a la mano que le tendías?

J. S.: No, pero la suya fue más grande puesto que eligió todo un artículo. De todos modos, tampoco tengo mayor interés en el asunto porque ni él va a cambiar sus ideas ni yo las mías.

J. M. F.: Te has quedado sin enemigos, Joaquín. Salvo tal vez Abelardo, de Renacimiento.

---

y escritores más célebres de Colombia. Miembro de la Academia Colombiana de la Lengua, en diciembre de 2005 publicó *Versos chuecos. Las mejores peores poesías de la lengua española*, inspirado en los libros *Coñones del reino de España*, de Alfonso Ussía, y *De jardines ajenos*, de Jorge Luis Borges y Adolfo Bioy Casares, y en el que recogía poemas infames de grandes poetas y escritores, como Rubén Darío, Nicanor Parra o su amigo Gabriel García Márquez. Samper declaró que algunos «amigos sinvergüenzas y vagos de España», como Serrat y Sabina, le habían ayudado a reunir parte de los poemas. De Sabina contó una anécdota impagable para el diario colombiano *El Tiempo*: «Sabina es muy aficionado a los versos chuecos y, en un momento dado, le estaba contando de este libro y me dijo: "Oye, yo tengo unos versos muy buenos de mi padre para tu libro", y empezó a soltar versos que su papá le había dicho que había escrito: "Entonces Cristo se fue a la ciudad de Betulia / como quien se va a un café o a una tertulia." Su padre le decía que eran de su autoría para granjearse la simpatía del hijo, pero era mentira. Son versos que han circulado por ahí, en el peor de los casos anónimos y en el mejor, de dueño conocido. Para él fue una sorpresa cuando le dije: "¿Te refieres a éste, o a este otro?" Y dijo: "¡Joder!, pero si yo pensé que eran de mi padre."»

J. S.: [Ríe.] Sí, es el único. ¡Por favor, que Abelardo siga siendo mi enemigo! ¡No puedo quedarme sin enemigos, eso es envejecer muy mal! Con Ussía no ha sido tanto hacer las paces como hacer las paces literarias. No tenemos ni que darnos la mano ni tomarnos una copa. De hecho, no sabría de qué hablar con él.

J. M. F.: Bueno, aún te queda alguno más por ahí... José María Mendiluce, por ejemplo.

J. S.: No, qué va. Ése es un gilipollas y nunca tuvo la categoría de enemigo. [Después surgiría Ramoncín, aunque tras la tempestad de las descalificaciones sobrevino la calma de los apretones de mano verbales. Véase nota 79, pág. 354, dentro del capítulo «El segundo aliento (Sabina hoy. Planes de futuro)».]

QUÉ SABE NADIE
(CONOCER A JOAQUÍN)

Me enamoro de todo, me conformo con nada:
un aroma, un abrazo, un pedazo de pan
y lo que buenamente me den por la balada
de la vida privada de fulano de tal.

Siete crisantemos
(Esta boca es mía)

«... Canto porque respiro y porque muero,
porque espero, maldita madrugada,
chaparrones de abril, cuestas de enero.»

Extracto del soneto
Seis sonetos menos una canción
(segunda entrega)

J. M. F.: ¿Quién crees, Joaquín, que es la persona que más o mejor te conoce?

J. S.: [Silencio larguísimo.] Si hablamos de escenarios y *gatillazos*, creo que Panchito Varona. En otros terrenos no sabría muy bien lo que contestar. ¿Jimena? Ella conoce a un Sabina, pero no conoce para nada al que fue. Jimena se enamoró de un borracho / drogadicto y un año después ya no era drogadicto, sólo borracho. ¿Callejero? No. Putero tampoco. Nada. Panchito sí tiene todo ese arco.

Y por escrito, quien mejor me conoce es un tal Menéndez *Flowers*.

J. M. F.: Te agradezco el cumplido, pero no sé yo si...

J. S.: Yo sí lo sé.

J. M. F.: ¿Tus hijas te conocen?

J. S.: La mayor, la muy cabrona, creo que sí.

J. M. F.: Y eso ¿qué significa? ¿Qué es lo que sabe en realidad de ti, del golfo de su padre?

J. S.: Pues sabe que... Verás. Ella se divierte conmigo. Las dos vienen a dormir a casa, pero Rocío, la pequeña, es más oculta, más secreta. Carmela no. Carmela se parece desesperadamente a mí, y por eso cuantas más golferías le cuento y más bromas le gasto, más se divierte. Y a mí ella me divierte mucho. Con Carmela estoy desarrollando una relación *incestuosa* muy divertida. Mucho. No te imaginas cuánto. A Carmela no hay nada que le guste más en el mundo que venir a un concierto y cantar como una loca. Está encantada. Rocío, sin embargo, está preocupada porque yo bebo delante de ellas y me fumo mis canutos delante de ellas y saben la vida que llevo.

J. M. F.: ¿Qué tal llevan lo de ir contigo por la calle y detenerse cada dos por tres para que firmes un autógrafo o saludes o te hagas una foto?

J. S.: A Rocío no le importa mucho. Es más, creo que le incomoda un poquito. Pero Carmela está en un momento en el que sí que le gusta. Cuando vamos por la calle, me agarra del brazo. Rocío en clase me niega. Le dicen que si su padre esto y lo otro, y ella se quita de en medio. Carmela lo hacía hace tres años, y ahora está feliz. Toco madera, la verdad, pero hasta ahora me han salido muy bien. Estoy más preocupado por Rocío, por eso que te decía antes de que es más oculta. Carmela en cambio es muy transparente.

J. M. F.: ¿Rocío es acaso más literaria?

J. S.: No podría contestarte a eso, pero sí te diré que escribe que te cagas. Carmela no. Ángel González ha llevado encima, durante años, unos versos escritos por Rocío. Lo malo es que escribe de cosas que no le han pasado, con lo cual le sale una cosa cursi pero escrupulosamente bien medida. No sé lo que será Carmela, pero tengo muy claro que Rocío será escritora. Sin ninguna duda. Ella es Oliart. Pero es que el padre de Isabel, el abuelo materno de mis niñas, Alberto, era un sonetista magnífico. Íntimo de Jaime Gil de Biedma, por cierto. Jaime Gil estaba completamente enamorado de él. En la universidad le llamaba «el joven Telémaco».

J. M. F.: Gil de Biedma era un poeta inmenso.

J. S.: Para mí, el mejor desde la Generación del 27. [De pronto se queda absorto, pensativo. Se produce un largo silencio que decido romper.]

J. M. F.: ¿Crees, Joaquín, que el arte se construye o se levanta con, o desde, los márgenes?

J. S.: Sí. Por supuesto que sí. En mi caso está muy claro, y también en los casos que más me gustan. Siempre hago bromas al respecto con Olga Román, porque no se puede cantar mejor. Digo: «La han oído ustedes. No tiene mérito. Sabe cantar.»

»Creo, sí, que el arte se hace con los límites. A mí me gusta Tom Waits muchísimo y también me gusta Dylan, que no es precisamente el mejor cantante del mundo, pero claro que lo es. Y Leonard Cohen. Que no canta ni en el entresuelo ni en el piso de arriba ni en la buhardilla, canta en el sótano. Y más monótono ya no se puede ser. Sin embargo, deme usted esa monotonía. Bendito sea usted. Ah, y para no ser tan modernos te diré que a mí me sigue gustando mucho un señor que se llama Paco Ibáñez. Ya nadie lo escucha, ya a nadie le importa un carajo, pero ese tipo con esa voz de cabra hizo una selección de la poesía clásica española que a mí me apasiona. Yo me las sé todas, y si quieres te lo demuestro [entonces, sin pensarlo un segundo, se hace con la guitarra y comienza a cantar a Ibáñez. A Paco Ibáñez. A ese cantautor que tanto sonó y al que ya nadie escucha, al que a nadie le importa un carajo. Con un par].

«MUERA LA MUERTE»
(DESPUÉS DE TI NO HAY NADA)

... Cuando me hablan del destino
cambio de conversación.

Cuando me hablan del destino
(Dímelo en la calle)

J. M. F.: Y ¿la muerte, Joaquín? ¿Aún la temes?

J. S.: Y ¿a qué le va a temer uno si no? ¿Acaso hay alguna otra cosa a la que temer, querido biógrafo?

J. M. F.: Hablé de eso con dos buenos amigos tuyos, Javier Krahe y Luis Eduardo Aute, y ambos coincidieron en lo mismo: después de temerla durante años, de estar prácticamente obsesionados con ella, de pronto han dejado de hacerlo. Ya no les quita el sueño ni les inquieta. O eso fue al menos lo que me dijeron.

J. S.: Bueno, la verdad es que a los dos los tengo en un altar, pero a cualquiera que diga que no teme a la muerte le digo que no me creo una puta palabra. Ése es el único temor que existe, el único tema. La pelona, la puta pelona. Mira. Yo fui muy amigo crepuscular de Rafael Alberti, ¡y no se quería morir ni muerto! Así que si Krahe y Aute me dicen eso a mí a la cara, me tiro un pedo, vomito y suelto una carcajada. ¡Por el amor de Dios! ¡Pero a qué le va a temer uno entonces! Mientras estás vivo puede pasar de todo. No creo nada en los que dicen que la muerte es una cosa natural que hay que aceptar. No, no. Gilipolleces ni una. Mariconadas ni una. No me toques los cojones, que vengo de romería.

J. M. F.: Uno de tus eslóganes más recurrentes ha sido, precisamente, «muera la muerte».

J. S.: Porque me niego a aceptar que haya que morirse, ¡carajo! Ni siquiera de muerte natural. Muera la muerte, sí. ¿O es que tú no le temes a la muerte?

J. M. F.: Sí, mucho, desde luego que sí. Tengo treinta y siete años y un hijo de dos y medio. ¡Cómo podría no temerla!

J. S.: Pues yo te llevo veinte, así que la temo veinte veces más. Además la he visto. Y es muy fea, huele mal. La posteridad, créeme, no me importa nada. Ya hemos hablado de eso (hemos hablado de todo, so cabrón). Porque cuando ella esté, yo ya no estaré. Es verdad que mis ideas sobre eso han cambiado —un poco, no mucho— desde que tengo hijas. A mí el ecologismo me importaba un carajo. Ya te dije que antes de que ellas existieran, si el planeta se fundía el mismo día de mi entierro, estaba bien fundido. Ahora, sin embargo, me gustaría que mis hijas pudieran beber los vinos que yo he bebido, ver los paisajes que yo he visto, dormir en las camas en las que yo he dormido...

J. M. F.: Pero sabes perfectamente que eso es imposible... Maldita sea.

J. S.: Tal vez..., tal vez... Ahora, si no tuviera hijas...

»¿La posteridad? ¡Ja! De qué.

EPÍLOGO

JOAQUÍN DECONSTRUIDO

No voy a negarte que has marcado estilo...

Conductores suicidas
(Física y química)

... El más chulo del barrio,
tiro porque me toca,
suspenso en religión...

La del pirata cojo
(Física y química)

La vuelta a calle Melancolía ha resultado ser tan fértil como extenuante. Y es que en mis diez años de ejercicio del noble y aunque parezca mentira cada vez más difícil arte de la entrevista, en los cuales he tenido el privilegio de charlar con medio millar de personas más o menos interesantes pero siempre con una historia que contar —coincido con Yeats en aquello de que en todo hombre hay un mito—, nunca había disfrutado tanto ni empatizado tanto ni disentido tanto ni sufrido tanto con nadie como con Joaquín Sabina en el transcurso de las horas nocturnas, estupefacientes, disparatadas, reveladoras, didácticas, irreales, vivísimas, tensas, desternillantes y ya inmortales en las que discurrió el vis a vis que ustedes, amigos lectores, mis hermanos, han tenido ocasión de presenciar.

Me pregunto qué cara va a poner Joaquín al contemplarse ahora tan desnudo y expuesto, deconstruido de amores y políticas y músicas y literaturas y depresiones y borracheras como una suerte de mecano memorístico y, como todo edificio desmantelado, un poco trágico.

Él, que impetraba le dejáramos solo consigo, con el íntimo enemigo que malvive de pensión en su corazón, se ve una vez más en el puesto de honor del escaparate, mercancía pata negra, y al impúdico alcance de todo aquel al que le sobren poco más de veinte euros para hacerse con un libro que es al mismo tiempo un delicioso canto a la vida y una —más que valiente, inevitable— declaración de intenciones.

Me pregunto también qué cara van a poner los retratados y aun los olvidados en esta aventura verbal devenida en literaria que ha sido, que es, *Yo también sé jugarme la boca. Sabina en carne viva.*

He de decir, no obstante —y ustedes, como testigos de excepción que han sido, lo pueden constatar—, que Joaquín ha demostrado un gusto exquisito al no ponerse los tentadores trajes de la complacencia y el resentimiento a la hora de tirar de la de por sí tramposa madeja del recuerdo, y que ha tratado de situarse, con éxito, en un plano en el que los dibujos de los aludidos fuesen lo suficientemente realistas pero sin que en ningún momento la sangre llegara a salpicar las primeras butacas.

Él, tan proclive a los excesos, ha dado una magistral y sorprendente lección de ecuanimidad.

Ya en las primeras páginas de este libro, Joaquín anticipaba de alguna manera ese modus operandi al reconocer que, en los últimos tiempos, propendía cada vez con una mayor voluntad a un territorio en el que no sólo existen blancos y negros, sino también unos bellísimos, en contra de la creencia generalizada, grises. Un gris que, sostiene, hace falta conquistar cada día un poco más para la sana evolución de nuestra tajante y cainita especie.

Pero si bien es verdad que ha habido, ya digo, un intento permanente por parte del entrevistado de mantener el equilibrio, de no hacer astillas de los muchos árboles talados a su alrededor ni tampoco abusar del uso del jabón, nadie en su sano juicio podrá decir que Joaquín ha pecado de *light* o de pusilánime. Ahí están, por ejemplo, los fieros mandobles a los políticos, la franqueza en el siempre espinoso asunto de las drogas y las difíciles confesiones acerca de las mujeres más importantes de su vida o de sus propias hijas. Yo, al menos, no he visto jamás un afán de sinceridad que, como el esgrimido por él, no encerrase bilis sino simplemente la intención de contar las cosas como desde luego las piensa y, supongo, *casi* como fueron. Pues como el siempre certero Valle-Inclán aseveró: las cosas no son como son, sino como las recordamos.

Ahí quedan, pues, las remembranzas y los episodios puramente grandes éxitos, pero también, y lo que es más importante, las codiciadas caras *b*, que es lo que en materia biográfica más alto cotiza.

Nos hallamos, en fin, ante una vida extraordinaria. La de alguien que lejos de abundar en los populosos mercados de la mal llamada civilización, es un poco como el tigre de Bengala, el lince ibérico o el águila imperial. Ese animal en vías de extinción que llora en silencio —«lágrimas para llorar cuando valga la pena»— ante la certitud de que su futura desaparición acelerará peligrosamente el fin de una raza excelente.

Mucho se ha escrito —en prensa— de ese infrecuente animal tan dado a la autoparodia y la desmesura que es Sabina, y es muy posible que más que nunca desde su inopinada resurrección *ultramarina*. De todo ese derroche de tinta, de tanto artículo, recensión, entrevista y crítica como ha aparecido a ambos lados del Atlántico a partir de *Alivio de luto*, escojo dos fragmentos tanto por su brillantez como porque vienen a constatar mis palabras a propósito de su singularidad.

En el primero, publicado en el diario *El Mundo*, su autor, Ángel Antonio Herrera, en un alarde de pirotecnia adjetival e hiperestesia poética, lo describía como alguien «con la voz aquejada de esquinas y el estilo arrastrado de noches interiores y de las otras, entre el solitario de cabaret y el vampiro que ve a Vallejo [César, *of course*] en todos los espejos».

En el segundo, don Manuel Vicent, el maestro Vicent, con esa prosa escueta y honda que corta cual navaja lorquiana, resumía para *El País* el universo sabiniano como sólo lo pueden hacer los más sabios entomólogos del alma humana, entre la filosofía y la gramática parda: «Sabina supo que lo suyo eran los macarras, las prostitutas, los borrachos, los viejos bujarrones, pero también el corazón dulce y desesperado de los caballos. El resto lo puso el destino, porque siempre hay un dios que baja del Olimpo y te elige a ti, sólo a ti; te da una colleja y te dice: "Anda, cómete el mundo, que yo te acompañaré en tu vuelo, como a Ícaro, hasta que el sol te queme las alas." A partir de esa unción, Sabina incorporó a sus canciones la moral de la derrota y comenzó a beberse en medio del éxito el alcohol duro de los perdedores. El dios de Sabina aún le ofreció otra gracia: "Voy a romperte la voz y en adelante cantarás desgañitándote como si te cabalgaras." [...] Acosado por una estampida de admiradores en España y Latinoamérica, que comparte con Joan Manuel Serrat, de ellos Sabina se ha apropiado de los jóvenes más insomnes, de los más rojos, de los más cabreados, de todas esas chicas que, si bien pueden ser princesas, tienen el corazón suburbano.»

Con el sonido trepidante de esos corazones suburbanos, primaverales y únicos latiendo en la memoria me despido, en la esperanza de que hayan disfrutado tanto como yo de este largo viaje a través del alma de ese niño que se hizo hombre en el mismo instante en que partió de la estación de Francia.

Y, ahora, si me disculpan, he de reemprender el camino de vuelta a casa. Alejarme, sin más tardanza, de calle Melancolía.

Quién sabe si hasta nuevo impulso u orden, o ya para siempre.

El caso es que debo dejar a Joaquín con la sola compañía de ese otro, mucho menos dado a la exhibición, que reside en su interior y al que únicamente él conoce de veras. A pesar de haberlo asomado, a veces consciente y otras inconscientemente, de forma tan arriesgada —yo diría que casi suicida— a estas páginas: «El receloso, el fugitivo, / el más oscuro de los dos, / el pariente pobre de la duda, / el que nunca se desnuda / si no me desnudo yo, / el caprichoso, / el orgulloso, / el otro, el cómplice, el traidor.»

Ese otro Joaquín que es ya, también, éste.

JAVIER MENÉNDEZ FLORES
Final de trayecto, alivio de Sabina,
agosto de 2006

ESTE PIANO TOCADO A CUATRO MANOS...

Este piano
tocado a cuatro manos.
abracadabra,

tiene la suerte
de driblar a la muerte,
con la palabra,

coma profundo
mientras el perro mundo
gira que gira,

complicidades,
casi medias verdades,
puta mentira.

Javi Sabina,
Menéndez con sordina,
lengua sin pelos,

por Relatores
no pasan los doctores
del desconsuelo.

Olor a tinta,
ni de la misma quinta
ni maricones,

mi tronco sabe
darle vuelta a mi llave
con dos cojones.

JOAQUÍN SABINA
Madrid, tarde de julio de 2006

ÍNDICE ONOMÁSTICO

ÍNDICE

CODA

EPÍLOGO

Sabina en carne viva
de Joaquín Sabina y Javier Menéndez Flores
se terminó de imprimir en enero de 2007
en Litográfica Ingramex S.A. de C.V., Centeno 162-1,
Col. Granjas Esmeralda, México, D.F.